있는

국어

문법

Structure & Features _구성과 특징

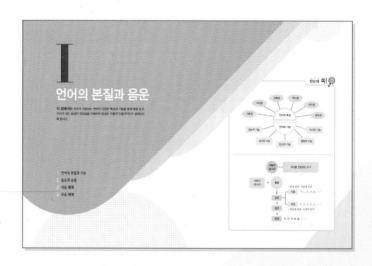

단원 소개

각 단원에서 공부할 내용을 소개합니다.

🔍 한눈에 쏙!

본문의 주요 개념을 도식으로 정리하여 한눈에 파악하게 해 줍니다.

본문

교과서만으로 이해하기 어려운 문법을 재미있는 이야기를 읽어 보며 쉽게 이해할 수 있도록 도와줍니다. 그림과 간략한 표 등을 함께 담아 내용을 더욱 쉽게 이해할 수 있습니다.

보조단

용어 풀이, 보충 설명 등을 살펴보며 본문을 좀 더 쉽게 이해할 수 있도록 도와줍니다.

🔍 잠깐 퀴즈

간단한 퀴즈를 풀어 보며 본문에서 공부한 내용을 바로바로 확인하게 해 줍니다.

알아 두자!

헷갈리기 쉽거나 좀 더 알아 두어야 할 문법 내용을 따로 정리해 두었습니다.

🌐 핵심만 쏙!

본문에서 배운 주요 내용을 표와 도식을 통해
간추려 놓았습니다.

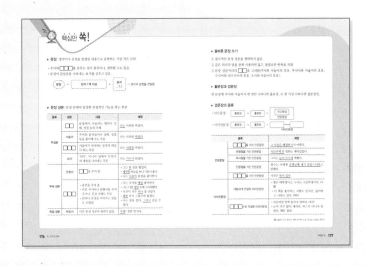

단계별 문제

1단계　기본 익히기

기본 문제를 통해 본문의 내용을 잘 이
해했는지 확인하게 해 줍니다.

2단계　실력 키우기

주관식, 서술형 등 다양한 형식의 문제
와 기출문제를 통해 문법 실력을 향상
할 수 있게 해 줍니다.

핸드북　🔍 한눈에 쏙!과 🌐 핵심만 쏙!을 한번에 담아 필수 문법 개념을 빠르게 점검하여 시험을 대비할 수 있게 해 줍니다.

Contents _차례

Index _찾아보기

본 교재의 해당 단원		학습 요소	성취 기준	초등	중1	중2	중3	고1
I	1. 언어의 본질과 기능	언어의 본질(자의성, 사회성, 역사성, 창조성)	언어의 본질에 대한 이해를 바탕으로 하여 국어생활을 한다.		●			
		언어의 기능(지시적·정보적·친교적·정서적·명령적 기능)	언어는 생각을 표현하며 다른 사람과 관계를 맺는 수단임을 이해하고 국어생활을 한다.	●				
	2. 음운과 음절	음운과 음절의 개념	음운의 체계를 알고 그 특성을 이해한다.				●	
	3. 자음 체계	음운 체계와 특성(자음 체계)	음운의 체계를 알고 그 특성을 이해한다.				●	
	4. 모음 체계	음운 체계와 특성(모음 체계)	음운의 체계를 알고 그 특성을 이해한다.				●	
II	1. 음절의 끝소리 규칙	음운 변동(음절의 끝소리 규칙)	음운의 변동을 탐구하여 올바르게 발음하고 표기한다.					●
	2. 두음 법칙	음운 변동(두음 법칙)	음운의 변동을 탐구하여 올바르게 발음하고 표기한다.					●
	3. 비음화와 유음화	음운 변동(비음화, 유음화)	음운의 변동을 탐구하여 올바르게 발음하고 표기한다.					●
	4. 구개음화	음운 변동(구개음화)	음운의 변동을 탐구하여 올바르게 발음하고 표기한다.					●
	5. 된소리되기	음운 변동(된소리되기)	음운의 변동을 탐구하여 올바르게 발음하고 표기한다.					●
	6. 사잇소리 현상	음운 변동(사잇소리 현상)	음운의 변동을 탐구하여 올바르게 발음하고 표기한다.					●
	7. 음운의 축약	음운 변동(거센소리되기)	음운의 변동을 탐구하여 올바르게 발음하고 표기한다.					●
	8. 음운의 탈락	음운 변동(자음 탈락, 모음 탈락)	음운의 변동을 탐구하여 올바르게 발음하고 표기한다.					●
III	1. 형태소와 단어	•형태소와 단어의 개념 •형태소의 종류(자립·의존·실질·형식 형태소)	국어의 낱말 확장 방법을 탐구하고 어휘력을 높이는 데에 적용한다.	●				
	2. 단일어와 복합어	•단어의 짜임(어근과 접사) •단어의 종류(단일어와 복합어, 합성어와 파생어)	국어의 낱말 확장 방법을 탐구하고 어휘력을 높이는 데에 적용한다.	●				
	3. 품사	•품사의 개념과 분류 기준(형태, 기능, 의미) •품사의 종류(명사, 대명사, 수사, 동사, 형용사, 관형사, 부사, 조사, 감탄사)와 특성	품사의 종류를 알고 그 특성을 이해한다.		●			
	4. 어휘의 체계와 양상	•어휘의 체계(고유어, 한자어, 외래어) •어휘의 양상(지역 방언, 사회 방언)	어휘의 체계와 양상을 탐구하고 활용한다.		●			
	5. 단어의 의미 관계	유의어, 반의어, 상·하위어	낱말과 낱말의 의미 관계를 파악한다.	●				
		다의어, 동음이의어	낱말이 상황에 따라 다양하게 해석됨을 탐구한다.	●				
IV	1. 문장 성분	•문장 성분의 종류 •문장 성분의 호응	국어의 문장 성분을 이해하고 호응 관계가 올바른 문장을 구성한다.	●				
	2. 문장 구조	문장의 짜임(홑문장과 겹문장, 이어진문장과 안은문장)	문장의 짜임과 양상을 탐구하고 활용한다.				●	
	3. 문법 요소	문법 요소(높임 표현, 시간 표현, 피동 표현, 인용 표현)	문법 요소의 특성을 탐구하고 상황에 맞게 사용한다.					●
	4. 담화	담화의 개념과 특성	담화의 개념과 특성을 이해한다.			●		
V	1. 한글 맞춤법	한글 맞춤법의 원리	한글 맞춤법의 기본 원리와 내용을 이해한다.					●
	2. 표준어 규정	•표준어 사정 원칙 •표준 발음법	단어를 정확하게 발음하고 표기한다.			●		
	3. 외래어 표기법과 로마자 표기법	•외래어 표기법 •국어의 로마자 표기법	단어를 정확하게 발음하고 표기한다.					
VI	1. 한글의 창제 원리	한글의 창제 원리	한글의 창제 원리를 이해한다.			●		
	2. 한글의 우수성과 가치	한글의 우수성과 가치	한글의 창제 원리를 이해한다.			●		

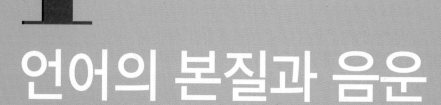

Ⅰ
언어의 본질과 음운

이 장에서는 우리가 사용하는 언어의 다양한 특성과 기능을 함께 배워 보고, 우리가 내는 음성의 참모습을 이해하며 음성은 어떻게 만들어지는지 살펴보도록 합시다.

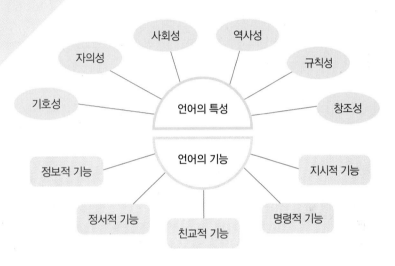

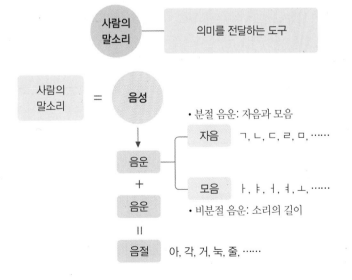

언어의 본질과 기능

언어는 인류를 다른 동물과 구별해 주는 중요한 특징 중 하나예요. 인간은 언어를 통해 의사소통을 하지요. 물론 다른 동물도 서로 의사소통을 할 수는 있어요.

예를 들어 벌은 꿀이 자신과 가까이에 있을 때에는 원 모양의 춤을 추고, 멀리 있을 때에는 팔자 모양의 춤을 추는 것으로 알려져 있어요. 또 강아지들은 주인에게 놀아 달라고 할 때 '멍멍' 소리를 내고, 상대를 위협할 때는 '으르릉' 소리를 내요. 그러나 벌이나 강아지가 의사를 표현할 수 있다고 해서 이들이 '언어'를 가지고 있다고 할 수는 없어요.

사람은 어떤가요? 우리는 친구와 같이 놀고 싶으면 "오늘 시간 있니?"라고 묻고, "응. 시간 많아. 같이 놀자."라고 답하며 대화를 나누지요.

언어는 인간만의 의사소통 수단이구나!

시간 있어?

응. 시간 많아. 같이 놀자!

멍멍

왈왈

그렇다면 인간의 언어에는 어떤 특성들이 있을까요? 하나씩 알아보기로 해요.

기호성 – 언어는 내용을 형식으로 나타낸다

우리는 밖에 나갈 때 항상 '땅을 딛고 서거나 걸을 때 발에 신는 물건'을 신어요. 이것을 '신발'이라는 음성과 문자로 표현하지요. 이렇듯 언어는 일정한 내용[의미]을 일정한 형식[기호]으로 나타낼 수 있는데 이러한 특성이 바로 **언어의 기호성**이에요.

🔍 **잠깐 퀴즈** ▶▶ 2쪽

1. 다음 빈칸에 알맞은 말을 쓰시오.

> 언어의 기호성이란 일정한 ☐☐을 일정한 ☐☐으로 나타낼 수 있다는 것이다.

언어의 기호성

자의성 – 언어는 우연히 이름 붙여진다

국어에서는 '땅을 딛고 서거나 걸을 때 발에 신는 물건'을 '신발'이라고 부른다고 했어요. 그런데 다른 언어에서도 그것을 '신발'이라고 할까요?

국어에서 '신발'이라고 부르는 것을 영어로는 'shoes[ʃuːz]'라고 부르고, 일본어로는 'くつ[kutsu]', 중국어로는 '鞋[xié]'라고 해요. 그런데 이렇게 부르는 것은 꼭 그래야 한다는 필연적인 이유가 있어서 그런 건 아니에요. 단지 같은 언어를 사용하는 사람들끼리 그렇게 하기로 정한 것이지요.

모든 언어는 의미와 기호가 결합된 것이지만 그 결합은 우연하게 이루어진, 즉 자의적이고 임의적인 것이에요. 이것이 바로 **언어의 자의성**이라는 특성이지요.

언어의 자의성

● 필연적: 사물의 관련이나 일의 결과가 반드시 그렇게 될 수밖에 없는 것.

● 자의적: 일정한 질서를 무시하고 제멋대로 하는 것.

● 임의적: 일정한 기준이나 원칙 없이 하고 싶은 대로 하는 것.

자의성 때문에 똑같은 물건이라도 언어마다 기호(말)가 달라지는구나!

🔍 잠깐 퀴즈   ▶▶ 2쪽

2. 다음 설명에 해당하는 언어의 특성은?

> 모든 언어는 의미와 기호가 결합된 것이지만 그 결합은 우연하게 이루어진, 즉 자의적이고 임의적인 것이다.

① 기호성   ② 자의성
③ 사회성   ④ 역사성
⑤ 창조성

사회성 – 언어는 그 사회 구성원 사이의 약속이다

국어에서 '신발'이라고 부르는 것을 영어로는 'shoes[ʃuːz]', 일본어로는 'くつ[kutsu]', 중국어로는 '鞋[xié]'라고 부른다고 했지요? 이것은 그 언어를 사용하는 사람들끼리 정한 약속이에요. 그런데 그 약속을 정한 사람 중 누군가가 '신발'을 '시계'라고 부른다거나, 'shoes'를 'banana'로 부르면 어떻게 될까요? 아마도 서로 의사소통이 되지 않을 뿐만 아니라, 많은 혼란이 생기겠지요? 이것은 바로 **언어의 사회성** 때문이에요. 언어는 그 언어를 사용하는 사람들 사이의 약속이기 때문에 개인이 마음대로 바꿀 수 없어요.◆

◆ 제일 처음 의미를 기호와 결합시킬 때는 자의적[임의적]이지만, 일단 결합이 이루어진 언어는 그 언어를 쓰는 사회 구성원 모두가 지켜야 하는 약속이 된다. 따라서 개인이 함부로 바꿀 수 없다.

언어의 사회성

여기서 언어의 사회성에 대해 깊이 생각해 볼 수 있는 이야기를 하나 들려줄게요. '페터 빅셀'이란 작가가 쓴 〈책상은 책상이다〉라는 소설이에요.

이 소설의 주인공인 남자는 일상이 너무나 지루해서 자신의 생활에 변화를 주기 위해, 사물의 이름을 자신이 정한 다른 단어로 바꿔 부르기로 결심하게 돼요. 이 사람은 '침대'를 '사진'이라고 부르기로 해요. 그래서 "침대에 누울 거야."가 아닌, "사진 속으로 누울 거야."라고 말을 하죠.

그런데 남자는 여기서 그치지 않아요. '의자'를 '괘종시계'라고 부르고, '책상'을 '양탄자'라고 부르기 시작해요. 그러니까 이 남자는 아침에 '사진'을 떠나 옷을 입고, '괘종시계'에 앉아 일을 하는 것이지요.

잠깐 퀴즈 ▶▶2쪽

3. '신발'을 '시계'로 부르지 못하는 상황에 담긴 언어의 특성을 쓰시오.

그리고 이 이야기는 다음과 같이 끝나게 돼요.

> 이 이야기는 슬프게 시작되어 슬프게 끝났다. 회색 외투를 걸친 이 늙은 남자가 이제는 사람들을 이해할 수 없게 되었다는 것은 그렇게 나쁘지 않았다. 이보다 훨씬 더 나쁘게 된 것은 사람들이 이제는 그를 이해할 수 없게 된 것이었다.
>
> 그래서 그는 이제 말을 하지 않았다. 그는 침묵했고, 자기 자신하고만 이야기했고, 인사조차 하지 않게 되어 버렸다.
>
> – 페터 빅셀, 〈책상은 책상이다〉에서

이것은 단순한 소설의 결말이 아니라, 언어의 사회성이 지켜지지 않으면 언어의 가장 큰 목적인 사람과 사람 사이의 의사소통이 불가능해진다는 것을 말해 주고 있어요.

역사성 – 언어는 끊임없이 변화한다

언어란 한 번 그 의미와 기호가 정해지면 그 사회 구성원 모두가 그 약속을 지켜야 한다고 했어요. 그것이 언어의 사회성이지요.

그런데 옛날에 정해졌던 언어는 처음 정해진 그대로 지금까지 변함없이 이어지고 있을까요? 다음 글을 한번 보세요.

원문

불휘 기픈 남ᄀᆞᆫ ᄇᆞᄅᆞ매 아니 뮐ᄊᆡ
곶 됴코 여름 하ᄂᆞ니
시미 기픈 므른 ᄀᆞ무래 아니 그츨ᄊᆡ
내히 이러 바ᄅᆞ래 가ᄂᆞ니

오늘날에 모습이 달라진 단어	
불휘 → 뿌리	ᄇᆞ롬 → 바람
뮈다 → 흔들리다	곶 → 꽃
됴타 → 좋다	여름 → 열매
하다 → 많다	믈 → 물
ᄀᆞ몰 → 가뭄	ᄇᆞ롤 → 바다

현대어

뿌리가 깊은 나무는 바람에 흔들리지 않으므로,
꽃이 좋게 피고 열매가 많습니다.
샘이 깊은 물은 가뭄에도 끊어지지 않으므로,
냇물이 되어 바다로 흘러갑니다.

– 《용비어천가》에서

이 글은 1445년에 편찬된 《용비어천가》의 한 구절이에요. 5백여 년 전에 기록된 조선 시대 초기의 글이라 조금 낯설게 느껴지기도 하는데요, 특히 어떤 점들이 지금과 다르게 느껴지나요?

● 《용비어천가》: 1445년(세종 27년) 4월에 편찬되어 1447년(세종 29년) 5월에 간행된 책으로, 세종의 여섯 조상인 목조부터 태종까지 인물들의 행적을 찬양한 서사시이다. 한글로 기록된 최초의 문헌이다.

잠깐 퀴즈 ▶▶ 2쪽

4. 다음 빈칸에 알맞은 말을 쓰시오.

> '우포'는 원래 순우리말인 '소벌'이었는데, 일제 강점기를 거치면서 '우포'로 바뀌었다. 이는 '언어의 □□□'과 관련이 깊다.

우선 《용비어천가》에는 모음 'ㆍ'가 쓰인다는 것이 눈에 띄네요. 이 모음은 '아래아'라고 부르는데 지금은 사라지고 없어요.

또 다른 점이 있나요? 네, 지금은 '꽃'이라고 부르는 것을 옛날에는 '곶'이라고 썼군요. 이것은 '꽃'이라고 부르는 말의 소리가 현대에 오면서 변했다는 사실을 짐작하게 해 줘요. 그 외에도 오늘날에 오면서 형태가 변하거나 의미가 변한 말들이 많이 보이네요.

이처럼 언어는 시간의 흐름에 따라 끊임없이 변하고, 또 사라지기도 해요.

언어는 새롭게 생겨나기도 해요. 새로운 개념이나 대상이 생기면, 그러한 것을 나타낼 새로운 말이 필요하거든요. 정보화 시대와 관련된 용어들이 그 대표적인 예라고 할 수 있어요.

불과 30여 년 전만 해도, 국어에는 '인터넷'이나 '스마트폰'이라는 단어가 없었어요. 하지만 정보화 시대로 들어서면서 지금은 일상적인 용어가 되었지요. '컴퓨터', '와이파이', '네티즌(누리꾼)' 등도 기술 발전과 함께 정보화 시대로 들어서면서 새로 생긴 단어라고 할 수 있어요.

지금까지 살펴본 것과 같이, 언어도 마치 생명체처럼 시간의 흐름에 따라 새로 생겨나고 끊임없이 변하며, 어느 순간 없어지기도 해요. 지금 이 순간에도 우리도 모르게 언어는 계속 변하고 새롭게 태어나며 사라지고 있어요. 이러한 언어의 특성을 **언어의 역사성**이라고 불러요.

● 정보화: 지식과 자료를 정보의 형태로 가공하여 가치를 높임.

잠깐 퀴즈 ▶▶ 2쪽

5. 다음 설명 중 옳지 <u>않은</u> 것은?

① 꽃은 옛날에 '곶'이라고 썼다.
② 모음 'ㆍ'는 오늘날에도 계속 사용된다.
③ 언어는 시간의 흐름에 따라 사라지기도 한다.
④ 정보화 시대와 관련된 용어들이 많이 생겨났다.
⑤ 오늘날에 오면서 형태나 의미가 변한 말들이 많아졌다.

언어의 역사성

규칙성 - 언어는 규칙 속에서 존재한다

다음 그림에 나오는 문장을 보세요.

ⓛ은 어딘가 이상하지요? 왜 그럴까요? 그것은 ⓛ의 문장이 국어의 규칙에 어긋나 있기 때문이에요. 국어 문장에서 목적어에는 목적격 조사 '을/를'을 붙여야 하는데, 주격 조사 '이'를 붙여 말했거든요. ↪96쪽, 139쪽

다음 문장을 읽어 보세요. 어딘가 부자연스럽죠?

동생이 빠른 걷는다.

서술어 '걷는다'를 꾸미려고 '빠르다'라는 말을 쓸 때에는, '빠르게'라는 형태로 바꾸어 쓰거나 또는 '빨리'라는 부사로 바꾸어 써야 해요. 이 문장은 이러한 규칙을 어겼기 때문에 이상한 것이지요. 이 문장은 '동생이 빠르게 걷는다.' 또는 '동생이 빨리 걷는다.'로 고쳐야 올바른 문장이 돼요.

언어에도 운동 경기와 마찬가지로 지켜야 하는 규칙이 있어요. 그 규칙을 지키지 않으면 문장이 어색해지거나, 문장의 뜻이 제대로 전달되지 않아요. 언어에는 그것을 올바로 사용하기 위한 여러 가지 규칙이 존재한다는 것, 이것이 바로 **언어의 규칙성**이에요.

지켜야 해!

언어의 규칙성

📢› 서로 관련된 언어의 특성들

• 언어의 역사성: 우리나라에 컴퓨터가 들어온 이후 '컴퓨터'나 '네티즌' 등 새로운 말이 생겨난 것.
• 언어의 기호성, 자의성: '네티즌'이라는 외래어를 '누리꾼'이라는 고유어로 바꾸어 부른 것.
• 언어의 사회성: 우리나라에서 '누리꾼'을 '네티즌'과 같은 뜻으로 사용하고, 또 그 사실을 누구나 알고 있다는 것.

잠깐 퀴즈 ▶▶2쪽

6. 문장의 옳고 그름을 판단할 수 있게 하는 언어의 특성을 쓰시오.

창조성 – 인간은 언어를 가지고 무한한 표현을 할 수 있다

우리가 만들 수 있는 문장은 몇 개일까요? 수만 개? 수억 개? 과연 그 개수를 세는 것이 가능한 일일까요?

다음 글을 한번 읽어 보세요.

오늘 아침에 목련이 벚꽃을 잡아먹었어. 그런데 목련이 갑자기 배가 아파서 식물 병원에 갔대. 병원에 가서 의사 선생님이 진찰을 했는데, 목련이 입을 "아~." 하고 벌리자, 목련 안에 있던 벚꽃이 어느새 참새로 변해서 파닥파닥 도망갔대.

글을 읽고 무슨 내용인지 이해했나요? 목련이 벚꽃을 잡아먹었는데, 그 벚꽃이 참새로 변해서 도망갔다는 동화 같은 이야기예요. 이러한 내용을 예전에 본 적이 있나요? 아마 아무도 없을 거예요. 누군가가 혼자 상상한 내용을 쓴 것이니까요.

또 누군가가 우리에게 "어제 무얼 샀니?"라고 물었을 때 우리는 "가방을 샀어." "신발을 샀어."라고만 말하지 않고, "어제 가방을 사고, 신발도 사고, 모자도 사고, ……"라고 문장을 무한히 늘려 대답할 수도 있어요.

이처럼 새로운 문장을 무한히 만들어 낼 수 있는 것은 언어가 창조성을 가지고 있기 때문이에요. 이러한 **언어의 창조성**은 동물과 인간을 구별해 주는 가장 큰 특징이기도 하지요.

♦ 언어의 창조성은 언어의 규칙성에서 나오는 성격이라고 할 수 있다. 규칙에 맞게 문장이 만들어지기 때문에 처음 들어 보는 내용이라도 쉽게 이해할 수 있고, 길고 새로운 문장을 만들어 내는 일도 가능하다.

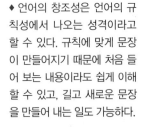

▶▶ 2쪽

7. 다음 중 언어의 특성이 잘못 연결된 것은?

① 기호성 – 언어는 그것을 드러내는 내용과 형식이 있다.
② 역사성 – 언어는 시간이 흐르면서 변한다.
③ 규칙성 – 언어에는 지켜야 할 규칙이 있다.
④ 사회성 – 언어는 우연히 이름 지어졌다.
⑤ 창조성 – 언어로 문장을 무한히 만들어 낼 수 있다.

언어의 창조성

지금까지 우리는 언어가 무엇인지, 어떤 특성을 가지고 있는지 살펴보았어요. 이번에는 언어가 어떠한 기능을 하는지 알아볼까요?

언어는 정보를 전달한다

언어는 말하는 이가 듣는 이에게 어떠한 사실이나 상황, 지식을 알려 주는 데 사용돼요. 그리고 어떤 대상을 가리킬 때도 사용되지요.

밤새 열이 나고 기침을 했어요.

이 약을 드시면 열이 내리고 기침이 멈출 거예요.

언어의 정보적 기능

이 대화에서 환자는 자신의 상태를 의사에게 알려 주고, 의사는 약의 효과를 환자에게 알려 주고 있어요.

언어의 정보적 기능이란 알려 주어야 할 내용을 전달하고 설명하기 위해 언어를 사용하는 것을 말해요.

언어는 정서를 표현한다

언어는 기본적으로 말하는 사람의 감정이나 태도를 표현하는 수단이에요. '기분이 좋아.'라든가 '너무 떨려.'와 같이 쓸 수 있으니까요. 이런 '감정이나 분위기', 즉 정서가 주된 전달 내용이 되는 것을 가리켜서 **언어의 정서적 기능**이라고 해요. 또 말하는 이의 내부에 있던 것을 밖으로 '표현'한다는 점에 초점을 맞추어 표현적 기능이라고도 하지요. 오른쪽의 장면을 보면서 언어의 정서적 기능에 대해 좀 더 이해해 보도록 해요.

이거 모레 개봉한대. '빛나리' 극장에서.

어, 그래? 그럼, 같이 볼까?

🔍 잠깐 퀴즈 ▶▶ 2쪽

8. 다음 빈칸에 알맞은 말을 쓰시오.

> 언어의 ☐☐☐ 기능이란 어떤 사실, 상황, 지식 등을 알려 주는 기능이고, 언어의 ☐☐☐ 기능이란 사람 마음에 일어나는 갖가지 감정이나 분위기를 표현하는 기능이다.

이 대화는 언어의 정보적 기능에 의해 이루어진 것이에요. 남학생은 아마 인터넷이나 텔레비전 광고 등을 통해 그 영화의 개봉 날짜를 알고 있었고 그것을 여학생에게 알려 준 것이겠지요. 그런데 다음 대화는 어떨까요?

영화를 보고 난 후 남학생은 영화가 재미있었다는 소감을 말하고 있고, 여학생은 영화가 지루하다고 불평하고 있어요.

이처럼 어떠한 대상에 대해 감정이나 태도를 표현하는 것이 바로 언어의 정서적(혹은 표현적) 기능이에요.

언어의 정서적 기능

> 감탄사에는 정보가 들어 있진 않지만, 순간적인 기분이 드러나긴 하지.

한편 말하는 사람의 정서를 표현한다는 점에서, 표출적 기능도 정서적 기능과 닮은 점이 있어요. 다음 사진을 보세요.

아름다운 풍경을 볼 때 우리는 보통 어떻게 반응하나요? 보통은 "우와!" 또는 "이야!" 하고 감탄을 하겠지요. 한편 누가 갑자기 꼬집는다면 순간적으로 "아얏!" 하고 비명을 지를 거예요.

이렇게 순간적이고 본능적인 느낌을 표현하는 기능을 **표출적 기능**이라고 해요. 언어의 다른 기능들과는 달리 말하는 사람의 전달 의도가 분명하지 않은 점이 표출적 기능의 특징이에요. 저도 모르게 내뱉는 것이기는 해도 말하는 사람의 태도나 정서를 표현한다는 점에서는 정서적 기능과 공통점이 있어요.

잠깐 퀴즈   ▶▶ 2쪽

9. '아얏!'이라는 감탄사는 언어의 (표현적 / 표출적) 기능을 보여 준다.

언어는 관계를 좋게 만든다

학교에 가서 선생님이나 친구를 만날 때 우리는 보통 '안녕'이라는 말을 넣어 인사를 하지요. 그런데 '안녕'이 무슨 뜻인지 생각해 본 적이 있나요?

언어의 친교적 기능

그래서 비 오는 날에도 "좋은 아침!"하고 인사를 건네는 거구나.

'안녕'은 '편안할 안(安)' 자에, '편안할 녕(寧)' 자를 쓴 한자어에요. 사전에는 '아무 탈 없이 편안함.'이라는 뜻으로 나와 있어요. 우리가 누군가를 만날 때 안녕하냐고 묻는 것은, 사실은 아무 탈 없이 편안하냐고 묻는 거죠.

그런데 인사할 때 정말로 상대방이 편안한지 궁금해서 "안녕하세요?"라고 하는 것일까요? 정말로 상대방이 어떻게 지내는지 궁금해서 묻는 말일 수도 있겠지만, 대부분의 경우는 서로 간의 친교를 확인하기 위해 건네는 인사말이지요.

또 다른 예를 생각해 볼까요? 점심 때쯤 마주쳤을 때 하는 인사로 "식사하셨어요?"라는 말을 쓰는 경우가 있죠. 이 말도 사실 정말 상대방이 밥을 먹었는지 안 먹었는지 궁금해서 묻는 말이라기보다는 식사 시간 즈음에 하는 인사말로 "안녕하세요?"라고 묻는 것과 별 다를 바가 없는 인사말이에요.

사람들은 언어를 통해 서로 안부를 묻는 행동을 하면서, 원만한 사회생활을 유지하고자 해요. 이 경우에는 서로 주고받는 말의 내용보다는 말하는 행위 자체가 더 중요한 역할을 하게 되지요. 말하는 사람과 듣는 사람이 서로 간의 친분을 확인하고, 사회적인 유대감도 확인할 수 있는 것을 곧 **언어의 친교적 기능** 또는 사교적 기능이라고 해요.

● 유대감: 서로 밀접하게 연결되어 있는 공통된 느낌.

🔍 잠깐 **퀴즈**   ▶▶2쪽

10. 다음 빈칸에 알맞은 말을 쓰시오.

말하는 사람과 듣는 사람이 서로 간의 ☐☐을 확인하고, 사회적인 ☐☐☐도 확인할 수 있는 것을 언어의 친교적 기능이라고 한다.

언어는 명령하고 지시한다

하루를 시작할 때 많이 듣게 되는 말에는 어떠한 것이 있나요? 아마 그중 하나는 누군가가 우리의 잠을 깨우기 위해 쓰는 "일어나라."라고 하는 말일 거예요.

언어의 명령적 기능

"일어나라."라는 말을 듣고 우리는 잠자리에서 일어나기만 하나요? 아마 일어나서 세수를 하고, 밥을 먹고, 학교에 갈 준비를 하겠지요.

이처럼 듣는 사람에게 무엇을 하게 하거나, 혹은 하지 않게 하는 언어의 기능을 **언어의 명령적 기능**이라고 해요. 언어의 명령적 기능은 "물을 아껴 써라."와 같은 명령문으로 나타나요. ◐ 154쪽

그런데 언어의 명령적 기능은 명령문뿐만 아니라, 다른 형태의 문장으로도 표현할 수 있어요.

포스터나 캠페인 문구 등에서는 평서문이나 의문문의 형태로 권유나 명령을 유도하는 경우도 많거든요.

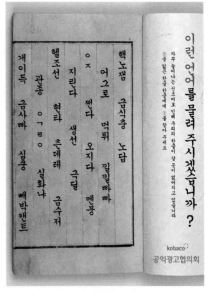

잠깐 퀴즈 ▶▶ 2쪽

11. 전달하고자 하는 내용을 고려할 때, 다음 문장에서 나타나는 언어의 기능을 쓰시오.

> 잔디밭에 들어가지 마시오.

일상적인 대화에서도 명령문의 형태가 아니지만 명령의 기능을 수행하는 경우를 쉽게 발견할 수 있어요.

이 대화에서 아버지는 명령문을 쓰지 않고도 아들에게 "물을 좀 가져와라."라는 명령적 기능을 수행한 셈이 되었지요.

만약 말 속에 숨어 있는 명령적 기능을 잘 이해하지 못하면, 다음 상황처럼 아버지의 의도가 제대로 전달되지 못하겠지요.

명령적 기능은 직접적인 표현뿐만 아니라, 간접적인 표현으로도 가능하구나.

알아 두자! 상황 맥락에 따른 언어의 기능

우리가 사용하는 말이나 글은 말이나 글이 사용되는 상황에 따라 다양하게 해석될 수 있어요. 말하는 이, 듣는 이, 시간이나 장소, 말의 의도나 목적에 따라 의미가 다르게 해석되죠. ⤴174쪽 이를 언어의 기능과 관련지어 생각해 볼 수 있답니다.

"오늘 날씨가 참 좋다."

이 문장이

- 특별한 의미 없이 친근함을 나타낼 때 사용되었다면
  → 친교적 기능
- 운동을 하러 나가지 않으려는 딸에게 엄마가 말하는 경우에 사용되었다면
  → 명령적 기능
- 한국으로 귀국하려는 사람에게 오늘의 날씨를 알려 주는 경우에 사용되었다면
  → 정보적 기능

🔍 **잠깐 퀴즈** ▶▶2쪽

12. 다음 상황에 나타나는 언어의 기능을 쓰시오.

기상 캐스터가 뉴스에서 "내일의 최저 기온은 영하 10도입니다."라고 말하는 상황.

언어는 대상이나 개념을 표현한다

왼쪽의 사진을 보면 무엇인지 알 수 있나요? 프랑스 파리에 있는 에펠탑이죠. 여러분이 저 사진을 보자마자 에펠탑이라고 말할 수 있는 것은 언어를 사용하여 어떤 대상이나 개념을 표현하는 기능 즉, **지시적 기능**이 있기 때문이에요.

이러한 언어의 지시적 기능 때문에 눈에 보이는 대상이나 사물, 눈에 보이지 않는 사람의 마음이나 머릿속에 있는 개념 모두를 가리키며 표현할 수 있는 것이죠.

그림 속의 인물이 누구인지 우리 모두 잘 알죠. 하지만 언어의 지시적 기능이 없다면 그림 속의 인물이 누구인지 표현할 방법이 없겠죠?

🔍**잠깐 퀴즈**　▶▶2쪽

13. 다음 빈칸에 알맞은 말을 쓰시오.

> 언어의 ☐☐☐ 기능 때문에 눈에 보이는 대상이나 사물, 눈에 보이지 않는 사람의 마음이나 머릿속에 있는 개념 모두를 가리킬 수 있다.

2 음운과 음절

음성과 소리는 어떻게 다를까

우리 주변에는 정말 많은 소리들이 있어요. 그런데 사람이 내는 '말소리'와 나머지 '소리'가 어떻게 다른지 생각해 본 적 있나요?

음성과 소리

'말소리'란 사람이 말할 때 내는 구체적인 소리를 말해요. 사람의 발음 기관을 통해 나오는 말소리의 또 다른 이름은 **음성**이에요. 자동차 엔진 소리, 강아지 짖는 소리, 천둥소리 등은 음성이라고 할 수 없어요. 사람이 내는 소리라고 해도 재채기 소리나 기침 소리 등은 '음성'이라고 하지 않아요.

아기의 울음 음성

아버지의 고함 음성

이 표현들은 '아기의 울음소리, 아버지의 고함 소리'라고 써야 자연스러워요. 이런 소리들은 사람의 발음 기관을 통하여 만들어지는 소리이긴 하지만, 뜻을 전달하는 말을 하는 데 쓰이는 소리가 아니기 때문에 '음성'이라고 하지 않는 것이지요.

'소리'와 '음성'의 관계를 그림으로 나타내면 다음과 같아요.

잠깐 퀴즈   ▶▶ 2쪽

14. 다음 중 소리나 음성의 쓰임이 잘못된 것은?

① 새의 울음소리
② 친구의 비명 음성
③ 언니의 차분한 음성
④ 자동차의 경적 소리
⑤ 어머니의 나지막한 음성

발음 기관은 어떻게 생겼을까

앞에서 우리는 '음성'이 '사람의 발음 기관을 통해 나오는 말소리'라는 것을 배웠어요. 그렇다면 사람의 발음 기관은 어떻게 생겼을까요? 그리고 음성을 내는 데 발음 기관은 어떤 역할을 할까요?

사람이 음성을 내는 데 쓰이는 발음 기관은 매우 많지만, 여기서는 대표적인 것만 살펴보도록 할게요.

●구강음: 'ㅂ' 소리를 낼 때처럼 코를 울리지 않고 입 안에서만 나는 소리.

●비강음: 'ㅁ' 소리를 낼 때처럼 코를 울리는 콧소리.

●발원지: 흐르는 물줄기가 처음 시작한 곳. 또는 어떤 사회 현상이나 사상이 맨 처음 생기거나 일어난 곳. 여기서는 음성이 처음 시작되는 곳을 이름.

우와,
이러한 발음 기관을 통해
음성이 만들어지는구나!

🔍잠깐 퀴즈 ▶▶2쪽

15. 다음 설명에 해당하는 발음 기관은?

> 발음 기관 중 가장 큰 역할을 하는 기관으로, 이것을 어떻게 사용하느냐에 따라 우리가 내는 발음은 달라진다.

① 혀 　　② 폐
③ 잇몸 　④ 성대
⑤ 입천장

입천장

목젖에서부터 윗잇몸까지 이어지는 부분이에요. 입천장의 딱딱한 부분을 '경구개'라 하고, 목구멍 가까이의 말랑말랑한 뒷부분을 '연구개'라고 불러요.

잇몸

입천장의 제일 앞부분으로 이와 연결되는 부분을 가리켜요. 발음할 때는 윗잇몸만 사용한답니다. 이 윗잇몸을 '치조'라고 해요.

혀

발음 기관 중 가장 큰 역할을 하는 기관이에요. 혀를 어떻게 사용하느냐에 따라 우리가 내는 발음이 달라져요.

목젖

거울을 보고 입을 크게 벌리면 목구멍 위에 매달린 목젖이 보여요. 목젖을 올려 공기를 입으로 내보내면 '구강음'이 되고, 목젖을 내려 공기를 코로 보내면 '비강음'이 돼요.

성대

폐에서 나온 공기는 성대를 진동시키며 다양한 소리를 내요.

폐

음성을 낼 때는 폐에서 공기를 만든 후 여러 발음 기관을 거쳐 입 밖으로 나가게 해요. 따라서 폐는 음성의 발원지라고 할 수 있어요.

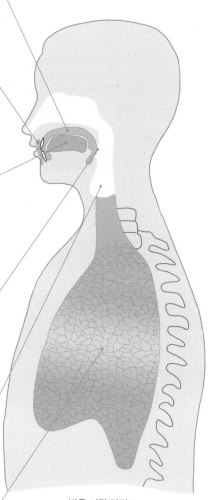

발음 기관 단면도

음운 – 말 뜻의 차이를 가져오다

친구들이 '물'과 '불'이라고 말하는 소리를 들어 보세요. 음성에 따라 높고 낮은 차이, 굵고 가는 차이, 빠르고 느린 차이가 있지요? 하지만 어떤 친구가 어떤 음성으로 말하든 '물'이라고 하면 누구나 강이나 마시는 물 같은 것을 떠올리게 되고, '불'이라고 하면 모닥불, 화재 현장과 같은 장면을 떠올리게 돼요. '물'과 '불'은 'ㅁ'과 'ㅂ'의 차이만 있을 뿐인데, 전혀 다른 의미를 가지고 있지요. 이처럼 말의 의미 차이를 가져오는 가장 작은 소리의 단위를 **음운**이라고 해요.

물 / 불

불 / 풀

풀 / 뿔

각 글자의 첫소리인 'ㅁ'과 'ㅂ', 'ㅍ', 'ㅃ'에 따라 뜻이 달라지지요? 첫소리뿐만이 아니에요.

공 / 콩

공 / 강

밥 / 밤

말은 첫소리, 가운뎃소리, 끝소리 중 하나만 달라도 뜻이 달라져요. 이렇게 말의 뜻을 구별해 주는 'ㄱ', 'ㅋ', 'ㅗ', 'ㅏ', 'ㅂ', 'ㅁ', 즉 자음과 모음이 음운에 포함돼요.

겉으로 드러나지는 않지만 말소리를 구별해 주는 다른 요소도 있어요. 바로 말의 길이나 높낮이 등이지요. 이들은 자음이나 모음과 같이 소릿값을 가지지는 않지만 단어나 문장의 뜻을 구별하는 데 쓰이기도 하고, 정서를 표현하는 요소로 쓰이기도 해요.

말[馬] – 말[말ː][言]

눈[眼] – 눈[눈ː][雪]

말의 길이와 높낮이도 말소리를 구별하게 하는구나.

🔍 잠깐 퀴즈 ▶▶ 2쪽

16. 다음 빈칸에 알맞은 말을 쓰시오.

> 말의 의미 차이를 가져오는 가장 작은 소리의 단위를 ☐☐이라고 하고, ☐☐과 ☐☐이 이것에 포함된다.

음절 – 소리의 단위가 되다

'깊은 산 맑은 물'을 소리 나는 대로 적으면, [기픈산말근물]이 돼요. 이 때의 '기, 픈, 산, 말, 근, 물'처럼 한 뭉치로 이루어진 각각의 소리 덩어리를 **음절**이라고 해요. 즉 음절이란 발음할 때 한 번에 낼 수 있는 소리의 단위를 뜻하지요.

국어에서 음절이 만들어지려면 반드시 모음이 있어야 해요. 음절은 모음 하나로 이루어지는 것도 있고, 모음을 중심으로 하여 그 앞뒤에 자음이 연결되어서 이루어지는 것도 있어요. 자음은 혼자서는 음절이 될 수 없으므로 모음의 앞이나 뒤에 연결되어야 해요. 따라서 국어의 음절은 '(자음)+모음+(자음)'의 구조를 지니게 되지요.

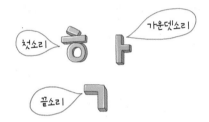

정리해 보면 우리말의 음절 구조는 다음의 4가지 형태로 나타나요.

> 모음: 아, 야, 오, 요, 이, ……
>
> 자음+모음: 그, 나, 너, 더, 무, ……
>
> 모음+자음: 안, 약, 양, 음, 일, ……
>
> 자음+모음+자음: 굴, 남, 돈, 몸, 밥, ……

앞에서 말했듯이 우리말은 모음이 있어야 음절을 이룰 수 있기 때문에 이 네 가지 형태에서 공통적으로 '모음'이 나타나요. 따라서 음절의 수는 모음의 수와 일치한다고 볼 수 있어요.

비분절 음운 – 소리의 길이로 의미를 구별하다

지금까지 우리는 음성과 발음 기관, 음운과 음절에 대하여 배워 보았어요. 이제는 도막으로 나눌 수 없는 음운인 **비분절 음운**에 대하여 좀 더 알아보도록 해요.

우리말에서는 같은 모음을 특별히 길거나 짧게 소리 냄으로써 단어의 뜻을 구별하는 경우가 많이 있어요. 뜻을 구별하여 준다는 점에서 소리의 길이는 자음이나 모음과 비슷한 기능을 가지고 있어요.

'말'이라는 단어를 살펴볼까요? '말'이라는 단어는 여러 가지의 의미가 있어요.

📢》 **음절의 수**

소리 나는 대로 적은 글자의 수를 세면 음절의 수를 알 수 있다.

예 집 앞으로 맑은 물이 흐른다, [지바프로말근무리흐른다]

→ 음절의 수: 11개

📢》 **다양한 비분절 음운**

우리말에서는 말의 길이로 뜻을 구분하지만 중국어, 영어 등에서는 말의 강세, 높낮이 등으로도 말의 뜻을 구분한다.

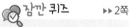 ▶▶2쪽

17. 다음 문장의 음절 수를 쓰시오.

(1) 하늘이 맑으니

　→ (　　　)음절

(2) 기분이 좋다.

　→ (　　　)음절

(3) 어디 갔어?

　→ (　　　)음절

[말:][言]
[말][馬]
[말][斗]

'말'이라는 각 단어의 음성이 같기는 하지만 소리의 길이로 뜻을 구별할 수 있어요. 이처럼 소리의 길이가 길고 짧음에 따라 뜻이 달라지는 단어를 살펴볼게요.

- ① 굴[굴:](窟) – ② 굴[石花]
  (① 자연적으로 땅이나 바위가 패인 곳. – ② 굴과의 연체동물.)
- ① 눈[눈:][雪] – ② 눈[眼]
  (① 수증기가 얼어서 땅에 내리는 흰 결정체. – ② 물건을 보는 감각 기관.)
- ① 밤[밤:][栗] – ② 밤[夜]
  (① 밤나무의 열매. – ② 해가 진 뒤부터 날이 새기 전까지의 동안.)
- ① 솔[솔:] – ② 솔
  (① 먼지를 털거나 풀칠하는 데 쓰는 도구. – ② 소나무.)
- ① 병[병:](病) – ② 병(瓶)
  (① 아파서 괴로움을 느끼는 현상. – ② 주로 액체를 담는 그릇.)
- ① 가정[가:정](假定) – ② 가정(家庭)
  (① 임시로 정함. – ② 가족이 함께 생활하는 집 또는 공동체.)
- ① 무력[무:력](武力) – ② 무력(無力)
  (① 군사상의 힘. – ② 힘이 없음.)

📢 소리의 길이
긴소리는 일반적으로 단어의 첫음절에서만 나타나며, 본래 길게 발음되는 것도 둘째 음절 이하에 오면 짧은소리로 발음되는 경향이 있다.
예 눈[눈:][雪] → 함박눈[함방눈]

"퍼얼펄~ 누운이 옵니다~." 라고 노래해야겠구나.

알아 두자! 분절 음운과 비분절 음운

- 분절 음운: 도막으로 나눌 수 있으면서 의미의 차이를 가져오는 것을 말해요. '가'는 'ㄱ'+'ㅏ'로 나눌 수(=분절할 수) 있어요. 그래서 자음과 모음은 분절 음운이에요.
- 비분절 음운: 의미의 차이는 가져오지만, 도막으로 나눌 수 없는 것을 말해요. 단어 '눈'은 [눈][目]과 [눈:][雪]처럼 말소리의 길고 짧음에 따라 의미가 달라져요. 이때, 소리의 길이는 도막으로 나눌 수 없는(=비분절적인) 것이니까 비분절 음운이 되는 것이지요. 억양이나 높낮이도 소리의 길이와 마찬가지로 나눌 수 없는 비분절 음운이에요.

🔍 잠깐 퀴즈 ▶▶2쪽

18. 다음 단어 중 말소리의 길이가 나머지와 다른 하나는?
① 굴(먹는 굴)
② 병(그릇)
③ 밤(밤나무의 열매)
④ 솔(소나무)
⑤ 무력(힘이 없음.)

3 자음 체계

분절 음운인 자음과 모음 중 먼저 **자음**에 대해 알아볼까요?

자음들을 한번 소리 내어 읽어 보세요. '기역, 니은, ……'처럼 자음의 이름으로 부르지 말고 [그, 느, 드, 르, ……] 하고요. 마찬가지로 모음 'ㅏ, ㅑ, ㅓ, ㅕ, ……'도 소리 내어 읽어 보세요.

자음의 소리를 낼 때와 모음의 소리를 낼 때 어떤 차이가 있나요? 모음의 소리를 낼 때는 막힘이 없이 소리가 나지만, 자음의 소리를 낼 때는 성대를 통과한 공기의 흐름이 막히거나, 소리를 내는 통로가 좁아져서 공기의 흐름에 장애가 생긴답니다.

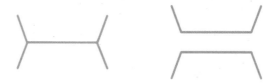

모음의 소리를 낼 때 공기의 흐름 – 막힘이 없음.

자음의 소리를 낼 때 공기의 흐름 – 공기의 흐름이 막히거나, 공기 흐름에 장애를 받음.

● 장애: 어떤 사물의 진행을 가로막아 거치적거리게 하거나 충분한 기능을 하지 못하게 함.

이때 장애가 일어나는 자리를 '조음 위치'라고 하고, 장애를 일으키는 방법을 '조음 방법'이라고 해요. 자음은 조음 위치와 조음 방법에 따라 여러 갈래로 나뉠 수 있어요.

먼저 조음 위치에 따라서는 다음과 같이 자음을 분류해요.

◆ 조음 위치에 따른 분류
• 입술소리: 두 입술 사이에서 나는 소리.
• 잇몸소리: 혀끝과 윗잇몸이 닿아서 나는 소리.
• 센입천장소리: 혓바닥과 센입천장 사이에서 나는 소리.
• 여린입천장소리: 혀의 뒷부분과 여린입천장 사이에서 나는 소리.
• 목청소리: 목구멍에서 나는 소리.

◐ 조음 위치에 따른 자음의 분류

종류	소리 나는 위치	해당 자음
입술소리(순음)	두 입술	ㅁ, ㅂ, ㅃ, ㅍ
잇몸소리(치조음)	윗잇몸과 혀끝	ㄴ, ㄷ, ㄸ, ㅌ, ㄹ, ㅅ, ㅆ
센입천장소리 (경구개음)	센입천장과 앞 혓바닥	ㅈ, ㅉ, ㅊ
여린입천장소리 (연구개음)	여린입천장과 뒤 혓바닥	ㄱ, ㄲ, ㅋ, ㅇ
목청소리(후음)	목청	ㅎ

잠깐 퀴즈 ▶▶ 2쪽

19. 목청소리에 해당하는 자음은 무엇인지 쓰시오.

조음 방법에 따라서는 다음과 같이 자음을 나눠요.

○ 조음 방법에 따른 자음의 분류◆

종류	소리 내는 방법	해당 자음
파열음	• 두 입술을 붙였다 떼면서 내는 소리	ㅂ, ㅃ, ㅍ
	• 혀를 윗잇몸에 붙였다 떼면서 내는 소리	ㄷ, ㄸ, ㅌ
	• 혀 뒤쪽을 여린입천장에 붙였다 떼면서 내는 소리	ㄱ, ㄲ, ㅋ
파찰음	혀를 윗잇몸에 대어 소리를 막았다가 떼며 혀를 경구개 가까이 붙여 내는 소리	ㅈ, ㅉ, ㅊ
마찰음	• 혀끝을 윗잇몸 가까이 붙이고 내는 소리	ㅅ, ㅆ
	• 성대를 좁히면서 내는 소리	ㅎ
비음 (콧소리)	• 혀를 윗잇몸에 대고 코로 공기를 내보내면서 내는 소리	ㄴ
	• 두 입술을 붙이고 코로 공기를 내보내면서 내는 소리	ㅁ
	• 혀 뒷부분을 올려 연구개에 대고 코로 공기를 내보내면서 내는 소리	ㅇ
유음 (흐름소리)	혀를 윗잇몸에 대고 혀 양 옆으로 공기를 흘려 보내면서 내는 소리	ㄹ

자음은 목청이 울리느냐 그렇지 않느냐에 따라서 나눌 수도 있어요. 자음 중에서 비음인 'ㄴ, ㅁ, ㅇ'과 유음인 'ㄹ'은 발음할 때 장애를 받지만 입 안이나 코를 '울리며' 나는 소리이기 때문에 울림소리라고 하고, 나머지 15개의 자음은 안울림소리라고 해요.

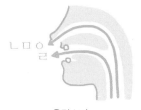

울림소리

○ 목청의 울림에 따른 자음의 분류

종류	소리 내는 방법	해당 자음
울림소리	발음할 때 목청이 떨려 울리면서 나는 소리	ㄴ, ㅁ, ㅇ, ㄹ
안울림소리	발음할 때 목청이 울리지 않고 나는 소리	'ㄴ, ㅁ, ㅇ, ㄹ'을 제외한 모든 자음

◆조음 방법에 따른 분류
• 파열음: 폐에서 나오는 공기를 막았다가 내는 소리.
• 파찰음: 폐에서 나오는 공기를 막았다가 떼며 서서히 터뜨리면서 마찰을 일으켜서 내는 소리.
• 마찰음: 입 안이나 목청 사이의 통로를 좁혀 그 사이로 공기를 내보내면서 내는 소리.
• 비음: 입 안의 통로를 막고 코로 공기를 내보내면서 내는 소리.
• 유음: 혀끝을 잇몸에 가볍게 대었다가 떼거나, 잇몸에 댄 채 공기를 그 양옆으로 흘려보내면서 내는 소리.

자음 중에 울림소리는 4개밖에 없으니까 외워야지! 노란 양말! 미나리야!

잠깐 퀴즈 ▶▶ 2쪽

20. 다음 빈칸에 알맞은 말을 쓰시오.

국어의 자음의 개수는 총 ☐☐개이고, 이 중에 울림소리는 모두 ☐개이다.

지금까지 배운 자음의 체계를 표로 정리하면 다음과 같아요.

◎ 국어의 자음 체계도

조음 방법		조음 위치	입술소리 (순음)	잇몸소리 (치조음)	센입천장소리 (경구개음)	여린입천장소리 (연구개음)	목청소리 (후음)
안울림소리	파열음	예사소리	ㅂ	ㄷ		ㄱ	
		된소리	ㅃ	ㄸ		ㄲ	
		거센소리	ㅍ	ㅌ		ㅋ	
	파찰음	예사소리			ㅈ		
		된소리			ㅉ		
		거센소리			ㅊ		
	마찰음	예사소리		ㅅ			ㅎ
		된소리		ㅆ			
울림소리	비음 (콧소리)		ㅁ	ㄴ		ㅇ	
	유음 (흐름소리)			ㄹ			

● 예사소리: 입 안의 기압 및 발음 기관의 긴장도가 낮아 약하게 나오는 소리.

● 된소리: 발음 기관의 근육을 긴장시키거나 목소리가 나오는 통로를 폐쇄하여 내는 음.

● 거센소리: 숨이 거세게 나오는 소리.

'ㅅ'은 된소리는 있지만 거센소리는 없구나.

🔍 **잠깐 퀴즈** ▶▶2쪽

21. 다음 중 예사소리 파열음이면서 여린입천장에서 소리 나는 자음은?

① ㅂ   ② ㄷ
③ ㄱ   ④ ㅍ
⑤ ㄲ

알아 두자! 된소리와 거센소리

된소리와 거센소리가 있는 것은 우리말의 독특한 특징이에요.

된소리와 거센소리는 소리의 세기로 구분된답니다. 입술 근처에 얇은 휴지를 대고 [쁘], [프] 하고 발음해 보세요. [쁘]보다 [프]에서 휴지가 더 많이 펄럭일 거예요. 휴지를 더 많이 펄럭이게 하는 소리, 즉 'ㅍ'이 거센소리랍니다. 된소리는 예사소리보다 더 강하고 단단한 느낌을 주고, 거센소리는 된소리보다 더 크고 거친 느낌을 주죠. 'ㅍ'이 거센소리, 'ㅃ'이 된소리임을 알면 비슷한 방식으로 만들어진 'ㅌ, ㅋ, ㅊ'은 거센소리, 'ㄸ, ㄲ, ㅉ'은 된소리임을 저절로 짐작할 수 있을 거예요.

4 모음 체계

이번에는 '모음'에 대해 알아봐요. 우리말에서 자음이 아닌 'ㅏ, ㅑ, ㅓ, ㅕ, ……' 등을 **모음**이라고 불러요. 모음은 소리를 낼 때 장애를 받지 않으며 소리가 나요. 그리고 모음은 모두 울림소리에 해당해요.

국어의 모음 중에서, 소리를 낼 때 중간에 입술이나 혀의 모양이 바뀌지 않는 모음을 **단모음**이라고 해요. 그리고 소리를 낼 때 중간에 입술 모양이 바뀌거나 혀가 일정한 자리에서 시작하여 다른 자리로 옮겨 가면서 나는 소리가 있는데, 이것을 **이중 모음**이라고 해요.

◑ 입술과 혀의 움직임과 모양에 따른 모음의 분류◆

종류	소리 내는 방법	해당 모음
단모음 (10개)	발음할 때 입술이나 혀가 고정되어 움직이지 않음.	ㅏ, ㅐ, ㅓ, ㅔ, ㅗ, ㅚ, ㅜ, ㅟ, ㅡ, ㅣ
이중 모음 (11개)	발음할 때 입술 모양이 바뀌거나 혀가 움직임.	ㅑ, ㅒ, ㅕ, ㅖ, ㅘ, ㅙ, ㅛ, ㅞ, ㅠ, ㅢ

◆ '표준 발음법'에서는 단모음 중 'ㅚ, ㅟ'를 이중 모음으로 발음하는 것도 허용한다.

그리고 이 단모음들은 혀의 최고점의 위치, 즉 혀의 앞뒤와 혀의 높낮이, 입술 모양이 둥글게 되는가 그렇지 않은가에 따라 각각 분류할 수 있어요.

입천장의 중간점을 기준으로 혀의 최고점이 앞쪽에 있을 때에 발음되는 모음을 **전설 모음**, 혀의 최고점이 뒤쪽에 있을 때의 모음을 **후설 모음**이라고 해요.

● 전설: 혀의 앞부분.

● 후설: 혀의 뒷부분.

전설 모음의 혀 위치

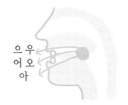

후설 모음의 혀 위치

◑ 혀의 앞뒤 위치에 따른 단모음의 분류

종류	소리 내는 방법	해당 모음
전설 모음	혀의 최고점이 앞쪽에 있음.	ㅣ, ㅔ, ㅐ, ㅟ, ㅚ
후설 모음	혀의 최고점이 뒤쪽에 있음.	ㅡ, ㅓ, ㅏ, ㅜ, ㅗ

잠깐 퀴즈　▶▶2쪽

22. 다음 중 이중 모음이 들어 있는 단어는?

① 고기　② 선물
③ 비단　④ 유랑
⑤ 한글

◆ 고모음은 입이 조금만 열리므로 폐(閉)모음, 저모음은 입이 많이 벌어지므로 개(開)모음이라고 부르기도 한다.

또한 단모음은 혀의 높낮이에 따라 고모음, 중모음, 저모음으로 나뉘어요.

◎ 혀의 높낮이에 따른 단모음의 분류

종류	소리 내는 방법	해당 모음
고모음	입이 조금 열려서 혀의 위치가 높음.	ㅣ, ㅟ, ㅡ, ㅜ
중모음	입이 더 열려서 혀의 위치가 중간임.	ㅔ, ㅚ, ㅓ, ㅗ
저모음	입이 크게 열려서 혀의 위치가 낮음.	ㅐ, ㅏ

그리고 발음할 때의 입술 모양에 따라 원순 모음과 평순 모음으로 나눌 수 있어요. 발음할 때에 입술을 둥글게 오므려 내는 모음이 원순 모음이고, 발음할 때 입술을 둥글게 하지 않는 모음은 평순 모음이에요.

평순 모음의 입 모양   원순 모음의 입 모양

'원순'이란 둥그렇게 된 입술이야. 평순은 편평한 입술이란 뜻이지.

◎ 입술 모양에 따른 단모음의 분류

종류	소리 내는 방법	해당 모음
원순 모음	입술을 둥글게 하여 소리 냄.	ㅗ, ㅚ, ㅜ, ㅟ
평순 모음	입술을 납작하게 하여 소리 냄.	ㅏ, ㅐ, ㅓ, ㅔ, ㅡ, ㅣ

지금까지 배운 단모음 체계를 정리해 보면 다음과 같아요.

혀의 높이 \ 혀의 앞뒤 위치 입술 모양	전설 모음		후설 모음	
	평순	원순	평순	원순
고모음	ㅣ	ㅟ	ㅡ	ㅜ
중모음	ㅔ	ㅚ	ㅓ	ㅗ
저모음	ㅐ		ㅏ	

🔍 잠깐 퀴즈 ▶▶ 2쪽

23. 다음 중 평순 모음이 아닌 것은?

① ㅐ   ② ㅓ
③ ㅣ   ④ ㅡ
⑤ ㅟ

단모음을 혀의 위치와 입술 모양, 발음 위치 등을 고려하여 한눈에 알 수 있게 만든 것이 모음 사각도인데요. 국어의 모음 사각도는 다음과 같아요.

○ 국어의 모음 사각도

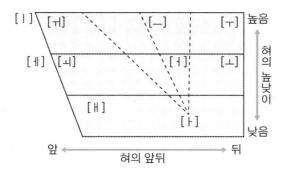

▶▶ 2쪽

알아 두자! 발음 구별이 어려운 모음: 'ㅐ'와 'ㅔ'

　사람과 지역에 따라 차이는 있지만, 국어의 단모음 중 발음으로 구별하기 어려운 것이 'ㅐ'와 'ㅔ'예요. 'ㅐ'와 'ㅔ'를 정확하게 구별하지 않고 소리를 내는 사람도 많지요. 두 발음을 구별하려면 'ㅔ'를 발음할 때, 'ㅐ'보다 입을 더 닫고 혀를 뒤로 당겨 발음해야 해요.

예 개-게　내-네　때-떼　매-메　배-베　새-세　재-제

① 개꼬리 삼 년 두어도 황모 못 된다. (개: 사람을 잘 따르는 갯과의 동물)

　게도 구럭도 다 잃었다. (게: 갑각류의 절지동물)

② 내가 중이 되니 고기가 천하다. (내: 1인칭 대명사, '나'에 주격 조사 '가'가 붙을 때의 형태)

　네 콩이 크니 내 콩이 크니 한다. (네: '너의'가 줄어든 말)

③ 때는 바야흐로 봄이다. (때: 시간의 어떤 점이나 부분)

　사람들이 떼를 지어 몰려간다. (떼: 목적이나 행동을 같이하는 무리)

④ 매도 먼저 맞는 놈이 낫다. (매: 사람이나 마소 등을 때리는 곤장·막대기)

　메로 떡을 치다. (메: 무엇을 치거나 박을 때 쓰는, 나무나 쇠로 만든 방망이)

⑤ 배보다 배꼽이 크다. (배: 척추동물의 가슴과 골반 사이의 부분)

　직녀는 베를 짜고 있었다. (베: 삼실이나 무명실·명주실 등으로 짠 피륙)

⑥ 새도 가지를 가려서 앉는다. (새: 날짐승)

　그 친구 집에 세를 들었다. (세: 돈을 받고 집이나 방 또는 물건을 빌려 주는 일)

⑦ 재는 넘을수록 험하고 내는 건널수록 깊다. (재: 길이 나 있는 높은 산의 고개)

　제 흉 열 가지 가진 놈이 남의 흉 한 가지를 본다. (제: 남을 가리켜 이르는 '저'의 다른 꼴)

잠깐 퀴즈

24. 다음 중 혀의 높이가 가장 높으면서 혀의 제일 뒤쪽에서 소리 나는 모음은?

① ㅜ　　② ㅗ

③ ㅏ　　④ ㅔ

⑤ ㅣ

핵심만 쏙!

● 언어의 특성

☐☐☐	언어는 일정한 내용을 일정한 형식으로 나타내는 기호 체계임. 예 땅을 딛고 서거나 걸을 때 발에 신는 물건 → '신발'	
☐☐☐	일정한 내용을 일정한 언어 형식으로 나타낼 때, 내용과 형식 사이에는 필연적인 관련성이 없음. 예 신발[sinbal] – 한국어, shoes[ʃuːz] – 영어, くつ[kutsu] – 일본어, 鞋[xié] – 중국어	
사회성	언어는 그 언어를 사용하는 사람들 사이의 ☐☐이기 때문에, 개인이 임의로 바꿀 수 없음. 예 '신발'을 '시계'로 바꿀 수 없음.	
역사성	언어는 ☐☐의 흐름에 따라 끊임없이 사라지고 새로 생기고 변함. 예 불휘 → 뿌리, ᄇᄅᆷ → 바람 컴퓨터, 와이파이, 네티즌(누리꾼)	
규칙성	언어에는 반드시 지켜야 하는 ☐☐이 있음. 예 나는 밥을 먹는다. (○) 나는 밥이 먹는다. (×)	
☐☐☐	언어로 무한히 많은 말들을 만들어 표현할 수 있음. 예 꽃, 새, 날다 → 꽃 속에서 새가 날아올랐다.	

● 언어의 기능

☐☐적 기능	어떤 사실이나 상황, 지식을 듣는 이에게 알려 주는 기능 예 "이 약을 드시면 기침이 멈추고 열이 내릴 거예요."
정서적 기능	말하는 사람이 현실 세계에 대한 자신의 판단이나, 지시 대상에 대한 자신의 ☐☐, ☐☐ 등을 언어로 표현하는 기능 예 "난 그 영화가 참 재미있었어." ※ 표출적 기능: 전달하려는 의도 없이, 순간적이고 본능적으로 사용되는 언어 예 으악, 어머나!
친교적 기능	말하는 사람과 듣는 사람이 서로 간의 친교 ☐☐를 확인하면서 사회적인 유대를 강화하는 기능 예 안녕하세요?, 식사하셨어요?
명령적 기능	말하는 사람이 듣는 사람으로 하여금 자신의 ☐☐에 따라 행동하도록 유도하는 기능 예 "일어나라." 　 "목이 좀 마르구나." (물을 가져오라는 의미)
☐☐적 기능	어떤 대상이나 개념을 가리키는 기능 예 "저것은 무엇입니까?" 　 "경복궁입니다."

🔑 기호성, 자의성, 약속, 시간, 규칙, 창조성, 정보, 감정, 태도, 관계, 의도, 지시

● 소리와 음성

소리	음성
• 자연에서 존재하는 대부분의 소리 • 사람의 입에서 나는 소리 중 울음소리, 기침 소리, 재채기 등	• 사람의 ☐☐ ☐☐을 통하여 나오는 말소리 • 사람마다 다름.

● ☐☐ ☐☐

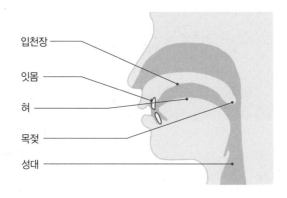

입천장
잇몸
혀
목젖
성대

● 음운

☐☐를 구별하는 소리의 최소 단위

예 '물'과 '불': 첫소리에 자음 'ㅁ'과 'ㅂ'의 차이로 뜻이 구별됨.

→ 이때 말의 ☐을 구별해 주는 'ㅁ'과 'ㅂ'을 '음운'이라고 함.

물
불
ㅁ : ㅂ ⇨ 뜻의 차이를 가져옴. = 음운

● ☐☐

- 발음할 때 한 번에 낼 수 있는 소리의 단위
- 한 뭉치로 이루어진 소리의 덩어리
  ┌ ① 첫소리 ············· 모음 앞에 서는 자음
  ├ ② 가운뎃소리 ········ 음절의 가운데 오는 모음
  └ ③ 끝소리 ············· 모음 뒤에 따르는 자음

❶ ㄱ ❷ ㅏ ❶ ㄱ
                ❷ ㅜ
❸ ㅁ   ❸ ㄴ

- 국어의 음절 구조: '(자음)+모음+(자음)'

<예>

| ㅏ | | ㅏ | | ㅏ | | ㄱ | ㅏ |
| | | | | ㄱ | | | ㄱ |

아(ㅏ): 모음   가: 자음+모음   악(ㅏ+ㄱ): 모음+자음   각: 자음+모음+자음

● 국어의 음운 체계

자음	모음	소리의 ☐☐

• 공기가 목 안이나 입 안에서 ☐☐를 받으면서 나는 소리	• 공기가 목 안이나 입 안에서 별다른 ☐☐를 받지 않고 나는 소리	• 뜻을 구별하여 주는 기능
		  – 긴소리
		  – 짧은소리

• 조음 ☐☐에 따라: 입술소리, 잇몸소리, 센입천장소리, 여린입천장소리, 목청소리	• 단모음(발음하는 도중에 혀나 입술이 고정되어 움직이지 않음.)	비분절 음운
• 조음 ☐☐에 따라: 파열음, 마찰음, 파찰음, 비음, 유음	– 혀의 ☐☐ 위치에 따라: 전설 모음, 후설 모음	
• 소리의 ☐☐에 따라: 예사소리, 거센소리, 된소리	– 혀의 ☐☐☐에 따라: 고모음, 중모음, 저모음	
	– 입술 ☐☐에 따라: 평순 모음, 원순 모음	
	• ☐☐ 모음: 단모음과 반모음이 합하여 나는 소리	

분절 음운

🔡 발음 기관, 발음 기관, 의미, 뜻, 음절, 장애, 위치, 방법, 세기, 장애, 앞뒤, 높낮이, 모양, 이중, 길이

기본 익히기

📋 잘 모르겠다면 해당 쪽 에서 다시 확인해 보세요.

01
전체

다음 설명이 맞으면 O표, 틀리면 X표를 하시오.

(1) 언어의 창조성은 언어로 무한히 많은 말들을 만들어 표현할 수 있는 특성이다. (　)
(2) 언어의 지시적 기능은 어떤 사실이나 상황, 지식을 듣는 이에게 알려 주는 기능이다. (　)
(3) 음성은 사람마다 다르고, 상황에 따라 달라질 수 있다. (　)
(4) 음운은 음절을 변별하는 최소의 단위이다. (　)
(5) 자음 중 'ㅂ, ㅍ, ㅁ'은 조음 위치상 모두 여린입천장소리에 속한다. (　)
(6) 'ㄹ'은 잇몸소리이면서 비음이다. (　)
(7) 단모음은 혀의 높낮이에 따라 고모음, 중모음, 저모음으로 나뉜다. (　)
(8) 모음은 소리를 낼 때 장애를 받고, 모두 안울림소리에 해당한다. (　)

02
14쪽

다음 상황을 통해 알 수 있는 언어의 특성으로 적절한 것은?

① 기호성　　② 사회성
③ 규칙성　　④ 역사성
⑤ 창조성

03
21쪽

다음 대화에서 드러나는 언어의 기능은?

> 서우: 아저씨, 안녕하세요. 어디 가세요?
> 아저씨: 응, 서우로구나. 학교 다녀오니?

① 정보적 기능　　② 명령적 기능
③ 정서적 기능　　④ 지시적 기능
⑤ 친교적 기능

04
27쪽

🖊주관식

다음 단어 간의 의미 차이를 가져오는 음운을 각각 찾아 쓰시오.

(1) 날, 칼 (　　　　　　)
(2) 님, 남 (　　　　　　)
(3) 학, 항 (　　　　　　)
(4) 반, 밤, 방 (　　　　　　)
(5) 탈, 털, 톨 (　　　　　　)

05
29쪽

다음 중 길게 발음하는 단어를 골라 보시오.

(1) 병(病) – 병(瓶)
(2) 말[言] – 말[斗]
(3) 무력(武力) – 무력(無力)
(4) 가정(假定) – 가정(家庭)

06 다음 중 말소리를 길게 발음해야 하는 것은?

29쪽

①
굴[石花]

②
눈[眼]

③
말[馬]

④
밤[栗]

⑤
소식(消息)

07 다음 설명에 해당하는 음운이 포함되지 <u>않은</u> 단어는?

31쪽

> 파열음: 폐에서 나오는 공기를 막았다가 터뜨리면서 내는 소리

① 냉면   ② 까치   ③ 비밀
④ 파도   ⑤ 바람개비

✐ 주관식

08 〈보기〉의 단어들을 기준에 따라 나누어 쓰시오.

31쪽

> ┤보기├
> 문장   샘물   담소   천사   뒤쪽
> 동행   보라색   분석   사회
> 기술   개화   파리   에메랄드
> 함초롬   살랑살랑   냉이   식탁

(1) 비음과 유음이 모두 포함된 단어

(2) 비음과 유음이 모두 포함되지 않은 단어

09 다음에서 설명하는 자음이 포함된 단어는?

32쪽

> 이 자음은 안울림소리로 두 입술 사이에서 소리가 납니다. 또한 강하고 단단한 느낌의 된소리가 납니다.

① 칼   ② 노래   ③ 꽁치
④ 아빠   ⑤ 평창

10 다음 설명에 해당하는 음운으로만 이루어진 것은?

33쪽

> 소리를 낼 때 공기의 흐름이 장애를 받지 않고 순조롭게 나오는 소리

① 아   ② 응   ③ 자
④ 각   ⑤ 남

11 다음 설명에 해당하지 <u>않는</u> 모음이 포함된 것은?

33쪽

> 단모음: 발음할 때 입술 모양이나 혀의 위치가 고정되어 움직이지 않는 모음

① 개울   ② 머리   ③ 세상
④ 그물   ⑤ 궤도

실력 키우기

01 다음 중 언어의 특성에 대한 설명으로 적절하지 <u>않은</u> 것은?

① 규칙성: '학교로 갔다.'는 규칙에 맞는 문장이지만 '로학교 다가.'는 규칙에 맞지 않는 문장이다.

② 기호성: '바다'라는 음성 기호는 '지구 위에서 육지를 제외한 부분으로 짠 물이 괴어 있는 넓은 공간'이라는 대상과 결합하여 쓰인다.

③ 자의성: 모든 언어는 의미와 기호가 우연히 결합된 것이므로, 개인이 마음대로 바꿀 수 있다.

④ 창조성: 알고 있는 단어를 조합하여 새로운 문장을 무한히 만들어 낼 수 있다.

⑤ 역사성: '즈믄'이나 '온'처럼 사용되던 말이 사라지기도 하고 '스마트폰'이나 '와이파이'처럼 없던 말이 생기기도 한다.

서술형

02 다음 상황과 관계 깊은 언어의 기능은 무엇인지 쓰고, 그렇게 생각한 이유를 서술하시오.

소금 좀 이리 다오.

주관식

03 다음 상황에서 발생할 수 있는 문제점과 관련된 언어의 특성을 쓰시오.

> 주인공인 남자는 일상이 너무나 지루해서 자신의 생활에 변화를 주기 위해, 사물의 이름을 자신이 정한 다른 단어로 바꿔 부르기로 결심하게 된다. 이 사람은 '침대'를 '사진'이라고 부르기로 한다. 그래서 "침대에 누울 거야."가 아닌 "사진 속으로 누울 거야."라고 말을 한다.
>
> 그런데 남자는 여기서 그치지 않았다. 의자를 '괘종시계'라고 부르고, 책상을 '양탄자'라고 부르기 시작했다. 그러니까 이 남자는 아침에 '사진'을 떠나 옷을 입고, '괘종시계'에 앉아 일을 하는 것이다.

04 〈보기〉에서 확인할 수 있는 음운의 특성으로 적절한 것은?

┃보기┃
(1) 감 – 남 – 밤
(2) 살 – 설 – 솔
(3) 함 – 한 – 학

① 음운은 의미를 가진 가장 작은 말의 단위이다.

② 음운은 입을 통해 나오는 구체적인 말소리의 단위이다.

③ 음운은 공통된 성질을 가진 단어끼리 구분해 놓은 단위이다.

④ 음운은 말의 의미 차이를 가져오는 가장 작은 소리의 단위이다.

⑤ 음운은 한 문장 내에서 일정한 문법적 기능을 수행하는지에 따라 나눈 단위이다.

05 다음 대화에서 음운과 음절에 대한 설명으로 적절하지 <u>않은</u> 것은?

> 유리: 국어의 음절 구조는 어떻게 이루어져 있어?
> 민아: ㉠국어의 음절 구조는 (자음)+모음+(자음)으로 이루어져 있어.
> 유리: 그럼 '파란 하늘에 구름 한 점 없네.'는 몇 음절로 이루어져 있을까?
> 민아: ㉡11음절이야. ㉢국어에서 음절의 수는 모음의 수와 일치하기 때문이지.
> 유리: 그럼 국어의 자음은 조음 위치에 따라 어떻게 나누어질까?
> 민아: ㉣자음은 조음 위치에 따라 입술소리, 잇몸소리, 센입천장소리, 여린입천장소리, 목청소리로 나누어져.
> 유리: 그렇다면 조음 방법에 따라 어떻게 나누어질까?
> 민아: ㉤자음은 조음 방법에 따라 예사소리, 거센소리, 된소리로 나누어져.

① ㉠　　② ㉡　　③ ㉢
④ ㉣　　⑤ ㉤

06 다음 상황에서 알 수 있는 우리말의 특징을 쓰시오.

> 지훈: ('밤[栗]'을 까다가 어두운 창밖을 쳐다보며) '밤[밤]'이 길어졌네.
> 우진: 길어진 밤[밤]에 동그란 밤[밤ː]을 먹고 있지.

07 다음은 국어의 단모음 체계이다. 이를 참고할 때 〈보기〉를 모두 충족시키는 모음이 포함된 단어는?

혀의 앞뒤 위치 입술 모양 혀의 높이	전설 모음		후설 모음	
	평순	원순	평순	원순
고모음	ㅣ	ㅟ	ㅡ	ㅜ
중모음	ㅔ	ㅚ	ㅓ	ㅗ
저모음	ㅐ		ㅏ	

> **보기**
> • 입술을 둥글게 하지 않고 소리를 낸다.
> • 혀의 최고점이 뒤쪽에 있을 때 소리가 난다.
> • 입이 크게 열려서 혀의 위치가 낮은 모음이다.

① 애인　　② 아빠　　③ 언니
④ 우위　　⑤ 오이

기출

08 〈보기〉의 밑줄 친 부분의 예로 적절하지 <u>않은</u> 것은?

> **보기**
> 　자음 중 안울림소리는 소리의 세기에 따라 예사소리, 된소리, 거센소리로 나뉜다. <u>기본적으로 같은 의미를 가진 단어라도 된소리는 예사소리보다 더 강하고 단단한 느낌을 주고, 거센소리는 된소리보다 더 크고 거친 느낌을 준다.</u>

① 얼음이 <u>단단하게</u> 얼어서 깨지지 않는다.
　주먹밥은 돌처럼 <u>딴딴하게</u> 굳어 있었다.
② 문이 <u>덜거덕</u> 열린다.
　수레가 <u>떨거덕</u> 소리를 내며 굴러간다.
③ 햇빛이 <u>부옇게</u> 칠판을 비추었다.
　안개가 <u>뿌옇게</u> 낀 아침이었다.
④ 일찍 일어나 마당을 <u>삭삭</u> 쓸었다.
　마루를 걸레로 <u>싹싹</u> 문질러 닦았다.
⑤ 부모님의 의견을 <u>좇아</u> 진로를 정했다.
　동생은 형을 <u>쫓아</u> 방에 들어갔다.

음운의 변동

이 장에서는 국어의 여러 가지 음운을 발음할 때 생기는 다양한 변동 현상을
배워 보고 그것이 어떤 규칙을 이루는지 알아보도록 합시다.

한눈에 쏙!

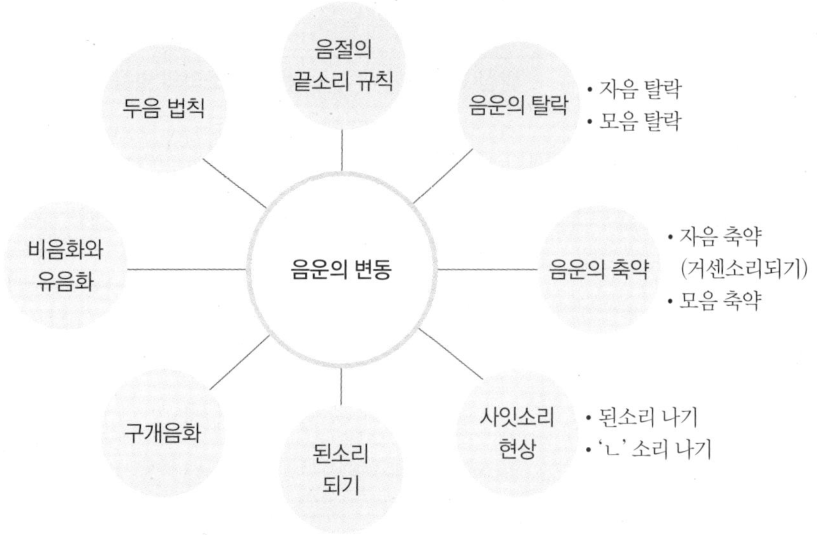

음운의 변동
음절의 끝소리 규칙
음운의 탈락
• 자음 탈락
• 모음 탈락
음운의 축약
• 자음 축약 (거센소리되기)
• 모음 축약
사잇소리 현상
• 된소리 나기
• 'ㄴ' 소리 나기
된소리 되기
구개음화
비음화와 유음화
두음 법칙

1 음절의 끝소리 규칙

다음 단어들을 한번 소리 내어 읽어 볼까요?

낫 낮 낯

어떻게 발음되나요? 네, 이 단어들은 모두 똑같이 [낟]으로 발음이 나요. 받침이 다 다른데 왜 소리가 같냐고요? 국어에서는 음절의 끝에 오는 모든 자음이 자신의 소리 값을 다 낼 수는 없기 때문이에요. 국어의 자음과 모음은 원래 소리 나는 대로 쓰고 소리 나는 대로 읽을 수 있지만, 음절의 끝에 쓰이는 받침들은 그렇지 않거든요.

원칙적으로는 음절의 끝소리에 국어의 자음 19개를 모두 받침으로 쓸 수 있어요.◆ 하지만 발음은 'ㄱ, ㄴ, ㄷ, ㄹ, ㅁ, ㅂ, ㅇ'의 7개만이 가능해요. 예를 들면 'ㄱ, ㄲ, ㅋ'은 [ㄱ]으로, 'ㄷ, ㅌ'은 [ㄷ]으로 발음되는 거지요.

◆ 국어의 자음은 'ㄱ, ㄲ, ㄴ, ㄷ, ㄸ, ㄹ, ㅁ, ㅂ, ㅃ, ㅅ, ㅆ, ㅇ, ㅈ, ㅉ, ㅊ, ㅋ, ㅌ, ㅍ, ㅎ'으로 총 19개이지만, 'ㄸ, ㅃ, ㅉ'은 받침으로 사용되지 않기 때문에 음절의 끝에 표기할 수 있는 자음은 모두 16개이다.

이러한 내용을 표로 정리해 보면 다음과 같답니다.

음절 끝소리의 발음

받침(표기)		음절 끝소리의 발음	예
ㄱ, ㄲ, ㅋ	→	[ㄱ]	학[학], 낚시[낙씨], 부엌[부억]
ㄴ	→	[ㄴ]	간[간], 반[반]
ㄷ, ㅌ ㅅ, ㅆ ㅈ, ㅊ ㅎ	→	[ㄷ]	낟[낟], 낱[낟] 낫[낟], 났(다)[낟(따)] 낮[낟], 낯[낟] 히읗[히읃]
ㄹ	→	[ㄹ]	달[달]
ㅁ	→	[ㅁ]	감[감]
ㅂ, ㅍ	→	[ㅂ]	밥[밥], 숲[숩]
ㅇ	→	[ㅇ]	망[망], 공[공]

잠깐 퀴즈 ▸▸4쪽

1. 다음 중 음절의 끝소리에서 발음될 수 없는 것은?

① [ㄱ] ② [ㄴ]
③ [ㅅ] ④ [ㅂ]
⑤ [ㅇ]

이렇게 음절의 끝소리가 'ㄱ, ㄴ, ㄷ, ㄹ, ㅁ, ㅂ, ㅇ' 중 하나로 변하여 발음되는 현상을 **음절의 끝소리 규칙**이라고 해요.

음절의 끝소리 규칙은 다음과 같은 환경에서 일어나요.

옷 (받침) + 속 (자음) ⇨ [온쏙] (끝소리 살아남.)

그러나 신기하게도 다시 이 단어들 뒤에 모음으로 시작하는 형식 형태소가 오면 앞 단어의 받침에 있던 소리들이 그대로 살아나는 것을 볼 수 있어요. ⤺76쪽

옷 (받침) + 이 (모음으로 시작하는 형식 형태소) ⇨ [오시] (받침의 소리 살아남.)

하지만 받침 뒤에 모음으로 시작하는 실질 형태소가 오게 되면, 그 받침은 다시 음절의 끝소리 규칙에 따라 발음이 돼요. ⤺76쪽

옷 (받침) + 안 (모음으로 시작하는 실질 형태소) ⇨ [오단] (끝소리 살아남.)

● 형식 형태소: 주로 말과 말 사이의 관계를 표시하는 형태소로서 조사, 접사, 어미 등이 해당됨.

● 실질 형태소: 구체적인 대상이나 동작, 상태를 표시하는 형태소. '철수가 책을 읽었다.'에서 '철수', '책', '읽–'이 이에 해당됨.

아~ 받침 뒤에 오는 말에 뜻이 있느냐 없느냐에 따라 발음이 다르구나!

🔍 **잠깐 퀴즈** ▶▶4쪽

2. 다음 밑줄 친 단어의 발음을 쓰시오.

(1) <u>낮에</u> 나온 반달

[   ]

(2) <u>부엌 안</u> 부뚜막

[   ]

그렇다면 두 개의 자음으로 이루어진 겹받침에는 음절의 끝소리 규칙이 어떻게 적용될까요?

겹받침은 음절의 끝이나 자음 앞에서 다음과 같이 발음이 돼요.♦

♦ 겹받침 뒤에 모음이 올 경우에는 첫 번째 자음은 앞 음절에 남아 그대로 소리 나고, 뒤 자음은 뒤 음절의 첫소리로 발음된다(이 경우, 'ㅅ'은 된소리로 발음함.).
예 몫을 → [목쓸]
　앉아 → [안자]
　값이 → [갑씨]
　핥아 → [할타]

• 'ㄳ', 'ㄵ', 'ㄼ, ㄽ, ㄾ', 'ㅄ' → [ㄱ, ㄴ, ㄹ, ㅂ]

ㄳ	몫 → [목]
ㄵ	앉고 → [안꼬]
ㄼ	넓다 → [널따]
ㄽ	외곬 → [외골]
ㄾ	핥고 → [할꼬]
ㅄ	값 → [갑]

• 'ㄺ, ㄻ, ㄿ' → [ㄱ, ㅁ, ㅂ]

ㄺ	닭 → [닥]
ㄻ	삶 → [삼ː]
ㄿ	읊지 → [읍찌]

그리고 같은 겹받침이라도 상황에 따라 앞소리가 나기도 하고, 뒷소리가 나기도 하는 경우가 있어요.

• ㄺ

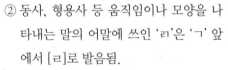

① 대부분 [ㄱ]으로 소리 남.
　예 맑지[막찌], 밝다[박따]
② 동사, 형용사 등 움직임이나 모양을 나타내는 말의 어말에 쓰인 'ㄺ'은 'ㄱ' 앞에서 [ㄹ]로 발음됨.
　예 맑고[말꼬], 맑게[말께], 밝고[발꼬], 묽게[물께]

앞소리냐,
뒷소리냐
그것이 문제로다.

잠깐 퀴즈 ▶▶4쪽

3. 다음 중 단어의 발음이 올바르지 않은 것은?
① 몫까지 → [목까지]
② 얹다 → [언따]
③ 훑다 → [훈따]
④ 흙 → [흑]
⑤ 읊고 → [읍꼬]

- ㄼ

① 대부분 [ㄹ]로 소리 남.
  例 짧다[짤따], 떫다[떨따]
② '밟-+자음'이면 [ㅂ]으로 소리 남.
  例 밟고[밥ː꼬], 밟다[밥ː따]
③ '넓고[널꼬]', '넓게[널께]'는 모두 [ㄹ]로 소리 나지만 파생어나 합성어의 경우에 '넓'으로 쓰는 것은 [ㅂ]으로 소리 남.
  例 넓죽하다[넙쭈카다], 넓둥글다[넙뚱글다], 넓적하다[넙쩌카다]

이렇듯 국어의 끝소리에는 19개의 자음으로 된 홑받침과 다양한 겹받침이 모두 표기될 수 있지만, 소리는 'ㄱ, ㄴ, ㄷ, ㄹ, ㅁ, ㅂ, ㅇ'만 발음된다는 음절의 끝소리 규칙을 잘 기억해 두세요.

> 그래서 음절의 끝소리가 되는 'ㄱ, ㄴ, ㄷ, ㄹ, ㅁ, ㅂ, ㅇ'을 '대표음'이라고 하는구나.

알아 두자! 겹받침의 발음

- 겹받침 'ㄳ, ㄵ, ㄽ, ㄾ, ㅄ' 발음의 공통점: 사전에 실릴 때, 모두 앞 자음이 먼저 나오고, 앞 자음이 발음돼요.
  例 삯[삭], 얹다[언따], 외곬[외골], 핥고[할꼬], 없고[업꼬]
- 같은 겹받침이라도 상황에 따라 앞 자음이 발음되기도 하고 뒤 자음이 발음되기도 해요.
  例 맑지[막찌], 맑고[말꼬]
    넓다[널따], 밟다[밥ː따]

🔍 잠깐 퀴즈   ▶▶4쪽

4. 다음 중 받침이 [ㄹ]로 소리 나지 않는 것은?

① 맑고   ② 묽게
③ 밟고   ④ 떫다
⑤ 짧다

2 두음 법칙

다음 글을 읽고 어떤 내용인지 파악해 보세요.

어제는 루각(樓閣)에 올라 력사(歷史)를 되새겨 보았다. 래일(來日)은 무엇을 하며 로인(老人)이 오기를 기다릴까.

무슨 말인지 하나도 모르겠다고요? 하지만 한자를 보면 어쩐지 많이 써 왔던 말 같지 않나요? 위에 쓰인 문장이 이상하게 느껴진 이유는 바로 몇몇 단어에 두음 법칙이 적용되지 않았기 때문이에요.

두음 법칙이란 어떤 소리가 한자어 첫머리에서 발음되는 것을 꺼려 다른 소리로 바꾸어 발음하는 현상이에요.

아래 표들을 보면서 두음 법칙에 대해 자세히 살펴보아요.

■ 첫소리에 'ㄹ'이 못 오는 경우

국어에서는 한자어의 첫머리에 'ㄹ'이 오는 것을 꺼리는 경향이 있어요. 그래서 한자어 첫머리의 'ㄹ'을 'ㄴ'이나 'ㅇ'으로 바꾸어 써요.

유형	내용	예시	
ㄹ → ㄴ	'라, 로, 루, 르, 래, 뢰' 등으로 시작하는 한자어에 적용됨.	락원(樂園) → 낙원 루각(樓閣) → 누각 래일(來日) → 내일	로인(老人) → 노인 름름(凜凜) → 늠름 뢰성(雷聲) → 뇌성
ㄹ → ㅇ	'랴, 려, 료, 류, 례, 리' 등으로 시작하는 한자어에 적용됨.	량심(良心) → 양심 료리(料理) → 요리 례절(禮節) → 예절	력사(歷史) → 역사 류학(留學) → 유학 리발(理髮) → 이발

'ㄹ → ㅇ' 변화는 'ㅣ' 모음과 반모음 'ㅣ'가 포함된 이중 모음에서 발생하는구나!

잠깐 퀴즈 ▶▶ 4쪽

5. 다음 단어의 발음을 쓰시오.

(1) 락원 [　　　]

(2) 류학 [　　　]

■ 첫소리에 'ㄴ'이 못 오는 경우

한자어 첫머리에서 'ㄴ'은 'ㅣ'나 반모음 'ㅣ'가 포함된 이중 모음 'ㅑ, ㅕ, ㅛ, ㅠ, ㅖ' 등과는 함께 쓰지 않아요. 이때 'ㄴ' 역시 'ㅇ'으로 바꾸어 쓴답니다.

유형	예시
ㄴ → ㅇ	녀자(女子) → 여자　뇨소(尿素) → 요소 뉴대(紐帶) → 유대　닉명(匿名) → 익명

📢》 두음 법칙의 예외
• 'ㄹ'이 첫소리에 오더라도 외래어인 경우엔 두음 법칙의 적용을 받지 않는다.
  🔵 라디오, 라디에이터, 리본, 로션, 라면
• '녀석' 같은 말도 두음 법칙이 적용되지 않는 단어이다.

'ㅇ'은 받침으로는 소리가 나도 음절 첫머리에서는 소리가 없는 글자야.

알아 두기! **우리말 첫소리가 꺼리는 그 밖의 조건들**

• 첫소리에 'ㅇ'이 못 오는 경우

'아이, 어부, 오락'과 같이 'ㅇ'이 첫소리인 것처럼 보이는 이 단어들은 사실은 모음으로 시작하는 단어들이에요. 하지만 'ㅏㅣ', 'ㅓ부', 'ㅗ락'이라고 표기하면 보기에 이상하기 때문에 단어들의 비어 있는 자리에 'ㅇ'을 넣은 것일 뿐이에요.

• 첫소리에 자음군(群)이 못 오는 경우

영어는 자음이 연달아 오는 'strike', 'truck' 같은 표기가 가능하지만 국어에서는 'ㅅㅌ라이크', 'ㅌ럭'처럼 표기할 수가 없어요. '스트라이크', '트럭'처럼 모음을 넣어 발음을 하게 된답니다.

🔍 잠깐 퀴즈　　▶▶4쪽

6. 다음 중 단어의 표기가 올바른 것은?

① 로인(老人)
② 력사(歷史)
③ 례절(禮節)
④ 요소(尿素)
⑤ 락하(落下)

3 비음화와 유음화

동화(同化)란 말 그대로 '같아진다'는 뜻이에요. 국어에서 동화 현상이 일어난다고 하면 인접한 두 음운이 서로 닮는 현상을 말해요.
다음 글자를 각각 발음해 보세요.

국 물

이번에는 두 글자를 이어서 발음해 보세요.

국물

두 발음을 비교했을 때 달라지는 소리가 있지요?
바로 '국'의 발음이에요. 위의 것은 [국]이라고 발음되지만 아래의 것은 [궁]이라고 발음되거든요. 이것은 안울림소리인 받침 [ㄱ]이 뒤에 이어서 오는 울림소리 [ㅁ]을 편하게 발음하기 위해서, [ㄱ] 자신의 성격을 버리고 같은 위치에서 소리 나는 울림소리인 [ㅇ]이 된 거예요. 이러한 현상이 바로 '동화(同化)'랍니다. 참 착한 'ㄱ'이지요?
동화 중에서도 자음과 자음이 만나, 서로 영향을 주고받아 한쪽이나 양쪽 모두 비슷한 소리로 바뀌는 현상을 **자음 동화**라고 불러요. 대표적인 자음 동화 현상에는 비음화와 유음화가 있어요.

비음화 – 비음 아닌 소리가 비음이 되다

비음의 영향을 받아 원래 비음이 아닌 자음이 비음(ㄴ, ㅁ, ㅇ)으로 바뀌는 현상을 **비음화**라고 해요. 비음화는 다음과 같은 모습을 보여요. ⟳31쪽

◎ 'ㅂ, ㄷ, ㄱ' + 'ㄴ, ㅁ' → [ㅁ, ㄴ, ㅇ]

ㅂ+ㄴ, ㅁ → [ㅁ]+ㄴ, ㅁ	밥물 → [밤물] 앞날 → [압날] → [암날]
ㄷ+ㄴ, ㅁ → [ㄴ]+ㄴ, ㅁ	맏며느리 → [만며느리] 밭머리 → [받머리] → [반머리]
ㄱ+ㄴ, ㅁ → [ㅇ]+ㄴ, ㅁ	국물 → [궁물] 부엌문 → [부억문] → [부엉문]

사이드 노트 (왼쪽 여백):

● 인접: 이웃하여 있음.

📢 소리의 변화
일반적으로 소리는 발음의 편리성과 표현 효과의 극대화를 위하여 변한다.
• 발음의 편리성: 발음을 좀 더 쉽게 하기 위해 소리가 바뀌는 것.
• 표현 효과의 극대화: '찰찰-철철'과 같이 표현의 느낌을 달리하기 위해서 소리를 바꾸는 것.

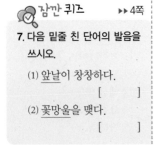
자음 동화가 일어나기 전에 음절의 끝소리 규칙의 영향을 먼저 받는구나.

🔍 **잠깐 퀴즈** ▶▶4쪽

7. 다음 밑줄 친 단어의 발음을 쓰시오.
(1) 앞날이 창창하다.
[   ]
(2) 꽃망울을 맺다.
[   ]

○ 'ㅁ, ㅇ' + 'ㄹ' → [ㅁ, ㅇ] + [ㄴ]

ㅁ+ㄹ → ㅁ+[ㄴ]	남루 → [남ː누] 담력 → [담ː녁]
ㅇ+ㄹ → ㅇ+[ㄴ]	종로 → [종노] 대통령 → [대ː통녕]

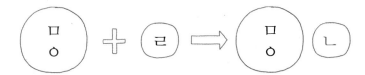

○ 'ㅂ, ㄱ' + 'ㄹ' → 'ㅂ, ㄱ' + [ㄴ] → [ㅁ, ㅇ] + [ㄴ]

ㅂ+ㄹ: [ㅁ+ㄴ] (ㅂ+ㄹ → ㅂ+ㄴ → ㅁ+ㄴ)	섭리 → [섭니] → [섬니] 협력 → [협녁] → [혐녁]
ㄱ+ㄹ: [ㅇ+ㄴ] (ㄱ+ㄹ → ㄱ+ㄴ → ㅇ+ㄴ)	백로 → [백노] → [뱅노] 국립 → [국닙] → [궁닙]

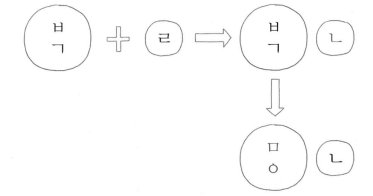

한자어에서 발음
'ㅁ, ㅇ' 뒤에 'ㄹ'이 오면
[ㄴ]으로 발음해.

유음화 – 유음 아닌 소리가 유음이 되다

유음화는 유음이 아닌 자음이 유음 'ㄹ'로 바뀌는 현상이에요. ↻31쪽
'ㄹ'의 앞이나 뒤에 'ㄴ'이 오면 그것은 'ㄹ'로 바뀌어 소리가 나요. 그 이유는 유음인 'ㄹ'과 'ㄴ'이 발음하는 자리가 같기 때문이에요. 그리고 'ㅀ', 'ㄾ'처럼 'ㄹ'이 들어간 겹자음 뒤에 'ㄴ'이 와도, 그 'ㄴ'이 'ㄹ'로 변해요.

🔍잠깐 **퀴즈** ▶▶4쪽

8. 다음 단어의 발음 변화 과정
을 쓰시오.

(1) 국립
[   ] → [   ]

(2) 협력
[   ] → [   ]

○ 'ㄹ' + 'ㄴ' → [ㄹㄹ]

ㄹ+ㄴ	칼날 → [칼랄] 설날 → [설랄] 하늘나라 → [하늘라라]	앓는 → [알른] 훑는 → [훌른] 핥네 → [할레]

○ 'ㄴ' + 'ㄹ' → [ㄹㄹ]

ㄴ+ㄹ	난로 → [날:로] 신라 → [실라] 진리 → [질리]	전라도 → [절라도] 대관령 → [대:괄령] 산란기 → [살:란기]

'ㄹ'과 'ㄴ'이 만나면 대부분 'ㄹ'이 되는구나.

▶▶ 4쪽

잠깐 퀴즈

9. 다음 단어의 발음을 쓰시오.

(1) 앓는 [   ]

(2) 진리 [   ]

(3) 공권력 [   ]

알아 두자! 유음화의 예외

유음화 현상에도 예외가 존재해서 'ㄹ'의 앞에서 나타나는 'ㄴ'이 그냥 'ㄴ'으로 발음되기도 해요. 한자어에 '란, 량, 력, 론, 료, 례, 령' 등이 접사처럼 붙어 이뤄진 말들이 그러해요. 그래서 'ㄴㄴ'으로 발음되지요.

예 의견란 → [의:견난], 임진란 → [임:진난], 생산량 → [생산냥]

결단력 → [결딴녁], 입원료 → [이붠뇨], 동원령 → [동:원녕]

상견례 → [상견녜], 공권력 → [공꿘녁], 이원론 → [이:원논]

구개음화

'낱낱이'의 발음은 어떤 것이 맞을까요?

[난나티]　　　[난나치]

정답은 [난ː나치]예요. 왜 그럴까요? 받침이 연결되어 소리 난다면 분명히 [난나티]가 맞는데 말이죠. 그것은 바로 구개음화 때문이에요.

우리말에서는 혀끝소리 'ㄷ, ㅌ'이 모음 'ㅣ'나 반모음 'ㅣ'로 시작되는 형식 형태소 앞에서 구개음인 'ㅈ, ㅊ'으로 바뀌어 소리가 나요. 이러한 현상을 **구개음화**라고 해요. ↪30쪽

○ 구개음화의 유형

유형	예시
'ㄷ'+'ㅣ' → [지]	맏이 → [마디] → [마지] 곧이듣다 → [고디듣따] → [고지듣따]
'ㅌ'+'ㅣ' → [치]	밭이 → [바티] → [바치] 샅샅이 → [산싸티] → [산싸치]
'ㄷ'+'히' → [티] → [치]♦	굳히다 → [구티다] → [구치다] 묻히다 → [무티다] → [무치다]

♦ 'ㄷ'+'히'의 경우에는 'ㄷ'이 'ㅎ'의 영향으로 거센소리 'ㅌ'으로 바뀌므로 'ㅌ'이 구개음화된 'ㅊ' 발음이 나게 된다.

📡 **알아 두자!** 구개음화의 예외

평안도 방언에서는 구개음화가 일어나지 않아요. 평안도 사람들은 '맏이'를 [마디]로, '같이'를 [가티]로 발음해요. 또, 구개음화는 '디디다', '느티나무'처럼 한 낱말 안에서는 일어나지 않는답니다. 의미를 가지고 홀로 쓰일 수 있는 말, 즉 실질 형태소와 결합할 때에도 구개음화가 일어나지 않아요.

예 '밭이랑 논을 갈아라.' [바치랑노늘가라라]
　　'밭이랑을 만들어라.' [반니랑을만드러라]

🔍 **잠깐 퀴즈**　　▶▶4쪽

10. 다음 단어의 발음을 쓰시오.

(1) 곧이듣다 [　　　]

(2) 느티나무 [　　　]

5 된소리되기

다음 그림 속 '목장'과 '젖소'를 어떻게 발음할까요?

'목장'은 [목짱], '젖소'는 [전쏘]라고 발음하지요? 이렇게 뒤 음절의 첫소리를 된소리로 발음하는 이유가 무엇일까요?

이와 같이 안울림 예사소리 'ㄱ, ㄷ, ㅂ, ㅅ, ㅈ'이 일정한 환경에서 된소리 'ㄲ, ㄸ, ㅃ, ㅆ, ㅉ'으로 교체되는 현상을 **된소리되기**(혹은 경음화)라고 해요.

■ **두 개의 안울림 예사소리가 만날 때, 뒤의 안울림 예사소리가 된소리로 바뀌는 경우**

[ㄱ, ㄷ, ㅂ] + 'ㄱ, ㄷ, ㅂ, ㅅ, ㅈ' → [ㄱ, ㄷ, ㅂ] + [ㄲ, ㄸ, ㅃ, ㅆ, ㅉ]

앞 음절의 끝소리 받침이 'ㄱ, ㄷ, ㅂ'으로 발음되는 경우, 뒤 음절의 첫소리로 'ㄱ, ㄷ, ㅂ, ㅅ, ㅈ'을 만나면 뒤 음절의 첫소리가 모두 된소리 'ㄲ, ㄸ, ㅃ, ㅆ, ㅉ'으로 발음되어요.

유형	예시	
ㄱ (ㄲ, ㅋ, ㄳ, ㄺ)	국밥 → [국빱] 넋받이 → [넉빠지]	깎다 → [깍따] 닭장 → [닥짱]
ㄷ (ㅅ, ㅆ, ㅈ, ㅊ, ㅌ)	뻗대다 → [뻗때다] 있던 → [읻떤] 꽃다발 → [꼳따발]	옷고름 → [옫꼬름] 꽂고 → [꼳꼬] 밭갈이 → [받까리]
ㅂ (ㅍ, ㄼ, ㄿ, ㅄ)	곱돌 → [곱똘] 넓죽하다 → [넙쭈카다] 값지다 → [갑찌다]	옆집 → [엽찝] 읊조리다 → [읍쪼리다]

◆ 두 단어를 발음해 보면 [목장]과 [전소]보다 [목짱]과 [전쏘]가 더 소리 내기 쉽다. 뒤 음절의 첫소리가 된소리로 바뀌는 이유는 발음의 편리성 때문이다.

● 안울림 예사소리: 소리 낼 때 목청이 울리지 않는 소리 중, 부드러운 느낌을 주는 소리.
예) ㄱ, ㄷ, ㅂ, ㅅ, ㅈ

● 된소리: 예사소리보다 강하고 단단한 느낌을 주는 소리.
예) ㄲ, ㄸ, ㅃ, ㅆ, ㅉ

잠깐 퀴즈 ▶▶4쪽
11. 다음 단어의 발음을 쓰시오.
(1) 목장 [   ]
(2) 뻗대다 [   ]
(3) 읊조리다 [   ]

■ 어간의 끝소리에 비음과 유음이 올 때, 뒤의 안울림 예사소리가 된소리로 바뀌는 경우

● 어간: 말의 줄기, 용언이 활용할 때에 변하지 않는 부분.
예 '보다'에서 '보-'는 어간에 해당함.

$$[ㄴ, ㅁ, ㄹ] + 'ㄱ, ㄷ, ㅅ, ㅈ' → [ㄴ, ㅁ, ㄹ] + [ㄲ, ㄸ, ㅆ, ㅉ]$$

어간 받침 'ㄴ, ㅁ, ㄹ' 뒤에 결합되는 어미의 첫소리 'ㄱ, ㄷ, ㅅ, ㅈ'은 된소리 'ㄲ, ㄸ, ㅆ, ㅉ'으로 발음되어요.

유형	예시	
ㄴ(ㄵ)	신고 → [신ː꼬] 얹다 → [언따]	안다 → [안따] 껴안다 → [껴안따]
ㅁ(ㄻ)	삼고 → [삼ː꼬] 닮다 → [담ː따]	더듬지 → [더듬찌] 젊지 → [점ː찌]
ㄹ(ㄼ, ㄾ)	넓게 → [널께] 훑소 → [훌쏘]	핥다 → [할따] 떫지 → [떨ː찌]

■ 한자어에서 'ㄹ' 받침 뒤에 'ㄷ, ㅅ, ㅈ'이 오면 된소리 'ㄸ, ㅆ, ㅉ'으로 바뀌는 경우

> 갈등(葛藤) → [갈뜽]   필승(必勝) → [필씅]
>
> 결단(決斷) → [결딴]   설득(說得) → [설뜩]

📢” 예외
별별(別別) → [별별],
결빙(結氷) → [결빙],
몰각(沒覺) → [몰각] 등

■ 관형사형 어미 '-(으)ㄹ' 뒤에 'ㄱ, ㄷ, ㅂ, ㅅ, ㅈ'이 오면 된소리 'ㄲ, ㄸ, ㅃ, ㅆ, ㅉ'으로 바뀌는 경우

> 먹을 것 → [머글껃]   갈 데가 → [갈떼가]   할 바를 → [할빠를]
>
> 할 사람 → [할싸람]   할 적에 → [할쩌게]

알아 두자! 한글 맞춤법의 된소리 표기

제5항 한 단어 안에서 뚜렷한 까닭 없이 나는 된소리는 다음 음절의 첫소리를 된소리로 적는다.

1. 두 모음 사이에서 나는 된소리
   예 소쩍새, 어깨, 오빠, 으뜸, 아끼다, 기쁘다, 깨끗하다, 가끔, 거꾸로 등
2. 'ㄴ, ㄹ, ㅁ, ㅇ' 받침 뒤에서 나는 된소리
   예 산뜻하다, 잔뜩, 살짝, 훨씬, 담뿍, 움찔, 몽땅, 엉뚱하다

다만, 'ㄱ, ㅂ' 받침 뒤에서 나는 된소리는 같은 음절이나 비슷한 음절이 겹쳐 나는 경우가 아니면 된소리로 적지 아니한다.

예 국수, 깍두기, 딱지, 색시, 싹둑(~싹둑), 법석, 갑자기, 몹시

🔍 잠깐 퀴즈   ▶▶4쪽

12. 다음 중 된소리되기가 일어나지 <u>않는</u> 것은?

① 입고   ② 묻다
③ 안겨   ④ 남다
⑤ 더듬지

6 사잇소리 현상

다음 그림을 보고 각 단어에는 어떠한 차이가 있는지 말해 보세요.

고깃배

고기 배

어떤 차이가 있나요? 네, 그래요. '고깃배'에는 사이시옷이 쓰였어요. 그리고 사이시옷을 쓰느냐 아니냐에 따라 의미도 달라지지요. ⟳ 198쪽

국어에서는 두 개의 형태소 또는 단어가 합쳐져서 합성어가 되기도 해요. 그런데 합성어에서 앞말의 끝소리인 울림소리와 뒷말의 첫소리인 안울림소리가 만날 때, 뒤의 예사소리가 된소리로 변하는 **사잇소리 현상**이 일어나요. 그때 합성어 앞말이 모음으로 끝나는 경우에는 그 모음의 받침에 사이시옷을 적어 주지요.

> 촛불(초+불) → [초뿔/촏뿔]   고깃배(고기+배) → [고기빼/고긷빼]

하지만 비슷한 조건인데도 사잇소리 현상이 일어나지 않는 경우도 많아서 어떤 환경에서 뚜렷이 사잇소리가 일어난다고 말하기 어려울 때도 많답니다.

다음의 단어들은 사잇소리 현상이 일어날 조건인데도 사잇소리 현상이 일어나지 않는 합성 명사들이에요.

> 은+돈 → [은돈] 콩+밥 → [콩밥] 기와+집 → [기와집] 오리+발→ [오:리발]

사잇소리 현상이 일어나는 합성 명사에는 다음과 같은 것들이 있어요.

유형	예시
울림소리(ㄴ, ㄹ, ㅁ, ㅇ, 모음)+예사소리 → 된소리	봄+비 → [봄삐] 밤+길 → [밤낄] 물+가 → [물까] 말+소리 → [말:쏘리] 등+불 → [등뿔] 배+사공(뱃사공) → [배싸공]

왼쪽 말풍선:
사잇소리 현상은 하나의 형태소로 이루어진 단일어에서는 일어나지 않아!

잠깐 퀴즈 ▶▶ 4쪽

13. 다음 단어의 발음을 쓰시오.

(1) 봄비 [   ]

(2) 콩잎 [   ]

(3) 기와집 [   ]

합성어를 이룰 때 된소리가 생기는 대신 'ㄴ' 소리가 첨가되는 경우도 있어요. 앞말이 모음으로 끝나는데 뒷말이 'ㅁ, ㄴ'으로 시작되면 앞말의 끝소리에 'ㄴ' 소리가 덧나요.

유형	예시
모음+'ㅁ, ㄴ' → 모음+'ㄴ' 첨가+'ㅁ, ㄴ'	이+몸(잇몸) → [인몸] 코+날(콧날) → [콘날] 비+물(빗물) → [빈물]

그리고 합성어 및 파생어에서 앞말이 자음으로 끝나는데 뒷말이 모음 'ㅣ'나 반모음 'ㅣ'로 시작될 때에도 'ㄴ' 소리가 덧나요.

유형	예시
앞말이 자음으로 끝나는데 뒷말이 모음 'ㅣ'나 반모음 'ㅣ'로 시작될 경우 → 'ㄴ' 첨가	집+일 → [짐닐] 콩+잎 → [콩닙] 솜+이불 → [솜니불] 콩+엿 → [콩녇]

📢
두 단어를 한 마디로 이어서 발음할 때에도 사잇소리 현상이 일어나는 경우가 있다.
예 한 일 → [한닐]
　옷 입다 → [온닙따]
　먹은 엿 → [머근녇]

알아 두자! 한자어의 사잇소리

- 사잇소리가 날 때 사이시옷을 넣어 표기하는 합성어는 순우리말이 포함되어 있는 경우에만 나타나요.
  ① 순우리말+순우리말　예 노랫말, 빨랫줄
  ② 순우리말+한자어　　예 뱃사공, 아랫방
  ③ 한자어+순우리말　　예 전셋집
- 국어에는 한자로 된 합성어가 많지만, 한자어에서는 사잇소리 현상이 나더라도 대부분 사이시옷을 표기하지 않아요.
  예 초점(焦點) → [초쩜], 문법(文法) → [문뻡], 물가(物價) → [물까]
- 하지만 다음에 나오는 여섯 개의 한자는 반드시 사이시옷을 적어야 해요.
  예 곳간(庫間), 셋방(貰房), 숫자(數字), 찻간(車間), 툇간(退間), 횟수(回數)
- 다음과 같은 단어는 사잇소리를 넣어 발음하면 표준 발음으로 인정하지 않으니 유의하세요.
  예 방법(方法) → [방뻡] (×), 고가(高架) → [고까] (×)
  　간단(簡單) → [간딴] (×), 등기(登記) → [등끼] (×)

사이시옷이 표기되는 한자로 된 합성어는 여섯 개뿐이야.

잠깐 퀴즈　▶▶4쪽
14. 다음 중 단어의 표기가 올바르지 않은 것은?
① 촛불　② 촛점
③ 숫자　④ 말소리
⑤ 뱃사공

음운의 축약

다음 문제를 풀어 보세요.

⊙ 1+1   ⓛ ㄱ+ㅎ

⊙의 답은 '2'예요. 그러면 ⓛ의 답은 무엇일까요? 바로 'ㅋ'입니다. 왜냐하면 'ㄱ'과 'ㅎ'이라는 국어의 음운은 합쳐져서 'ㅋ'으로 발음되기 때문이지요. 이것이 바로 음운이 축약되는 현상이랍니다.

두 음운이 합쳐져서 하나의 음운으로 줄어 소리가 나는 현상을 **음운의 축약**이라고 해요. 음운의 축약은 자음과 모음 모두에서 일어나는데 이 단원에서는 자음에서 축약이 일어나는 자음 축약에 대해 살펴보려고 해요. 예사소리 'ㄱ, ㄷ, ㅂ, ㅈ'이 'ㅎ'과 결합할 때, 자음이 축약되어 거센소리 'ㅋ, ㅌ, ㅍ, ㅊ'으로 바뀌는 현상을 **거센소리되기**(혹은 유기음화)라고 해요.

♦ 모음 축약

유형	예시
ㅣ+ㅓ → ㅕ	그리어 → 그려 쏘이어 → 쏘여
ㅡ+ㅣ → ㅢ	쓰이어 → 씌어 뜨이어 → 띄어
ㅜ+ㅓ → ㅝ	맞추어 → 맞춰
ㅚ+ㅓ → ㅙ	되었다 → 됐다

◎ 거센소리되기

유형	예시	
ㄱ+ㅎ → [ㅋ] ㅎ+ㄱ → [ㅋ]	국화 → [구콰] 놓고 → [노코]	먹히다 → [머키다] 좋고 → [조코]
ㄷ+ㅎ → [ㅌ] ㅎ+ㄷ → [ㅌ]	맏형 → [마텽] 놓다 → [노타]	묻히다 → [무티다] → [무치다] 싫다 → [실타]
ㅂ+ㅎ → [ㅍ]	법학 → [버팍]	밥하다 → [바파다]
ㅈ+ㅎ → [ㅊ] ㅎ+ㅈ → [ㅊ]	앉히고 → [안치고] 옳지 → [올치]	맞히다 → [마치다] 그렇지 → [그러치]

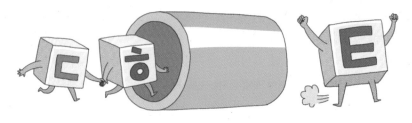

🔍 **잠깐 퀴즈**   ▶▶4쪽

15. 다음 밑줄 친 단어의 발음을 쓰시오.

(1) 우리 언니는 <u>법학</u>을 전공했다.   [   ]

(2) 우리 아버지는 7남매 중 <u>맏형</u>이다.
   [   ]

8 음운의 탈락

㉠ A + B → A   ㉡ A + B → B

㉠과 ㉡에서 A와 B가 만나 어떻게 되었나요? A와 B가 만나서 A나 B만 홀로 외롭게 남고 나머지는 탈락되는 것을 볼 수 있지요?

이렇게 두 음운이 만나면서 한 음운이 사라져 소리 나지 않는 현상을 **음운의 탈락**이라고 해요. 음운의 탈락 역시 자음과 모음 모두에서 일어나는데 자음에서 탈락이 일어나면 자음 탈락, 모음에서 탈락이 일어나면 모음 탈락이라고 불러요.

- **'ㄹ' 탈락**: 'ㄴ, ㄷ, ㅅ, ㅈ' 앞에서 'ㄹ'이 탈락되어 사라지는 현상
  - 예 딸+님 → 따님
    - 말+소 → 마소
    - 울-+-는 → 우는

  말 + 소 ⇒ 마소

- **'ㅎ' 탈락**: 모음 앞에서 'ㅎ'이 탈락되어 사라지는 현상
  - 예 넣어[너어], 좋은[조은]
    - 쌓으니[싸으니], 끓이다[끄리다]

  탈락!

- **'ㅡ' 탈락**: 어미 '-아/어' 앞에서 'ㅡ'가 탈락하여 사라지는 현상
  - 예 담그-+-아 → 담가   쓰-+-어 → 써
    - 따르-+-아 → 따라   트-+-어 → 터
    - 아프-+-아 → 아파   끄-+-어 → 꺼

- **'ㅏ, ㅓ' 탈락**: 같은 모음이 붙어서 나타날 때 그 중 앞 모음이 탈락하여 사라지는 현상
  - 예 가-+-아서 → 가서
    - 자라-+-아라 → 자라라
    - 건너-+-어서 → 건너서
    - 서-+-었-+-고 → 섰고

  탈락!

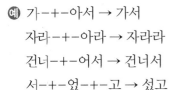

탈락은 축약하고는 달라서 원래 있던 음운의 소리가 완전히 사라지네.

🔍 **잠깐 퀴즈** ▶▶ 4쪽

16. 다음 중 음운의 탈락이 일어나지 않은 것은?

① 써   ② 퍼
③ 가서   ④ 건너서
⑤ 와서

핵심만 쏙!

● **교체**: 어떤 음운이 다른 음운으로 바뀌는 현상

음절의 끝소리 규칙	• 음절의 끝소리가 'ㄱ, ☐, ㄷ, ㄹ, ㅁ, ☐, ㅇ' 중 하나로 변하여 발음되는 현상으로 '대표음화'라고도 함. **⑩** 낟, 낫, 낮, 낯, 낱 → [낟] • ☐☐☐의 발음도 음절의 끝소리 규칙을 따름. **⑩** 값 → [갑], 흙 → [흑]
☐☐**법칙**	어떤 소리가 한자어의 첫머리에서 발음되는 것을 꺼려 다른 소리로 바꾸어 발음하는 현상 **⑩** 락원 → 낙원, 리해 → 이해
비음화와 유음화	자음과 자음이 만나 서로 영향을 주고받아 한쪽이나 양쪽 모두 비슷한 소리로 바뀌는 현상 • ☐☐☐: 비음의 영향을 받아 원래 비음이 아닌 자음이 비음(ㄴ, ㅁ, ㅇ)으로 바뀌는 현상 **⑩** 밥물[밤물], 종로[종노], 백로[뱅노] • ☐☐☐: 비음 'ㄴ'이 유음 'ㄹ'의 앞이나 뒤에서 'ㄹ'로 바뀌는 현상 **⑩** 설날[설ː랄], 신라[실라]
구개음화	혀끝소리 'ㄷ, ㅌ'이 모음 '☐'나 반모음 'ㅣ' 앞에서 구개음인 'ㅈ, ☐'으로 바뀌어 소리가 나는 현상 **⑩** 해돋이[해도지], 붙이다[부티다 → 부치다]
☐☐☐**되기**	안울림 예사소리(평음)가 된소리(경음)로 바뀌는 현상 • 안울림소리+안울림소리: 'ㄱ, ㄷ, ㅂ'으로 소리 나는 받침 뒤에 오는 'ㄱ, ㄷ, ㅂ, ㅅ, ㅈ'은 된소리 'ㄲ, ㄸ, ㅃ, ㅆ, ㅉ'으로 발음함. **⑩** 국밥[☐☐], 뻗대다[뻗때다], 곱돌[곱똘] • 어간+어미: 어간 받침 'ㄴ(ㄵ), ㅁ(ㄻ), ㄹ(ㄼ,ㄾ)' 뒤에 결합되는 어미의 첫소리 'ㄱ,ㄷ,ㅅ,ㅈ'은 된소리 'ㄲ, ㄸ, ㅆ, ㅉ'으로 발음함. **⑩** 신고[신ː꼬], 삼고[삼ː꼬], 넓게[널께]

● **첨가**: 원래 없었던 어떤 음운이 새로 생기는 현상

☐☐☐☐현상	합성어에서 앞말의 끝소리가 울림소리이고 뒷말의 첫소리가 안울림 예사소리이면 뒤의 예사소리가 ☐☐☐로 변하는 현상. 또는 앞말이 모음으로 끝나는데 뒷말이 'ㅁ, ㄴ'으로 시작되면 앞말의 끝소리에 '☐' 소리가 덧나고, 합성어 및 파생어에서 앞말이 자음으로 끝나는데 뒷말이 모음 '☐'나 반모음 'ㅣ'로 시작되면 'ㄴ' 소리가 덧나는 현상. **예** 밤+길 → 밤길[밤낄] 　　　이+몸 → 잇몸[☐☐] 　　　콩+잎 → 콩잎[콩닙]

● **축약**: 두 음운이 합쳐져서 하나의 음운이 되는 현상

☐☐☐☐되기	예사소리 'ㄱ, ㄷ, ㅂ, ㅈ'이 '☐'과 결합할 때 자음이 축약되어 거센소리 'ㅋ, ㅌ, ㅍ, ㅊ'으로 바뀌는 현상 **예** 국화 → [구ː콰] (ㄱ+ㅎ → ㅋ), 놓다 → [노타] (ㅎ+ㄷ → ㅌ)

● **탈락**: 두 음운이 만나 어느 하나의 음운이 없어지는 현상

자음 탈락	• '☐' 탈락: 'ㄴ, ㄷ, ㅅ, ㅈ' 앞에서 '☐'이 탈락되어 사라지는 현상 　**예** 딸+님 → 따님, 말+소 → 마소, 울-+-는 → 우는 • 'ㅎ' 탈락: 모음 앞에서 'ㅎ'이 탈락되어 사라지는 현상 　**예** 넣어[너어], 좋은[조은], 쌓으니[싸으니], 끓이다[☐☐☐]
모음 탈락	• 'ㅡ' 탈락: 어미 '-아/어' 앞에서 'ㅡ'가 탈락하여 사라지는 현상 　**예** 담그-+-아 → 담가, 쓰-+-어 → ☐ • 'ㅏ, ㅓ' 탈락: 같은 모음이 붙어서 나타날 때 그중 앞 모음이 탈락하여 사라지는 현상 　**예** 가-+-아서 → 가서, 자라-+-아라 → 자라라 　　　건너-+-어서 → ☐☐☐, 서-+-었-+-고 → 섰고

🔑 ㄴ, ㅂ, 겹받침, 두음, 비음화, 유음화, ㅣ, ㅈ, ㅊ, 된소리, 국빱, 사잇소리, 된소리, ㄴ, ㅣ, 인몸, 거센소리, ㅎ, ㄹ, ㄹ, 끄리다, 써, 건너서

기본 익히기

📋 잘 모르겠다면 해당 쪽 에서 다시 확인해 보세요.

01
전체

다음 설명이 맞으면 O표, 틀리면 X표를 하시오.

(1) 국어에서는 6개의 자음만이 음절의 끝소리로 발음된다. ( )

(2) 단어의 첫소리에 'ㄹ'이 오는 것을 꺼려 'ㄴ, ㅇ'으로 바꾸어 쓴다. ( )

(3) 음운 변동의 결과가 'ㄴ, ㅁ, ㅇ'이 되는 동화 현상은 비음화이다. ( )

(4) 구개음화는 입술소리인 'ㄷ, ㅌ'이 모음 'ㅣ'나 반모음 'ㅣ' 앞에서 구개음인 'ㅈ, ㅊ'으로 바뀌는 현상이다. ( )

(5) 'ㄱ, ㄷ, ㅂ'으로 소리 나는 받침 뒤에 오는 'ㄱ, ㄷ, ㅂ, ㅅ, ㅈ'은 된소리로 발음한다. ( )

(6) 두 형태소나 단어가 만나 합성어가 될 때, 사잇소리가 첨가되어 뒤의 예사소리가 거센소리로 발음된다. ( )

(7) 두 형태소나 단어가 만나 합성어가 될 때, 앞 음절이 모음으로 끝나고 뒤 음절이 'ㄴ, ㅁ'으로 시작하면 'ㄴ' 소리가 첨가된다. ( )

(8) 거센소리되기는 예사소리 'ㄱ, ㄷ, ㅂ, ㅈ'이 'ㅎ'과 결합할 때, 자음이 탈락되어 거센소리 'ㅋ, ㅌ, ㅍ, ㅊ'으로 바뀌는 현상이다. ( )

(9) 두 모음이 합쳐져서 하나의 모음으로 줄어드는 현상을 모음 탈락이라고 한다. ( )

02
46쪽

다음 중 표기와 발음이 일치하는 것은?

① 갓 　② 밭 　③ 잎
④ 창 　⑤ 낮

03
48쪽

다음 중 끝소리의 발음이 <u>다른</u> 하나는?

① 넋 　② 닭 　③ 밖
④ <u>늙</u>지 　⑤ <u>밝</u>고

04
47쪽

 주관식

다음 밑줄 친 단어를 소리 나는 대로 쓰시오.

(1) 이 부분은 <u>밑줄을</u> 그어야 한다.
[　　]

(2) 한낮 <u>햇살이</u> 뜨겁게 내리쬔다.
[　　]

(3) <u>부엌에</u> 엄마가 안 계신다.
[　　]

05
50쪽

다음 중 단어의 표기가 올바르지 <u>않은</u> 것은?

① 라디오 　② 리본 　③ 력사
④ 라면 　⑤ 로션

06
52쪽

다음 중 음운 변동의 원리가 <u>다른</u> 것은?

① 섭리 　② 먹물 　③ 담력
④ 윤리 　⑤ 남루

07 다음 밑줄 친 단어의 발음이 올바르지 않은 것은?

(52쪽)

① 기훈이는 순진해서 항상 속는다[송는다].
② 수미는 시간이 없어 국물[궁물]만 마셨다.
③ 민지는 한강을 산책하다가 백로[뱅노]를 발견하였다.
④ 미현이는 시장에 들러 어머니께 드릴 석류[성류]를 샀다.
⑤ 요즘은 아침에 온라인으로 주문한 상품을 저녁에 바로 받는다[반는다].

 주관식

08 다음 밑줄 친 단어에서 공통적으로 일어나는 음운 변동 현상이 무엇인지 쓰시오.

(54쪽)

> • 주말에 대관령 양떼 목장에 다녀왔다.
> • 지난여름에 홍수로 큰 물난리를 겪었다.

09 〈보기〉의 단어에서 일어난 음운 변동의 성격이 같은 것끼리 바르게 묶은 것은?

(52쪽)

> ┤보기├
> ㄱ. 밥물[밤물]
> ㄴ. 대낮[대ː낟]
> ㄷ. 석사[석싸]
> ㄹ. 해돋이[해도지]
> ㅁ. 앞마당[암마당]
> ㅂ. 맏며느리[만며느리]

① ㄱ, ㄴ, ㅁ
② ㄱ, ㄹ, ㅂ
③ ㄱ, ㅁ, ㅂ
④ ㄴ, ㄹ, ㅂ
⑤ ㄷ, ㅁ, ㅂ

10 다음 음운 변동이 일어나는 단어가 아닌 것은?

(55쪽)

> 혀끝소리 'ㄷ, ㅌ'이 모음 'ㅣ'나 반모음 'ㅣ' 앞에서 구개음인 'ㅈ, ㅊ'으로 바뀌어 소리가 나는 현상이다.

① 맏이
② 볕이
③ 마디
④ 샅샅이
⑤ 땀받이

 주관식

11 다음 밑줄 친 단어에서 공통적으로 일어나는 음운 변동 현상이 무엇인지 쓰시오.

(55쪽)

> • 논에 나가니 가을걷이가 한창이다.
> • 지우와 민우는 조별 활동을 같이 하며 친해졌다.
> • 승희의 비밀이 낱낱이 밝혀졌다.

12 다음 밑줄 친 단어의 발음이 올바르지 않은 것은?

(전체)

① 사려니숲에[수페] 꼭 가 보고 싶다.
② 그 문제는 논리적[놀리적]으로 해결해야 한다.
③ 새 운동화를 신고[신ː꼬] 나갔더니 비가 왔다.
④ 홈런으로 승부를 굳혀[구텨] 이길 수 있었다.
⑤ 도망가는 고양이를 잡는[잠는] 일이 쉽지 않겠어.

기본 익히기

13 다음 중 단어의 표기가 올바르지 <u>않은</u> 것은?

(59쪽)

① 곳간(庫間)　　② 셋방(貰房)

③ 댓가(代價)　　④ 숫자(數字)

⑤ 찻간(車間)

14 다음 음운 변동이 일어나는 단어가 <u>아닌</u> 것은?

(58쪽)

> 합성어에서 앞말의 끝소리인 울림소리와 뒷말의 첫소리인 안울림소리가 만날 때, 뒤의 예사소리가 된소리로 변하는 현상이다.

① 밤길　　② 봄비　　③ 물가

④ 등불　　⑤ 콩밥

15 다음 밑줄 친 단어 중 음운 축약의 종류가 <u>다른</u> 것은?

(60쪽)

① 가을 들판에 꽃들이 <u>노랗게</u> 피었다.

② 민호에게 엄마의 잔소리가 <u>먹히지</u> 않았다.

③ 승윤이는 경제학을 전공하고 싶어 대학교에 <u>입학하였다</u>.

④ 미화는 스트레칭을 위해 몸을 <u>젖히고</u> 있다.

⑤ 주희는 친구들과 꽃 축제에 놀러 갔다가 벌에 <u>쏘였다</u>.

16 다음 중 발음할 때 사잇소리 현상이 일어나는 것은?

(59쪽)

① 설날　　② 굳히다　　③ 한여름

④ 옷맵시　　⑤ 파랗다

 주관식

17 다음 밑줄 친 단어가 각각 어떻게 발음되는지 쓰시오.

(60쪽)

> • 한 송이 <u>국화꽃</u>을 피우기 위해 봄부터 소쩍새는 그렇게 울었나 보다.
> • 빨갛게 물든 <u>장미꽃</u>이 핀 담벼락을 거닐다 보니 기분이 좋다.

18 다음 밑줄 친 단어 중 음운의 탈락이 일어나지 <u>않은</u> 것은?

(61쪽)

① 다희는 선물을 가방에 <u>넣었다</u>.

② 찬미는 <u>자라서</u> 가수가 되었다.

③ 승환이는 급한 불을 일단 <u>껐다</u>.

④ 윤호는 펜에 검은 잉크를 <u>묻혔다</u>.

⑤ 예슬이는 횡단보도를 <u>건너서</u> 버스를 탔다.

19 다음 단어들에 적용된 음운 변동의 원리 중 <u>다른</u> 것은?

(61쪽)

① 가-+-아라 → 가라

② 주-+-어서 → 줘서

③ 쓰-+-어라 → 써라

④ 불-+-시오 → 부시오

⑤ 많-+-아서 → 많아서

01 다음 중 단어의 발음이 올바르지 <u>않은</u> 것은?

① 닭장[닥짱]　　② 젖소[전쏘]

③ 묻다[묻따]　　④ 잡고[잡꼬]

⑤ 꽃다발[꼰다발]

02 다음 밑줄 친 단어의 발음이 올바르지 <u>않은</u> 것은?

① 친구에게 <u>꽃 한 송이[꼬탄송이]</u>를 선물로 받았다.

② 오늘 체육 시간에는 <u>줄넘기[줄넘끼]</u>를 하였다.

③ <u>폭설[폭썰]</u>이 내려 시민들이 도로 위에 차를 두고 가 버렸다.

④ 학교 <u>역량[영냥]</u> 평가에서 우리 학교가 1등을 하였다.

⑤ 단추가 떨어져서 <u>반짇고리[반짇꼬리]</u>가 필요하다.

03 다음 밑줄 친 단어 중 음운의 교체 현상이 일어나지 <u>않는</u> 것은?

① 벌써 <u>난로</u>가 필요한 계절이 왔구나.

② <u>겉멋</u> 부려 봤자 남는 건 허울뿐이다.

③ 넌 집에 <u>가서</u> 좀 쉬는 게 좋을 것 같아.

④ 터미널 지하상가에 가서 <u>옷</u> 구경도 하고 맛있는 것도 좀 먹자.

⑤ 우리 할아버지는 은퇴 후 드럼도 배우시고 <u>멋진</u> 인생을 살아가시는 것 같아.

04 다음 밑줄 친 단어와 같은 음운 변동 현상이 일어나지 <u>않는</u> 단어는?

> 정현이네 가족은 주말에 <u>해돋이</u>를 보러 정동진에 가기로 하였다.

① 같이　　② 먹이　　③ 미닫이

④ 피붙이　　⑤ 곧이곧대로

🖉 주관식

05 다음 밑줄 친 단어의 올바른 발음을 쓰시오.

(1) 민결이는 무엇이든 물어보면 다 아는 척척 <u>박사</u>인 것 같다.　　[　　　]

(2) 상희는 주말에 아버지와 <u>낚시</u>를 가서 고기를 잡았다.　　[　　　]

(3) 지윤이는 재단된 <u>옷감</u>을 가지고 예쁜 옷한 벌을 만들었다.　　[　　　]

(4) 민솔이는 풀숲에 누워 눈을 <u>감고</u> 사색에 잠겼다.　　[　　　]

(5) <u>낯가림</u>이 심한 성아는 낯선 사람과는 대화도 하지 않는다.　　[　　　]

06 다음 단어들의 음운이 발음되는 현상을 설명한 것으로 알맞지 <u>않은</u> 것은?

① 낯[낟]: 받침 'ㅊ'을 발음할 때 'ㄷ'으로 소리 난다.

② 신라[신나]: 'ㄴ'과 'ㄹ'이 만나 'ㄴ'과 'ㄴ'으로 바뀌어 소리 난다.

③ 여닫이[여ː다지]: 'ㄷ'이 모음 'ㅣ' 앞에서 'ㅈ'으로 소리 난다.

④ 국밥[국빱]: 'ㄱ' 뒤에서 'ㅂ'이 된소리 'ㅃ'으로 소리 난다.

⑤ 국화[구콰]: 'ㄱ'와 'ㅎ'이 만나 거센소리 'ㅋ'으로 소리 난다.

실력 키우기

07 〈보기〉의 서술 방식을 참고하여 제시한 단어에서 이루어지는 음운의 변동 과정을 각각 서술하시오.

┤보기├

단어	실제 발음	변화된 음운	음운 교체 현상
신고	[신ː꼬]	ㄱ → ㄲ	된소리되기

'신고'는 'ㄱ → ㄲ'로 된소리되기가 적용되어 [신ː꼬]로 발음된다.

빛, 국물, 밭이

08 다음 설명을 바탕으로 비음화가 일어난 예로 알맞지 않은 것은?

〈비음화가 일어나는 환경〉
(1) ㅂ, ㄷ, ㄱ + ㄴ, ㅁ → [ㅁ, ㄴ, ㅇ]
(2) ㅁ, ㅇ + ㄹ → [ㅁ, ㅇ] + [ㄴ]
(3) ㅂ, ㄱ + ㄹ → ㅂ, ㄱ + [ㄴ]
　　→ [ㅁ, ㅇ] + [ㄴ]

① 국립　　② 앞날　　③ 밭머리
④ 대통령　　⑤ 생산량

09 다음 단어에 적용된 음운 변동을 차례대로 쓰시오.

밭이랑 → [받이랑] → [받니랑] → [반니랑]
　　(㉠)　　(㉡)　　(㉢)

10 다음 음운 변동에 대한 설명으로 적절하지 <u>않은</u> 것은?

낱말 → [낟ː말] → [난ː말]

① 음절의 끝소리 규칙에 의해 'ㅌ'이 'ㄷ'으로 발음된다.
② 인접한 두 자음 중에서 앞의 자음이 바뀐 역행 동화가 일어난다.
③ 형태소가 합쳐지면서 원래 없던 'ㄴ' 소리가 첨가된다.
④ [낟ː말]이 [난ː말]로 바뀌어 소리 나는 것은 음운의 동화 현상 때문이다.
⑤ 자음과 자음이 만나 서로 영향을 주고받아 한쪽이나 양쪽 모두 비슷한 소리로 바뀌는 현상이다.

11 다음 밑줄 친 부분에 해당하는 예로 적절하지 <u>않은</u> 것은?

　음운 변동의 유형으로는 교체, 탈락, 축약, 첨가가 있다. 한 단어가 발음될 때, 이러한 음운 변동 유형들 중 한 가지 유형만 나타나는 경우가 있고, <u>두 가지 이상의 유형이 나타나는 경우</u>가 있다. 가령 '꽃밭[꼳빧]'은 교체 한 가지만 나타나지만, '꽃잎[꼰닙]'은 교체와 첨가 두 가지가 나타난다.

① 깎다[각따]
② 막일 [망닐]
③ 색연필[생년필]
④ 예삿일[예ː산닐]
⑤ 백분율[백뿐뉼]

12 다음 설명을 바탕으로 적절하지 <u>않은</u> 것은?

> 다음과 같은 경우를 사잇소리 현상이라고 한다.
> (1) 앞말의 끝소리인 울림소리와 뒷말의 첫소리인 안울림소리가 만날 때 뒤의 예사소리가 된소리로 변하는 경우
> (2) 앞말이 모음으로 끝나고 뒷말이 'ㅁ, ㄴ'으로 시작될 때 'ㄴ' 소리가 덧나는 경우
> (3) 앞말이 자음으로 끝나고 뒷말이 모음 'ㅣ'나 반모음 'ㅣ'로 시작될 때 'ㄴ' 소리가 덧나는 경우
> 이때 합성어 앞말이 모음으로 끝난 경우 그 모음의 받침에 사이시옷을 표기하며, 한자어와 한자어가 결합한 경우에는 여섯 개의 정해진 한자어를 제외하곤 사이시옷을 표기하지 않는다.

① '횟수(回數)'는 사이시옷을 표기한다.
② '말소리'는 [말ː쏘리]로 발음해야 한다.
③ '콧날[콘날]'은 'ㄴ'이 두 번 첨가된 것이다.
④ '눈요기'는 'ㄴ' 소리가 덧나는 경우에 해당한다.
⑤ '냇가'는 '내'와 '가'가 결합된 단어로, 사이시옷이 표기된 예이다.

13 다음 밑줄 친 단어를 발음할 때 음운 축약이 일어나지 <u>않는</u> 것은?

① 윤주는 정우가 <u>싫지</u> 않았다.
② 진희의 얼굴은 정말 <u>하얗다</u>.
③ 스카이다이버가 <u>낙하산</u>을 타고 내려왔다.
④ 혜수와 진주는 <u>같이</u> 경주로 놀러 갔다.
⑤ 주애는 지갑을 두고 와서 <u>급히</u> 되돌아갔다.

14 〈보기〉를 통해 알 수 있는 음운의 변동에 대한 설명으로 적절하지 <u>않은</u> 것은?

> ▮보기▮
> 〈겹받침 발음과 관련된 예〉
> ㉠ 맑다[막따]: 'ㄺ'에서 'ㄹ'이 탈락하고 'ㄱ'만 남는다.
> ㉡ [예외] 맑게[말께]: 'ㄺ'은 'ㄱ' 앞에서 [ㄹ]로 발음한다. 이때 'ㄹ' 뒤에 오는 'ㄱ'은 된소리로 발음한다.
> ㉢ 넓다[널따]: 'ㄼ'에서 'ㅂ'이 탈락하고 'ㄹ'만 남는다. 이때 'ㄹ' 뒤에 오는 'ㄷ'은 된소리로 발음한다.
> ㉣ [예외] '밟-'은 자음 앞에서 [밥]으로 발음한다.
> ㉤ 닳은[다른]: 'ㅀ, ㄶ' 뒤에 모음으로 시작하는 어미가 결합하면 'ㅎ'이 탈락된다.
> ㉥ 닳다[달타]: 'ㅎ'이 'ㄷ'과 결합하여 거센소리가 된다.

① ㉠, ㉡에 따라 '늙고'는 어간의 'ㄱ'을 탈락시키고 뒤 음절의 'ㄱ'을 된소리화하여 [늘꼬]로 발음해야 한다.
② ㉢에 따라 '넓게'는 [넙께]로 'ㄹ'을 탈락시키고 뒤의 'ㄱ'을 된소리로 발음해야 한다.
③ ㉣에 따라 '밟지'는 'ㄹ'을 탈락시키고 'ㅈ'을 된소리화하여 [밥ː찌]로 발음해야 한다.
④ ㉤은 탈락 현상의 예로, ㉥은 축약 현상의 예로 볼 수 있다.
⑤ ㉤, ㉥에 따라 '닳아'는 [다라]로, '좋던'은 [조ː턴]으로 발음해야 한다.

✎서술형

15 다음 밑줄 친 단어에 나타난 음운의 변동이 무엇인지 쓰고 변동 과정을 서술하시오.
(1) 배가 <u>고파서</u> 과식을 했다.
(2) 차가 <u>막혀서</u> 지각을 했다.

16 다음 ㉠~㉤에 해당하는 예로 적절하지 <u>않은</u> 것은?

> 음운의 교체는 한 음운이 특정한 환경에서 다른 음운으로 변하는 것을 말한다.
> ㉠ 자음이 음절의 끝에 오면 'ㄱ, ㄴ, ㄷ, ㄹ, ㅁ, ㅂ, ㅇ' 중 하나로 바뀌는 현상
> ㉡ 끝소리가 파열음인 음절 뒤에 첫소리가 비음인 'ㄴ, ㅁ'이 연결되면, 앞 음절의 파열음이 비음으로 바뀌는 현상
> ㉢ 'ㄴ'이 유음 'ㄹ'의 앞이나 뒤에 올 때 'ㄹ'로 바뀌는 현상
> ㉣ 끝소리가 'ㄷ, ㅌ'인 형태소가 모음 'ㅣ'나 반모음 'ㅣ'로 시작되는 형식 형태소를 만나 'ㅈ, ㅊ'으로 바뀌는 현상
> ㉤ 안울림 예사소리가 된소리로 바뀌는현상

① ㉠: 대낮[대ː낟] ② ㉡: 잇몸[인몸]
③ ㉢: 설날[설랄] ④ ㉣: 굳이[구지]
⑤ ㉤: 밥상[밥쌍]

17 다음 설명을 바탕으로 음운 변동을 <u>잘못</u> 이해한 것은?

> 음운의 변동은 4가지로 나눌 수 있다. 음운이 다른 음운으로 바뀌는 ㉠교체, 음운이 없어지는 ㉡탈락, 새로운 음운이 생기는 ㉢첨가, 두 음운이 하나의 음운으로 합쳐지는 ㉣축약이 그것이다.

① '놓이다[노이다]'에서는 ㉡의 음운 변동만이 일어난다.
② '베갯잇[베갠닏]'에서는 ㉢의 음운 변동만이 일어난다.
③ '넓히다[널피다]'에서는 ㉣의 음운 변동만이 일어난다.
④ '부엌일[부엉닐]'에서는 ㉠, ㉢의 음운 변동이 일어난다.
⑤ '국화꽃[구콰꼳]'에서는 ㉠, ㉣의 음운 변동이 일어난다.

18 다음 밑줄 친 단어 중 음운 탈락의 예로 적절하지 <u>않은</u> 것은?

① 수현이는 공부하지 <u>않고</u> 게임에 열중했다.
② 까치발을 하고 <u>서도</u> 나는 친구보다 키가 작았다.
③ 계단에서 굴러 <u>우는</u> 유정이를 보니 마음이 아팠다.
④ 소미는 발이 너무 <u>커서</u> 맞는 구두를 찾기가 어렵다.
⑤ 방 안에 방향제를 <u>놓으니</u> 방 전체에 향기가 가득했다.

🖊 주관식

19 다음 제시된 단어들의 알맞은 표기와 발음을 쓰시오.

(1) 내+물 → 표기[   ], 발음[   ]
(2) 해+살 → 표기[   ], 발음[   ]
(3) 퇴(退)+간(間) → 표기[   ],
　　　　　　　　　　　 발음[   ]

20 다음 ㉠~㉤의 밑줄 친 부분과 동일한 음운 변동이 일어난 예로 적절하지 <u>않은</u> 것은?

> ㉠ 지유의 식단에는 <u>밥하고[바파고]</u> 국이 반드시 포함되어야 한다.
> ㉡ 겨울이 다가와 장롱에서 <u>솜이불[솜ː니불]</u>을 꺼냈다.
> ㉢ 현수와 지현이는 손을 <u>잡고[잡꼬]</u> 걷는 것만으로도 행복해했다.
> ㉣ 지은이는 팝송을 즐겨 <u>듣는다[든는다]</u>.
> ㉤ 사과를 깎을 때는 <u>칼날[칼랄]</u>에 다치지 않도록 조심해야 한다.

① ㉠: 막히다, 낙하산
② ㉡: 콩엿, 맨입
③ ㉢: 굳세다, 맏사위
④ ㉣: 겁내다, 밥물
⑤ ㉤: 잡히다, 설날

／서술형

21 다음 밑줄 친 단어에 나타난 음운의 변동이 무엇인지 쓰고 그 현상이 일어나는 이유를 서술하시오.

> • 준희는 진아를 예쁜 의자에 <u>앉히고</u> 사귀자고 고백했다.
> • 나래는 고등학교에 들어와 키가 조금 자라서 기분이 <u>날아갈</u> 것 같았다.

22 <보기>의 ⓐ와 동일한 과정으로 설명할 수 있는 단어는?

> ▌보기▐
>
> 오늘 국어 시간에 두 가지 음운 규칙을 배웠다. 음절의 끝소리 규칙은 '잎'이 [입]으로 소리 나는 것처럼 우리말 받침으로 소리 나는 자음은 'ㄱ, ㄴ, ㄷ, ㄹ, ㅁ, ㅂ, ㅇ'의 일곱 개라는 것이다.
> 또 하나의 규칙은 비음화인데 '밥만'이 [밤만]이 되는 것처럼 'ㄱ, ㄷ, ㅂ'이 'ㄴ, ㅁ' 앞에서 비음으로 소리 나는 것이다.
> 이제 ⓐ'꽃눈'이 [꼰눈]으로 소리 나는 현상은 이렇게 설명할 수 있다.

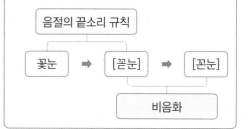

① 놓는[논는]
② 덮밥[덥빱]
③ 눈약[눈냑]
④ 끝까지[끝까지]
⑤ 부엌도[부억또]

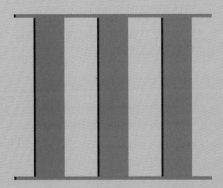

단어와 품사

이 장에서는 단어를 이루는 여러 가지 요소를 배워 보고 이런 요소들을 통해 단어가 어떻게 만들어지는지, 단어를 어떻게 분류할 수 있는지 알아보도록 합시다.

단어 형성 방법에 따른 분류

단일어 ── 어근

복합어 ┬ 합성어 ── 어근+어근
       └ 파생어 ┬ 접두사+어근
               └ 어근+접미사

품사: 문법적 성질이 공통된 단어를 분류해 놓은 갈래

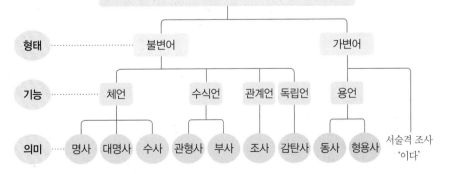

형태	불변어						가변어		
기능	체언		수식언		관계언	독립언	용언		
의미	명사 대명사 수사	관형사 부사	조사	감탄사	동사 형용사	서술격 조사 '이다'

형태소와 단어

형태소와 단어를 알아보자

　단어란 '홀로 단(單)'에 '말씀 어(語)'를 써서 '홀로 쓰이는 말'을 뜻해요. 즉, 혼자 자립해서 쓸 수 있는 말이 바로 '단어'예요. 그런데 단어를 더 쪼갤 수도 있어요. 단어를 더 쪼갠 것을 '형태소'라고 해요. 단어를 쪼개어 보는 과정을 살펴보면 형태소와 단어의 개념을 분명하게 이해할 수 있어요.

　여기 복숭아가 하나 있어요. 복숭아를 먹기 좋게 잘라 놓듯이, '복숭아'라는 3음절의 단어를 쪼개어 보면 다음과 같은 모습이 돼요.

●음절: 하나의 종합된 음의 느낌을 주는 말소리의 단위.

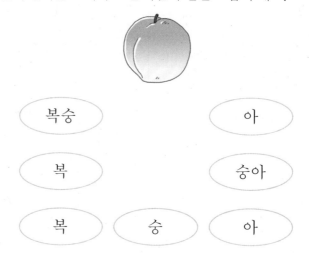

　그런데 나누어진 글자를 하나씩 살펴보면 각각의 글자에는 '복숭아'라는 과일을 떠올리게 할 어떤 의미상의 연관성이 없다는 사실을 발견할 수 있어요. 즉, '복숭아'라는 단어는 하나의 단어가 더 작게 쪼개어지는 과정을 거치면서 '복사나무의 열매'라는 본래의 뜻을 잃어버리게 되었어요.

> 복 ⇏ 복숭아, 숭 ⇏ 복숭아, 아 ⇏ 복숭아
> 숭아 ⇏ 복숭아, 복숭 ⇏ 복숭아

　따라서 '복숭아'는 3음절의 글자가 한 몸처럼 움직여서 하나의 의미를 형성하는 단어라고 할 수 있어요.
　그렇다면 모든 단어는 쪼개면 본래의 의미를 잃어버리게 되는 걸까요?

잠깐 퀴즈　▶▶10쪽

1. 다음 중 한 번 쪼개면 본래의 의미가 완전히 사라지는 것은?

① 책가방　② 돌다리
③ 어머니　④ 뻐꾹새
⑤ 가을비

이번에는 책가방이 보이네요. '책가방'이라는 단어를 더 작은 단위로 쪼개면 '책'과 '가방' 또는 '책가'와 '방', '책', '가', '방'과 같은 형태로 나누어져요. 이 중에서 본래의 단어와 의미상 관련이 있는 것은 '책'과 '가방'이라고 할 수 있겠네요. '책가방'은 '주로 학생들이 책이나 학용품을 넣어서 들거나 메고 다니는 가방'을 뜻하기 때문이죠.

'가'와 '방'도 각각 그 나름의 의미를 가지고 있으니, '가방'을 '가'와 '방'으로 나누어야 한다고 생각하는 친구가 있지는 않나요? 다음 그림을 한번 보세요.

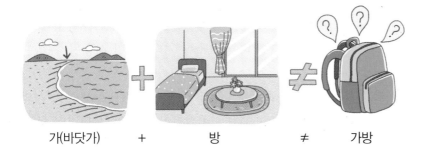

가(바닷가)　　　+　　　방　　　≠　　　가방

'가방'을 '가'와 '방'으로 쪼개면 '가방'이 가진 본래 의미는 사라져 버려요. '가방'은 그 자체가 하나의 의미를 갖기 때문이죠. '복숭아', '책가방'의 '책'과 '가방'처럼 뜻을 가진 가장 작은 말의 단위, 또는 더 이상 나누면 뜻을 잃어버리는 가장 작은 말의 단위를 **형태소**라고 해요.

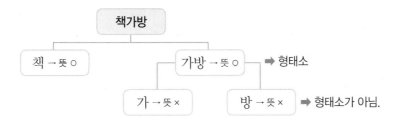

앞서 뜻을 지니고 홀로 쓰일 수 있는 말의 단위를 **단어**라고 했지요? '복숭아'나 '책가방'과 같은 말이 이에 해당해요. 그리고 '책가방에 책을 넣었다.'라고 할 때, '에', '을'과 같은 조사도 단어에 포함돼요. 비록 조사는 홀로 쓰일 수는 없지만, 홀로 쓰일 수 있는 말에 붙어 쉽게 분리되기 때문이에요. つ96쪽

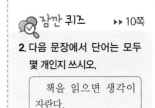

▶▶ 10쪽

2. 다음 문장에서 단어는 모두 몇 개인지 쓰시오.

책을 읽으면 생각이 자란다.

형태소는 '자립성의 유무', '의미와 기능'이라는 기준을 가지고 다음과 같이 분류할 수 있어요.

○ 형태소의 종류

자립성의 유무에 따라	자립성이 있음. → 자립 형태소
	자립성이 없음. → 의존 형태소◆
의미와 기능에 따라	실질적인 의미가 있음. → 실질 형태소
	문법적인 의미가 있음. → 형식 형태소◆

자립성에 따라 형태소를 분류할 때에는 각각의 형태소가 문장에서 홀로 사용될 수 있는지, 아니면 다른 요소에 기대어서만 사용될 수 있는지를 살펴보아야 해요.

의미와 기능에 따라 형태소를 분류할 때에는 각 형태소가 어떠한 의미를 지니는지 판단해야 돼요. 그런데 '실질적인 의미'와 '문법적인 의미'는 무엇을 말하는 것일까요?

'음식을 먹다, 먹고, 먹으니'에 사용된 '먹-'을 생각해 보세요. 여러분의 머릿속에는 다음과 같은 장면이 공통적으로 떠오를 거예요.

'먹-'이란 형태소는 '무언가를 입안에 넣어 배로 보낸다.'라는 뜻을 분명히 가지고 있기 때문이죠. 따라서 '먹-'은 실질적인 의미를 지닌 실질 형태소라고 할 수 있어요. 이처럼 실질적인 의미는 구체적인 대상, 상태, 동작 등을 말하는 것이에요.

한편, 문법적인 의미는 형식적이면서 문법적인 기능을 말해요. 이러한 기능을 하는 형태소를 '형식 형태소'라고 하는데 형태소 '-다'는 종결의 의미를, '-었-'은 과거의 의미를 지녀요.

● 자립성: 남에게 지배당하거나 의지하지 아니하고 자기 스스로 서려는 성질.

◆ 형태소에서 말하는 '뜻(의미)'은 어휘적인 의미뿐만 아니라, 문법적인 의미도 포함된다. 문법적인 의미는 문법적 기능을 말한다.

◆ 의존 형태소에는 조사, 어간, 어미, 접사 등이 속하고, 형식 형태소에는 조사, 어미, 접사 등이 속한다.

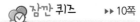 ▶▶ 10쪽

3. 다음 문장에서 실질 형태소는 모두 몇 개인지 쓰시오.

> 영호가 신문을 읽었다.

지금까지 배운 내용을 문장에 적용하여 실제로 형태소를 분류해 볼까요?

> 동생이 나 몰래 사탕을 먹었다.

이 문장을 형태소로 나누어 볼까요?

동생이 나 몰래 사탕을 먹었다.
↓

동생 · 이 · 나 · 몰래 · 사탕 · 을 · 먹- · -었- · -다

이제 형태소를 종류별로 나누어 보면 다음과 같이 정리할 수 있어요.

- 자립 형태소: '동생', '나', '몰래', '사탕'
- 의존 형태소: '이', '을', '먹-', '-었-', '-다'
- 실질 형태소: '동생', '나', '몰래', '사탕', '먹-'
- 형식 형태소: '이', '을', '-었-', '-다'

의존 형태소와 형식 형태소는 비슷해 보이지만, 분류 기준이 서로 다르구나! 헷갈리지 말아야겠어.

형태소와 단어의 관계를 알아보자

앞서 살펴보았던 형태소와 단어의 개념을 다시 한번 떠올려 볼까요?

- 뜻을 가진 가장 작은 말의 단위는 '형태소'
- 뜻을 지니고 홀로 쓰일 수 있는 말의 단위는 '단어'

형태소와 단어는 모두 뜻을 지니고 있는 문법 단위라는 점에서 같지만, 형태소는 '가장 작은 말의 단위'이고 단어는 '홀로 쓰일 수 있다'라는 측면에서 차이가 있네요. 이처럼 닮은 듯 다른 형태소와 단어! 이들의 관계를 차근차근 정리해 보도록 해요.

잠깐 퀴즈 ▶▶ 10쪽

4. 다음 중 의존 형태소인 것은?

> 동생이 나 몰래 사탕을 먹었다.

① 동생 ② 먹-
③ 사탕 ④ 나
⑤ 몰래

> 홀로 쓰일 수 있는 형태소는 단어가 될 수 있다.
>
> 자립 형태소 → 단어
>
> 예 포도, 가을, 얼굴, 바람

홀로 쓰인다는 것은 자립성이 있음을 의미해요. 따라서 자립 형태소는 그 자체가 하나의 단어가 돼요.

> 홀로 쓰일 수 없지만, 단어로 인정되는 형태소가 있다.
>
> 조사 → 의존 형태소이자 단어
>
> 예 친구는, 아기를, 집에서, 일요일마다

조사는 단어인데도 자립성이 없구나.

조사로 인해서 '단어'는 '홀로 쓰일 수 있는 말에 붙어 쉽게 분리되는 말'이라는 의미도 포함하고 있어요.

> 홀로 쓰일 수도 없고, 단어로 인정받지 못하는 형태소는 다른 형태소와 결합하여 단어가 될 수 있다.
>
> ┌ 의존 형태소+의존 형태소 → 단어 예 읽-+-다 = 읽다
> ├ 의존 형태소+자립 형태소 → 단어 예 맏-+아들 = 맏아들
> └ 자립 형태소+의존 형태소 → 단어 예 낚시+-질 = 낚시질

조사를 제외한 의존 형태소는 단독으로 단어가 될 수 없어요. 하지만 다른 의존 형태소나 자립 형태소와 합쳐지면 단어가 될 수도 있어요.

잠깐 퀴즈 ▶▶ 10쪽

5. 다음 설명이 맞으면 ○표, 틀리면 ✕표 하시오.

(1) 모든 의존 형태소는 그 자체가 하나의 단어이다. (　　)

(2) '옷을 입다.'라는 문장에서 '입다'는 의존 형태소와 자립 형태소가 결합한 단어이다. (　　)

알아 두자! 문장에서 단어와 형태소를 분류하는 방법

• 하늘이 매우 푸르다.

① 띄어 쓴 단위로 나눈다. 예 하늘이 / 매우 / 푸르다

② 조사를 분리한다. 예 하늘 / 이 / 매우 / 푸르다 → 단어로 분리됨.

③ 조사 외에도 의미가 있는 것을 또 나눈다.

　예 하늘 / 이 / 매우 / 푸르- / -다 → 형태소로 분리됨.

2 단일어와 복합어

　형태소와 단어가 무엇인지 알게 되었으니, 이번에는 단어의 짜임을 파악해 보도록 해요. 단어가 어떻게 구성되어 있는지를 알면, 우리가 사용하는 수많은 단어가 어떤 원리로 만들어졌는지도 이해할 수 있게 될 거예요.

　다음 그림을 보세요. 단어의 짜임새에 대해 예습을 한 어떤 학생이 8개의 단어를 일정한 기준에 따라서 분류한 뒤, 두 개의 상자에 나누어 담았다고 생각해 봐요. 과연 그 기준은 무엇이었을까요?

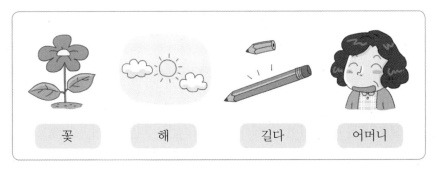

꽃　　　해　　　길다　　　어머니

김밥　　　고무신　　　돌다리　　　날고기

　해답은 바로 단어의 구성 방식에 있어요. 첫 번째 상자에는 하나의 어근으로만 이루어진 단어를 넣었고, 두 번째 상자에는 둘 이상의 어근이나 어근과 접사의 결합으로 이루어진 단어를 넣었어요. 그런데 처음 듣는 용어가 있다고요? 그렇다면 먼저 '어근'과 '접사'를 공부해야겠군요.

단어의 짜임을 알면 더욱 풍부한 언어생활을 할 수 있겠는걸!

잠깐 퀴즈　▶▶ 10쪽

6. 다음 단어를 형태소로 나누어 쓰시오.

(1) 길다:

(2) 고무신:

◆ 어근은 단어에서 중심 의미를 나타내는 부분이므로, 실질 형태소는 곧 어근이라고 할 수 있다.

단어를 만들려면 무엇이 필요할까

　어근과 접사는 단어를 형성하는 데 필요한 구성 요소예요. **어근**은 단어의 실질적인 의미를 나타내는 형태소를, **접사**는 어근의 앞이나 뒤에 붙어서 뜻을 더하거나 제한하는 형태소를 말해요.

　앞에서 본 단어 상자에서 몇 개의 단어를 꺼내어 어근과 접사에 대해 좀 더 자세하게 살펴볼까요? 먼저, '어머니'라는 단어를 보세요. '어머니'는 더 이상 쪼갤 수 없기 때문에 어머니 자체가 하나의 단어가 돼요. 또한 '어머니'는 단어의 중심적인 의미를 형성하고 있으며, 다른 요소 없이 문장에서 단독으로 사용할 수도 있어요. 따라서 '어머니'는 어근이라고 할 수 있어요.

어머니

어근 = 단어

　이번에는 '김밥'이라는 단어를 보세요. '김'과 '밥'은 각각의 뜻을 가지면서, 동시에 '김밥'의 중심적인 의미를 형성하고 있어요. 또한 문장에서 단독으로 사용될 수도 있어요. 따라서 '김'과 '밥'은 '김밥'의 어근이 돼요.

김 + 밥 = 김밥

어근 + 어근 = 단어

　마지막으로 '날고기'라는 단어를 꺼내어 생각해 보아요. '날고기'는 '날–'과 '고기'가 결합된 형태이지만, '김밥'처럼 결합한 두 요소가 동일한 성격을 지니고 있다고 할 수 없어요. '날–'은 '말리거나 익히거나 가공하지 않은'이라는 의미를 가지고 있으나, '김'이나 '밥', '고기'처럼 문장에서 홀로 사용될 수 없기 때문이죠. 따라서 '날–'은 '날고기'의 접사가, '고기'는 '날고기'의 어근이 돼요.

날– + 고기 = 날고기

접사 + 어근 = 단어

🔍 잠깐 **퀴즈**　　▶▶ 10쪽

7. 다음 중 형태소 분석이 <u>잘못</u>된 것은?
① 김밥 → 김+밥
② 날고기 → 날–+고기
③ 산나물 → 산+나물
④ 어머니 → 어머+니
⑤ 지우개 → 지우–+–개

단어의 종류를 어떻게 나눌 수 있을까?

김치를 가지고 만들 수 있는 요리에는 무엇이 있나요? 김치볶음밥, 김치찌개, 김치전 등 많은 음식이 떠오르는군요. 이와 같이 어떤 방법을 사용하느냐에 따라 하나의 재료를 가지고도 다양한 음식을 만들어 낼 수 있어요. 단어를 형성하는 요소인 어근과 접사도 마찬가지랍니다. 이들의 결합 양식에 따라 단어의 성격은 달라지고, 그에 따라 단어의 종류를 나누어 볼 수 있어요.

앞에서 살펴본 단어 '어머니'를 떠올려 보세요. '어머니'라는 어근만 한 개 존재했죠? 이처럼 하나의 어근으로 된 단어를 **단일어**라고 해요.

> 바다, 하늘, 나무, 집, 사냥, ……

한편, '김밥'이나 '날고기'는 두 요소가 결합된 단어였어요. 이처럼 둘 이상의 어근이 만나거나 어근과 접사의 결합으로 이루어진 단어를 **복합어**라고 해요.

> 높푸르다(높-+푸르다), 산나물(산+나물),
> 지우개(지우-+-개), 민소매(민-+소매), ……

복합어는 다시 합성어와 파생어로 나누어 볼 수 있어요. '김밥'과 같이 둘 이상의 어근으로 구성된 복합어는 **합성어**라고 하고, '날고기'와 같이 어근과 접사로 구성된 복합어는 **파생어**라고 해요. 그렇다면 위의 단어들을 다음과 같이 분류할 수도 있겠군요.

> 합성어: **예** 높푸르다(높-+푸르다), 산나물(산+나물)
> 파생어: **예** 지우개(지우-+-개), 민소매(민-+소매)

◎ 단어의 종류

단일어		하나의 어근으로 된 단어 **예** 사과, 파랗다
복합어		둘 이상의 어근이나, 어근과 접사의 결합으로 이루어진 단어
	합성어	둘 이상의 어근으로 구성된 단어 **예** 사과나무(사과+나무), 검푸르다(검-+푸르다)
	파생어	어근과 접사로 구성된 단어 **예** 풋사과(풋-+사과), 새파랗다(새-+파랗다) 꽃답다(꽃+-답다)

79쪽에서 보았던 단어 상자의 단어는 단일어와 복합어로 나누어진 것이구나.

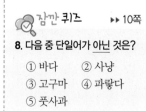

잠깐 퀴즈 ▶▶ 10쪽

8. 다음 중 단일어가 아닌 것은?

① 바다 　② 사냥
③ 고구마 　④ 파랗다
⑤ 풋사과

단어의 종류를 정리해 보았으니, 먼저 합성어를 자세히 알아보기로 해요.

합성어 – 어근과 어근을 모아 만들다

합성어는 두 개 이상의 어근이 결합한 복합어로, 접사 없이 어근과 어근이 직접 합쳐져서 만들어진 단어를 말해요.

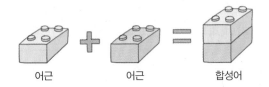

어근   어근   합성어

합성어는 여러 기준을 통해 분류해 볼 수 있어요. 먼저, 결합한 합성어가 어떠한 기능을 하느냐에 따라 나누어 보겠어요.

◐ 합성어의 분류 ① – 기능에 따라

합성 명사	🖾 논밭, 고무신, 볶음밥, 늦잠, 봄비, ……
합성 동사	🖾 본받다, 떠밀다, 뛰놀다, 붙잡다, ……
합성 형용사	🖾 배부르다, 굳세다, 높푸르다, ……
합성 부사	🖾 곧잘, 또다시, 한바탕, 오래오래, ……

또 합성어가 가지는 의미에 따라 분류할 수도 있어요.

◐ 합성어의 분류 ② – 의미 관계에 따라

어근이 대등하게 본래의 뜻을 유지하는 합성어	🖾 손발, 오가다, 여닫다
한쪽의 어근이 다른 한쪽의 어근을 수식하는 합성어	🖾 돌다리(돌로 된 다리), 쇠못(쇠로 된 못)
어근들이 완전히 하나로 융합하여 새로운 의미를 나타내는 합성어	🖾 춘추(春秋): 봄과 가을 → 연세, 세월 밤낮: 밤과 낮 → 늘, 항상

그리고 합성어의 형태에 따라서 다음과 같이 나눌 수도 있어요.

● 수식: 문장에서, 체언과 용언에 말을 덧붙여 뜻을 더욱 분명하게 하는 일.

● 융합: 다른 종류의 것이 녹아서 서로 구별이 없게 하나로 합하여지거나 그렇게 만듦.

잠깐 퀴즈 ▶▶ 10쪽

9. 다음 빈칸에 알맞은 말을 쓰시오.

(1) 합성어는 두 개 이상의 ☐☐이 결합한 복합어이다.

(2) 합성어는 ☐☐ 없이 어근과 어근이 직접 합쳐져서 만들어진다.

○ 합성어의 분류 ③ – 형태에 따라

어근끼리 결합할 때 변화가 없는 경우		예 책가방: 책+가방 꽃나무: 꽃+나무
어근끼리 결합할 때 변화가 있는 경우	탈락에 의해 변화가 있는 경우	예 화살: 활+살 → 'ㄹ' 탈락 소나무: 솔+나무 → 'ㄹ' 탈락
	어미가 끼어들어 결합한 경우	예 돌아가다: 돌-+(-아)+가-+-다
	받침 'ㄹ'이 'ㄷ'으로 변한 경우	예 이튿날: 이틀+날
	사이시옷이 들어간 경우	예 나뭇잎: 나무+잎

마지막으로, 합성어를 통사적 관계에 따라 분류할 수도 있어요. 우리말의 일반적인 배열 순서에 따라 만들어진 합성어는 **통사적 합성어**라 부르고, 우리말의 일반적인 단어 배열에 어긋나는 합성어는 **비통사적 합성어**라 불러요.

통사적 합성어와 비통사적 합성어의 예

- 통사적 합성어
  ① 명사+명사, 관형사+명사
    예 돌다리(돌+다리), 첫사랑(첫+사랑)
  ② 용언의 어간+관형사형 어미(-(으)ㄴ, -(으)ㄹ, -는, -던)+명사
    예 작은형(작-+-은 +형), 큰집(크-+-ㄴ+집),
      먹을거리(먹-+-을+거리)
  ③ 용언의 어간+어미(-아/-어)+용언의 어간
    예 돌아가다(돌-+-아+가다)
- 비통사적 합성어
  ① 용언의 어간+명사
    예 덮밥(덮-+밥), 먹거리(먹-+거리)
  ② 용언의 어간+용언의 어간
    예 굶주리다(굶-+주리다), 여닫다(열-+닫다)
  ③ 부사+명사
    예 부슬비(부슬+비), 산들바람(산들+바람)

평소에 자주 쓰는 단어도 그 짜임새를 생각해 봐야겠어!

◆ '통사'는 '문장'과 같은 뜻이다. 따라서 통사적 관계란 문장에서 성분(주어, 목적어, 서술어 등)들 사이의 관계를 말하는 것이다.

◆ 비통사적 합성법에 의한 합성어라고 해서 옳지 않은 합성어라는 말은 아니다. 문장에서 성분들의 일반적인 결합 형태와 다르다는 의미이다.

잠깐 퀴즈 ▶▶ 10쪽

10. 다음 중 합성어를 모두 골라 쓰시오.

> 먹이, 물걸레, 소리, 소나무, 풋과일

(   )

합성어를 살펴보았으니 이번에는 파생어를 자세히 알아보기로 해요.

파생어 – 어근과 접사를 모아 만들다

파생어는 어근과 접사의 결합으로 이루어진 단어를 말해요. 접사가 어근에 붙어서 단어가 새로 만들어지는 현상을 '파생'이라고 하는데, 파생에 의한 단어 형성은 우리말에서 흔히 찾아볼 수 있어요.

이러한 파생어는 접사가 어근에 붙는 위치에 따라서 나눌 수 있는데요, 어근의 앞에 붙는 접사는 **접두사**, 어근의 뒤쪽에 붙는 접사는 **접미사**라고 해요. 따라서 파생어는 '접두사+어근' 또는 '어근+접미사'의 형태로 결합되어 있다고 할 수 있어요.

접두사와 접미사는 자립성이 없어~.

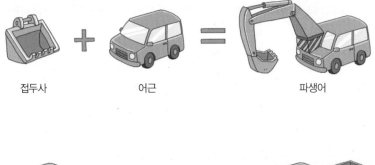

접두사 　　 어근 　　 파생어

어근 　　 접미사 　　 파생어

접두사와 접미사는 단순히 접사가 어디 붙느냐의 차이만 존재할까요? 아니면 이들 사이에 또 다른 차이점이 있을까요? 그리고 접사들은 어떠한 의미를 가지고서 어근의 뜻을 더하거나 제한하고 있을까요?

잠깐 퀴즈　　▶▶ 10쪽

11. 파생어를 만들 때 어근에 붙는 것은?

접두사와 접미사는 어떻게 다를까

접두사는 어근의 앞에 붙어서 특정한 뜻을 더하거나 강조하면서 새로운 말을 만드는 역할을 해요.

일상생활에서 자주 볼 수 있는 접두사는 다음과 같아요.

◎ 접두사의 종류

어근의 종류	접두사	접두사의 의미	예
명사에 붙는 접두사	시-	'남편의'의 뜻	시아버지, 시어머니, 시누이, 시댁, 시동생
	맨-	'다른 것이 없는'의 뜻	맨밥, 맨손, 맨발, 맨주먹, 맨다리
용언에 붙는 접두사	새-/ 시-	'매우 짙고 선명하게'의 뜻	새까맣다 / 시꺼멓다, 새파랗다 / 시퍼렇다
	휘-	• (일부 동사 앞에서) '마구', '매우 심하게'의 뜻 • (몇몇 형용사 앞에 붙어) '매우'의 뜻	휘갈기다, 휘감다, 휘젓다, 휘두르다, 휘날리다
명사나 용언에 모두 붙을 수 있는 접두사	헛-	'이유 없는', '보람 없는'의 뜻	헛소리, 헛수고, 헛일, 헛디디다, 헛돌다, 헛살다
	덧-	'거듭된' 또는 '겹쳐 신거나 입는'의 뜻	덧니, 덧저고리, 덧버선, 덧대다, 덧붙이다

접두사가 포함된 파생어가 이렇게나 많았구나!

이 표를 살펴봤을 때 우리는 접두사의 성질 하나를 발견할 수 있어요. 바로 접두사는 어근의 품사를 바꾸지 않는다는 사실이에요.

> 한-(접두사) + 겨울(명사) = 한겨울(명사)
>
> 풋-(접두사) + 고추(명사) = 풋고추(명사)
>
> 휘-(접두사) + 날리다(동사) = 휘날리다(동사)

예를 들어, 명사인 '겨울'에 '한-'이라는 접두사가 붙어도 '한겨울'은 명사예요. 또한 동사인 '날리다'에 접두사 '휘-'가 붙어도 여전히 '휘날리다'는 동사예요. 이처럼 품사를 바꾸지 않는 것은 접두사를 접미사와 구별해 주는 가장 큰 특징이에요.

잠깐 퀴즈 ▶▶10쪽

12. 다음 중 파생어가 <u>아닌</u> 것은?

① 비옷   ② 군소리
③ 덧버선   ④ 휘젓다
⑤ 새까맣다

접미사는 어근이나 단어의 뒤에 붙어서 새로운 단어를 만드는 역할을 해요. 접두사와 비교해 볼 때, 접미사는 그 종류와 수가 훨씬 더 많아요.

○ 접미사의 종류

접미사의 기능	접미사	예
명사 파생 접미사	-개	덮개, 지우개, 마개, 오줌싸개, 코흘리개, ……
	-기	읽기, 쓰기, 보기, 달리기, 더하기, 크기, ……
동사 파생 접미사	-하다	사랑하다, 절하다, 생각하다, 빨래하다, ……
	-거리다	까불거리다, 빈정거리다, 반짝거리다, 출렁거리다, ……
형용사 파생 접미사	-롭다	향기롭다, 평화롭다, 신비롭다, 슬기롭다, ……
	-다랗다	기다랗다, 커다랗다, 가느다랗다, 좁다랗다, ……
피동사 파생 접미사	-히-	막히다, 닫히다, 뽑히다, 밟히다, 맺히다, ……
	-리-	갈리다, 팔리다, 널리다, 밀리다, 뚫리다, ……
사동사 파생 접미사	-추-	들추다, 맞추다, 낮추다, 늦추다, ……
	-이우-	채우다, 세우다, 재우다, 씌우다, 태우다, ……
부사 파생 접미사	-히	조용히, 나란히, 영원히, ……
	-이	많이, 같이, 낱낱이, 겹겹이, 다달이, ……

접미사에서 중요한 것은 바로, 접미사가 단어를 형성할 뿐만 아니라 품사를 바꾸기도 한다는 것이에요. 예를 들어, '빨래'라는 명사에 '-하다'라는 접사가 붙어서 동사를 만들어요. 또한 '향기'라는 명사에 '-롭다'라는 접미사가 붙어 형용사를 만들기도 하고, 용언에 '-이-, -히-, -리-, -기-, -우-, -구-, -추-' 등이 붙어서 사동사나 피동사를 만들기도 해요. ↻ 165쪽, 166쪽

● 피동: 주어가 남에게 어떤 동작이나 행위를 당하게 되는 표현.
예 쥐가 고양이에게 쫓긴다.

● 사동: 주어가 남에게 어떤 동작이나 행위를 하도록 시키는 표현.
예 아빠가 아이에게 밥을 먹인다.

♦ 접미사가 항상 품사를 바꾸는 역할을 하는 것은 아니다.
예 녹음(명사)+-기(접미사)
→ 녹음기(명사)

잠깐 퀴즈 ▶▶ 10쪽

13. 다음 중 접미사가 포함된 단어를 고르시오.

지우개, 달리기, 헛소리, 공부하다, 덧대다, 낱낱이

이를 간단히 정리하면 다음과 같아요.

> 빨래(명사) + –하다(접미사) → 빨래하다(동사)
>
> 향기(명사) + –롭다(접미사) → 향기롭다(형용사)

우리는 이제 일상생활에서 단어를 접하게 되면, 다음과 같은 과정을 통해서 종류별로 단어를 분류할 수 있을 거예요.

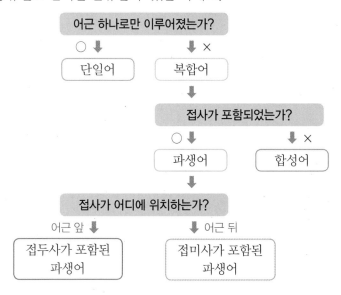

접사는 어근에 의존하긴 해도 단어를 만드는 능력이 뛰어나.

▶▶ 10쪽

알아 두자! 어근과 접사의 구별

'파랗다, 빨갛다'라는 단어에 접사를 붙여서 '새파랗다, 새빨갛다'라고 했을 때, 이 단어의 실제 의미인 '파랗다[靑]'와 '빨갛다[赤]'는 의미가 변하는 건 아니에요. 다만 접사 '새–'를 붙이면 그 색이 더 선명하게 강조가 되지요.

'오가다'는 '오다, 가다'라는 두 개의 뜻이 있어 '가다'와는 완전히 다른 의미를 가진 단어예요. 그래서 '오–'는 실제로 의미를 주는 부분이고 어근이 돼요.

이처럼 어근과 접사를 구분할 때에는 단어의 의미에 실제 영향을 주는지 안 주는지 한번 살펴보세요. 그러면 좀 더 쉽게 어근과 접사를 구분할 수 있게 될 거예요.

잠깐 퀴즈

14. 다음 단어가 합성어이면 '합', 파생어이면 '파'라고 쓰시오.

(1) 들꽃   (   )

(2) 오가다   (   )

(3) 새빨갛다   (   )

3 품사

성질이 비슷한 단어끼리 모아 분류해 놓은 것을 **품사**라고 해요. 단어의 수가 많은 만큼 품사도 그 종류가 다양하겠죠? 품사의 종류를 이해하기 위해서는 분류 기준부터 알아야겠군요.

품사는 형태 변화의 여부, 문장 속에서 담당하고 있는 기능, 그리고 단어가 나타내는 의미, 이렇게 세 가지를 기준으로 하여 분류할 수 있어요.

품사의 분류 기준

- 형태: 형태가 변하는가? 변하지 않는가?
- 기능: 문장에서 어떤 역할을 담당하고 있는가?
- 의미: 어떠한 의미를 가지고 있는가?

♦ 국어의 품사를 '9품사 체계'라고 부르기도 한다.

잠깐 퀴즈 ▶▶10쪽

15. 다음 빈칸에 알맞은 말을 쓰시오.

☐☐란 공통된 성질을 지닌 ☐☐들을 모아 분류해 놓은 갈래이다.

먼저 단어는 '형태'에 따라서 '가변어'와 '불변어'로 나눌 수 있어요. 또 단어가 문장 안에서 하는 역할에 따라서 '체언, 수식언, 관계언, 독립언, 용언'으로 나눕니다. 단어들이 어떠한 '의미'를 가진 말이냐에 따라서는 '명사, 대명사, 수사, 관형사, 부사, 조사, 감탄사, 동사, 형용사'로 나누지요.♦

그럼 지금부터 품사의 분류 기준에 대해 좀 더 자세히 알아보기로 해요.

품사의 첫 번째 분류 기준 – 형태의 변화를 기준으로 삼다

품사는 단어의 모양이 바뀌느냐, 바뀌지 않느냐에 따라 나눌 수 있어요. 이때 형태가 변하는 것을 가변어라고 하고, 형태가 변하지 않는 것을 불변어라고 해요. 그런데 단어의 형태가 바뀐다는 것은 무슨 의미일까요? 다음의 문장을 보세요.

- 내 친구는 밥을 잘 <u>먹는다</u>.
- 약을 <u>먹는</u> 사람이 많다.
- 가족과 고기를 <u>먹었다</u>.

'먹는다', '먹는', '먹었다'는 '먹다'라는 말이 문장에서 필요에 따라 형태를 바꾼 것이죠. 따라서 '먹다'는 가변어예요.

- <u>바다</u>가 푸르다.
- 우리는 <u>바다</u>를 좋아한다.
- 나는 <u>바다</u>에 갔다.

우리가 알고 있는 '바다'라는 말은 문장에서 자신의 형태를 바꾸지 않고 그대로 사용되고 있어요. 다른 말(가, 를, 에)이 붙을 따름이지요. 따라서 '바다'는 불변어예요.

'먹다'는 하나의 단어이지만, '먹–'은 '–다'를 떼어 내면 말이 안 되니까 '먹다', '먹니', '먹어' 등의 형태로 단어를 이루지.

- 가변어: 형태가 변하는 말.
- 불변어: 형태가 변하지 않는 말.

◯ 형태에 따른 분류

종류	의미	예
가변어	형태가 변하는 말	• 좋다 – 좋아, 좋네, 좋구나, 좋은 • 사람<u>이나</u> – 사람<u>이네</u> – 사람<u>이구나</u>
불변어	형태가 변하지 않는 말	• <u>사과</u>를 좋아해. • <u>사과</u>를 먹고 싶어. • 빨가면 <u>사과</u>, <u>사과</u>는 맛있어. • 백설 공주의 <u>사과</u>

품사의 두 번째 분류 기준 – 문장 안에서의 역할을 기준으로 삼다

기능은 단어가 문장에서 주로 어떤 역할을 하는가에 따라 분류하는 기준이에요. 이때 품사는 체언, 용언, 관계언, 수식언, 독립언으로 나눌 수 있어요. 하나씩 살펴보면 다음과 같아요.

잠깐 퀴즈 ▶▶ 10쪽

16. 다음 중 가변어인 것은?

① 사과 ② 바다
③ 우리 ④ 먹다
⑤ 친구

◉ 기능에 따른 분류

종류	의미	예
체언	문장에서 몸의 역할을 하는 단어. 즉, 문장의 뼈대가 되는 말	하늘은 푸르고, 새는 날아간다.
용언	문장에서 주로 사물이나 사람의 움직임, 상태, 성질 등을 설명하는 단어. 상황에 따라 다양하게 형태를 변화시켜 사용할 수 있으므로 용언이라고 함.	하늘은 푸르고, 새는 날아간다.
수식언	문장에서 다른 말을 꾸며 주는 역할을 하는 단어	저 새 집이 우리집이야. 정말 좋지?
관계언	문장에 쓰인 단어들의 관계를 나타내는 단어. 체언 뒤에 붙어서 다른 말과의 문법적 관계를 나타내거나 뜻을 더해 주는 말	저것이 너의 집이라고?
독립언	문장에서 다른 말과 상관없이 독립적으로 사용되는 단어. 주로 놀람, 느낌, 부름과 같은 내용을 담는 말	와, 정말 좋구나!

품사의 세 번째 분류 기준 － 단어가 가진 공통의 의미를 기준으로 삼다

의미에 따른 분류라는 것은 각각의 단어가 가진 공통된 의미를 기준으로 하여 단어를 나누는 것을 말해요. 이때 품사는 명사, 대명사, 수사, 관형사, 부사, 조사, 감탄사, 동사, 형용사로 나눌 수 있어요.

◉ 의미에 따른 분류

종류	의미	예
명사	사물의 이름을 나타내는 단어	아들, 선생님, 축구, 바람, ……
대명사	사물의 이름을 대신하여 가리키는 단어	나, 당신, 그녀, 이것, ……
수사	수량이나 순서를 나타내는 단어	하나, 둘, 셋째, 사(四), ……
관형사	체언 앞에 놓여 그 내용을 꾸며 주는 단어	첫 차, 헌 옷, 여러 사람, ……
부사	용언 또는 다른 말 앞에 놓여 그 내용을 꾸며 주는 단어	결국, 매우, 아주, 정말, ……

잠깐 퀴즈 ▶▶ 10쪽

17. 다음 빈칸에 알맞은 말을 쓰시오.

(1) 품사를 기능에 따라 나누었을 때, 명사, 대명사, 수사를 묶어서 □□이라고 한다.

(2) 수식언에는 관형사와 □□가 있다.

조사	주로 체언에 붙어 그 말과 다른 말과의 문법적 관계를 표시하거나, 그 말의 뜻을 도와주는 단어	는, 만, 을, 까지, ……
감탄사	말하는 사람의 놀람이나 느낌, 부름, 대답 등을 나타내는 단어	앗, 어머, 네, 응, ……
동사	사람이나 사물의 움직임을 나타내는 단어	걷다, 밀다, 잡다, 먹다, ……
형용사	사람이나 사물의 상태나 성질을 나타내는 단어	귀엽다, 길다, 예쁘다, 깨끗하다, ……

지금까지 배운 기준을 적용해 품사를 분류하면 다음과 같아요.

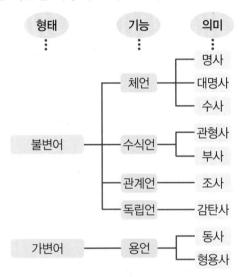

◆ 학교 문법에서는 의미에 따라 분류한 9품사 체계를 핵심적으로 다루고 있다.

📢 품사 분류를 하는 이유
• 우리가 쓰는 말을 이해하고 탐구하는 데 기초가 된다.
• 단어들 사이의 관계를 파악하고 그 특성을 밝힐 수 있다.
• 국어의 문법 체계를 이해하고 기억하기가 쉽다.

🔍 잠깐 퀴즈　　▶▶ 10쪽

18. 다음 중 품사의 역할에 대한 설명으로 알맞지 <u>않은</u> 것은?

① 동사: 사물의 움직임을 나타낸다.
② 수사: 수나 차례를 나타낸다.
③ 감탄사: 놀람, 느낌 등을 나타낸다.
④ 관형사: 사물의 성질, 상태를 나타낸다.
⑤ 대명사: 사물의 이름을 대신 나타낸다.

🔊 **알아 두자!** 서술어를 만드는 조사 '이다'

'이다'는 불변어인 조사에 속하지만 체언과 결합하여 서술어 역할을 하는 '서술격 조사'예요. 서술격 조사 '이다'는 다른 조사들과 달리, 문장에서 '이고', '이니', '이면', '이지', '이어서' 등과 같이 그 형태가 변해요.

지금까지 품사를 분류하는 기준을 공부했어요. 지금부터는 각각의 기준에 따라 분류된 품사별로 어떠한 특징이 있는지 알아보도록 해요.

체언 – 명사, 대명사, 수사를 하나로 모으다

명사, 대명사, 수사를 묶어 '체언'이라고 불러요. 체언의 특징을 알아볼까요?

체언의 '체(體)'는 몸을 뜻해. 그래서 체언은 문장의 중심을 이루는 역할을 하지.

체언의 특징

- 형태가 변하지 않아요.
- 문장에서 중심적인 역할을 해요.
- 조사와 결합하여 쓰이거나 홀로 사용돼요.

이름을 불러 줘요 – 명사

명사는 대상의 이름을 나타내는 품사를 말해요. 이름은 직접 보고 만질 수 있는 사물에만 붙일 수 있을 것 같지만, '사랑'이나 '평화'와 같이 머릿속으로만 떠올릴 수 있는 개념에도 이름을 붙일 수 있어요. 다음 그림에서 명사를 확인해 볼까요?

잠깐 퀴즈　▶▶ 10쪽

19. 다음 중 명사가 <u>아닌</u> 것은?

① 우정　② 풍선
③ 행복　④ 광화문
⑤ 달리다

대상의 이름이나 머릿속에 떠오르는 개념 등 명사를 정말 많이 찾아볼 수 있네요.

이러한 이름들은 특성에 따라 다시 나눌 수 있어요. 그림을 다시 보세요. 세종 대왕 동상이 눈에 들어오는군요. 우리나라의 고유한 문자 체계인 한글을 만든 '세종'이라는 인물은 이 세상에 오직 단 한 명뿐이에요. 이처럼 특정한 사람이나 사물을 다른 것과 구별하여 부르기 위해 붙인 이름을 **고유 명사**라고 해요. 고유 명사에는 사람 이름뿐만 아니라 상품 이름, 지역 이름 등이 있어요. 따라서 그림 속의 '광화문', '윤정', '민지'는 모두 고유 명사에 속해요.

'삶', '우정', '행복', '평화' 등은 구체적인 사물을 가리키는 말이 아닌 여러 가지 사물의 공통된 특성이나 개념을 뜻하는 명사예요. 이렇게 추상적인 개념을 나타내는 명사를 **추상 명사**라고 해요.

그렇다면 '가방', '풍선', '신발', '지우개' 등은 어떤 명사일까요? 이들은 단 하나의 사물에만 적용되는 이름이 아니라, 여러 사물에 대하여 두루 적용될 수 있는 명사이기 때문에 **보통 명사**라고 해요.

명사도 성격에 따라 여러 가지로 나눌 수 있구나.

행복

우정

풍선

가방

대부분의 명사는 다른 말의 도움 없이 홀로 사용될 수 있는데, 이러한 명사를 자립 명사라고 해요. 반면에 홀로 쓰이지 못하고 다른 말의 꾸밈을 반드시 필요로 하는 명사도 존재해요. 이처럼 자립성이 없는 명사를 **의존 명사**라고 해요.

◆여러 가지 의존 명사
• 너는 할 수 있어.
• 있는 대로 다 가져오너라.
• 고향 떠난 지가 십여 년이 되었다.
• 물에 빠질 뻔했다.
• 두말 할 나위가 없다.
• 쌀 한 말에 5만 원이다.
• 먹을 만큼만 덜어 가라.
• 열심히 했을 뿐이다.

잠깐 퀴즈 ▶▶10쪽

20. 다음 중 명사의 성격이 다른 하나는?
① 철수   ② 서울
③ 옥수수   ④ 강원도
⑤ 이순신

- 예쁜 것이 많다.
- 나는 그것이 좋은 줄을 모르겠다.

이 문장에서 '것'이나, '줄'은 혼자 사용될 수 없고, 반드시 '예쁜', '좋은'이라는 말의 꾸밈을 받아야 해요. 따라서 '것'과 '줄'은 의존 명사에 속해요.

명사를 대신해요 - 대명사

명사 대신 쓰는 단어를 **대명사**라고 해요. 즉, 사람이나 사물, 개념이나 장소의 이름을 대신하여 가리키는 단어가 바로 대명사인 거예요.

대명사는 크게 둘로 나눌 수 있어요. 지시 대명사와 인칭 대명사가 바로 그것인데요. '이것', '저것'처럼 사물을 가리키는 대명사를 지시 대명사라 하고, '나', '우리'처럼 사람을 가리키는 대명사를 인칭 대명사라고 해요.

'청춘, 이는 듣기만 하여도 가슴이 설레는 말이다.'라는 문장에서 '이'도 앞에 나온 '청춘'을 가리키는 대명사예요.

●지시: 가리켜 보임.

●인칭: 사람을 일컬음.

수를 셀 때 써요 - 수사

우리는 귤을 얼마나 살까 생각하며 개수를 세어 보기도 하고, 버스 정류장에 서 있으면서 나는 몇 번째에 있는가를 세어 보기도 해요. 이처럼 사물의 수량이나 순서를 나타낼 때 사용하는 말을 **수사**라고 해요. 수사는 수량을 나타내는 수사와 순서를 나타내는 수사로 나누어 생각해 볼 수 있어요.

🔍잠깐 퀴즈 ▶▶10쪽

21. 다음 문장에서 대명사를 찾아 쓰시오.

어머니, 우리 오늘 북한산에 갈까요?

- 바구니에 귤이 <u>하나</u>, <u>둘</u>, <u>셋</u>. (수량)◆
- <u>첫째</u>, 책을 읽고, <u>둘째</u>, 정리 노트를 쓰고, <u>셋째</u>, … (순서)◆

지금까지 우리는 체언에 속하는 명사, 대명사, 수사를 알아보았어요. 배운 내용을 정리하면 다음과 같아요.

⊙ 체언의 종류

종류	분류 기준	세부 종류		뜻
명사	사용 범위에 따라	고유 명사		특정한 사람이나 사물의 이름 예 신사임당, 한강, 대한민국, ……
		추상 명사		추상적인 개념을 표현한 말 예 믿음, 희망, 꿈, ……
		보통 명사		일반적인 사물의 이름 예 창문, 그릇, 연필, ……
	자립성에 따라	자립 명사		다른 말의 도움을 받지 않고 홀로 쓰일 수 있는 명사 예 책, 나무, 손, 도로, ……
		의존 명사		앞에 꾸미는 말이 와야만 쓰일 수 있는 명사 예 수, 것, 따름, 데, ……
대명사	무엇을 대신하느냐에 따라	인칭 대명사	1인칭	말하는 사람이 자신을 가리킴. 예 나, 저, 소인, 우리, 저희, ……
			2인칭	듣는 사람을 가리킴. 예 너, 자네, 당신, 너희, 여러분, ……
			3인칭	말하는 사람과 듣는 사람을 제외한 다른 사람을 가리킴. 예 이이, 그이, 저이, 이분, 그분, 저분, 그, 그녀, ……
		지시 대명사	사물 지시	사물을 대신 가리킴. 예 이것, 그것, 저것
			장소 지시	장소를 대신 가리킴. 예 여기, 거기, 저기
수사	어떻게 세느냐에 따라	양수사		사물의 양을 셈. 예 하나, 둘, 셋, ……
		서수사		순서를 셈. 예 첫째, 둘째, 셋째, ……

◆ 수량을 나타내는 수사는 '수량(數量)'의 '양(量)'을 따와 '양수사'라 하고, 순서를 나타내는 수사는 '순서(順序)'의 '서(序)'를 따와서 '서수사'라고 한다.

◆ 수를 세는 말 뒤에 의존 명사가 오면 이것은 뒤에서 배울 '수 관형사'가 된다.
예 한 개, 두 권, 세 쌍

● 소인: 신분이 낮은 사람이 자기보다 신분이 높은 사람을 상대하여 자신을 낮추어 이르던 1인칭 대명사.

잠깐 퀴즈 ▶▶ 10쪽

22. 다음 중 성격이 다른 하나는?

① 저것　② 만큼
③ 여기　④ 저희
⑤ 여러분

다른 말을 도와줘요 – 조사

관계언인 **조사**는 앞서 살펴본 체언의 뒤에 붙어서 다양한 문법적 관계를 나타내거나 특별한 뜻을 더해 주는 역할을 해요. 물론 용언이나 부사 뒤에 붙기도 하지만, 체언에 붙는 것이 일반적이기 때문에 체언과 조사를 짝꿍으로 볼 수 있어요.

조사는 다음과 같은 특징을 가지고 있어요.

조사는 자립성이 없지만 단어로 인정받는 특별한 성질을 가지고 있구나!

조사의 특징

- 홀로 쓰일 수 없고 다른 말에 붙어 사용되는 말이에요.
- 자립성이 없지만 다른 말과 쉽게 구분되기 때문에 단어로 인정받아요.
- 서술격 조사 '이다'를 제외하고, 형태가 변하지 않아요.

그런데 조사가 다른 말에 붙어서 문법적 관계를 나타내 주거나 특별한 뜻을 더해 준다는 것은 무엇을 의미하는 것일까요? 조사가 사용된 문장을 통해서 차근차근 살펴보기로 해요.

- 개나리꽃<u>이</u> 활짝 피었다.
- 누나가 새 신발<u>을</u> 샀다.
- 나는 선생<u>이고</u>, 너는 학생<u>이다</u>.

첫 번째 문장의 '이'는 '개나리꽃'이라는 체언 뒤에 붙어서 이 단어를 문장의 주체인 '무엇이'가 되도록 하는 역할을 하고 있어요. 두 번째 문장에서는 '을'이 '신발' 뒤에 붙어 이 단어를 '누나'의 행동의 대상으로 만들고 있어요. 세 번째 문장에서는 '이다'라는 조사가 '선생'과 '학생'이라는 체언 뒤에 붙었네요. '이다'는 얼핏 보기에 동사나 형용사의 모습을 하고 있지만, '선생이다', '학생이다'가 문장에서 주체의 행동이나 모양, 성질, 상태를 설명하는 역할을 하도록 도와주므로 조사에 포함할 수 있어요.

🔍 **잠깐 퀴즈** ▶▶ 10쪽

23. 다음 문장에서 조사를 모두 찾아 쓰시오.

> 독도는 우리나라의 섬이다.

이와 같이 앞말이 다른 말에 대하여 어떠한 자격을 가지도록 만들어 주는 조사를 **격 조사**라고 해요.

또 조사 중에는 다음과 같이 두 가지 이상의 단어를 같은 자격으로 이어 주는 역할을 하는 것도 존재해요. 이러한 조사는 단어를 연결시켜 준다는 측면에서 '접속'이라는 말을 붙여 **접속 조사**라고 불러요.

● 접속: 서로 맞대어 이음.

- 나는 떡볶이<u>와</u> 군만두를 좋아한다.
- 준호<u>랑</u> 진희는 오랜 친구이다.

이처럼 접속 조사에는 '와/과', '(이)랑', '하고' 등이 있어요.

이번에는 서로 모습은 비슷해 보이지만, 조사로 인해서 의미가 전혀 달라지는 세 문장을 보도록 해요.◆

◆ 국어는 조사가 매우 발달한 언어라서 조사의 수가 많고 종류가 다양하다.

- 희주<u>는</u> 시험에 합격했다.
- 희주<u>만</u> 시험에 합격했다.
- 희주<u>마저</u> 시험에 합격했다.

위의 문장에 사용된 조사 '는', '만', '마저'는 각각 앞말에 새로운 의미를 더해 주고 있어요. 즉, '는'은 화제 표시의 의미, '만'은 단독의 의미, '마저'는 하나 남은 마지막이라는 의미를 앞말에 더해 준다는 거예요. 이처럼 어떤 특별한 의미를 더해 주는 조사를 **보조사**라고 해요. 이제까지 알아본 조사를 정리하면 다음과 같아요.

● 조사의 종류

종류	성격	예
격 조사	문장에서 자신의 앞에 오는 체언에 일정한 자격을 가지도록 하는 조사	• 내가 그에게 책을 주었다. 주격 부사격 목적격 • 내가 너의 짝꿍이다. 주격 관형격 서술격
접속 조사	두 단어를 같은 자격으로 이어 주는 구실을 하는 조사	나와 너는 짝꿍이다.
보조사	앞말에 특별한 뜻을 더하여 주는 조사	• 나<u>는</u> 국화를, 너<u>는</u> 장미를 좋아한다. (대조) • 너<u>마저</u> 나를 떠나다니······. (마지막 하나)

잠깐 퀴즈 ▶▶ 10쪽

24. 다음 단어의 품사를 〈보기〉에서 골라 쓰시오.

┃보기┃
명사, 대명사, 수사, 조사

(1) 연필
(2) 그것
(3) 까지
(4) 넷째

이제까지 우리는 체언에 속하는 명사, 대명사, 수사와 이들 뒤에 붙어서 다양한 역할을 하는 관계언인 조사에 대해서 공부했어요.

용언 – 동사와 형용사를 하나로 모으다

이번에는 용언에 속하는 동사와 형용사에 대해서 알아보려 해요. 동사와 형용사는 어떠한 품사일까요? 그리고 용언은 체언이나 관계언과 어떻게 다를까요? 지금부터 그 궁금증을 하나씩 풀어 보기로 해요.

- 나 어때? 멋져!
- 어제 뭐했어? 동생이랑 고모네 갔어.

위 문장에서 '멋져'와 '갔어'는 무엇이 어떠한지, 무엇을 어찌했는지를 나타내는 동사와 형용사예요. 이들은 상황에 따라 다양하게 형태가 변화하여 사용된다고 해서 '용언'으로 묶여요. 용언의 공통된 특징은 다음과 같아요.

용언의 특징

> - 문장에서 사물이나 사람의 움직임, 상태, 성질을 설명해요.
> - 활용을 통해 문장을 끝맺거나 연결하는 역할을 해요.
> - 활용을 하면 용언의 성격이 변해 문장에서 여러 가지 기능을 해요.
> - 문장에서 서술하는 일이 일어난 때와 말하는 이와 듣는 이, 서술하는 대상과의 관계를 드러내기도 해요.

그렇다면 동사와 형용사는 각각 어떠한 성격을 가지고 있을까요?

● 활용: 문장에서 용언의 형태가 변화하는 것.

잠깐 퀴즈 ▶▶ 10쪽

25. 다음 중 용언이 아닌 것은?

① 뛰다   ② 입다
③ 마치   ④ 멋지다
⑤ 새롭다

움직임을 나타내요 – 동사

동사는 이름 그대로 사람이나 사물의 움직임이나 과정 등을 나타내는 말이에요. 우리가 일상생활에서 쉽게 사용하는 '달리다', '먹다', '뛰다', '걷다', '마치다' 등이 모두 동사예요. 그런데 동사와 형용사를 포함하는 용언은 형태가 변하는 성질을 지녔는데, 이런 특성을 '활용'한다고 해요. 동사를 하나 골라서 활용하는 모습을 살펴보기로 해요.

동사의 활용

- 저기 빨간 바지를 <u>입은</u> 아이가 내 동생이야.
- 우리 반 아이들은 언제나 교복을 단정하게 <u>입는다</u>.
- 한복을 <u>입고</u> 있으니 정말 명절이 된 것 같아.
- 나는 내일 청바지를 <u>입을</u> 것이다.

입다
(기본형)

'입다'라는 동사는 '-은', '-는다', '-고', '-을'과 같은 말과 어울려 문장에서 다양하게 변하고 있어요. 활용이라는 것이 무엇인지 훨씬 쉽게 이해가 되죠?

성질과 상태를 나타내요 – 형용사

형용사는 사람이나 사물의 상태나 성질을 나타내는 단어를 말해요. 마치 사진처럼 대상의 순간적인 상태, 모양, 성질 등을 붙잡아서 말해 준다고 할 수 있어요. '예쁘다', '작다', '길다', '착하다'와 같은 단어가 형용사에 해당해요. 앞에서 동사의 활용을 살펴보았으니 형용사의 활용이 어떠한지도 살펴보도록 해요.

형용사의 활용

- 봄이 오면 <u>따뜻할</u> 것이다.
- 손님을 가족처럼 <u>따뜻하게</u> 대하자.
- <u>따뜻한</u> 햇살이 내리쬐고 있었다.
- 제법 바람이 <u>따뜻하구나</u>.

따뜻하다
(기본형)

형용사 '따뜻하다'는 '-ㄹ', '-게', '-ㄴ', '-구나' 등과 결합하여 문장마다 다양하게 변하고 있네요.

◆ 사전에서 용언의 의미를 찾을 때는 기본형으로 찾는다. 기본형은 활용하는 단어에서 고정이 되는 부분에 어미 '-다'를 붙인 것이다.

예 기본형: '달리-' + 어미 '-다'
↓
달린다, 달리는, 달리고, …

동사와 형용사가 활용을 한다는 것은 용언을 다른 품사와 구별할 수 있는 가장 큰 특징이야.

잠깐 퀴즈 ▶▶ 10쪽

26. 다음 중 용언의 종류가 <u>다른</u> 하나는?

① 달리다
② 멋지다
③ 친절하다
④ 용감하다
⑤ 희끄무레하다

동사와 형용사 구별하기

이 그림에서 '있다'와 '없다'는 각각 어느 팻말을 향해 가야 할까요? 과연 '있다', '없다'는 동사일까요, 형용사일까요?

문장에서 동사와 형용사를 쉽게 구분하는 방법을 살펴보도록 해요.

■ **의미로 구별하기**

움직임을 나타내는 말이면 동사가 되고 상태나 성질을 나타내는 말이면 형용사가 돼요. 동사와 형용사의 정의에 따른 구분법이니 어렵지 않게 사용할 수 있겠죠?

- 지각하지 않기 위해서 나는 운동장을 가로질러 <u>달렸다</u>.
- 세영이는 우리 반에서 가장 <u>예쁘다</u>.

'달렸다'는 '달리다'를 기본형으로 하는데, 시간의 흐름에 따라 변화되는 움직임을 나타내므로 동사에 해당해요. 반면 '예쁘다'의 경우, 대상의 모양, 상태를 설명하는 의미를 담고 있으므로 형용사라고 할 수 있어요.

■ **명령형이나 청유형 가능 여부에 따라 구별하기**

명령형이나 청유형을 만들 수 있으면 동사, 만들 수 없다면 형용사예요. 우선, 명령형과 청유형의 문장을 만드는 과정부터 알아볼까요? ◑ 154쪽

명령형은 남에게 행동을 하라고 시키는 문장 형태인데, 명령형을 만들 때는 동사의 어간에 '–(어/아)라'라는 어미를 붙여요. 상대방에게 어떤 행동을 함께 하자고 요청하는 청유형을 만들 때는 어미 '–자'를 붙여요.

잠깐 퀴즈 ▶▶ 10쪽

27. 다음 중 움직임을 나타내는 말이 아닌 것은?

① 걷다　② 기다
③ 달리다　④ 오르다
⑤ 예쁘다

달리다	예쁘다
• 달리-+-(어)라 → 달려라(○)	• 예쁘-+-(어)라 → 예뻐라(×)◆
• 달리-+-자 → 달리자(○)	• 예쁘-+-자 → 예쁘자(×)

명령형과 청유형이 가능한 '달리다'는 동사, 불가능한 '예쁘다'는 형용사예요.

■ 현재형이나 진행형 가능 여부에 따라 구별하기

동사와 형용사의 어간에 현재형 어미 '-ㄴ다', '-는'을 붙여서 현재형 문장을 만들 수 있는가, '~고 있다'와 같은 진행형을 표현할 수 있는가에 따라 구별할 수도 있어요. 현재형이나 진행형 문장을 만들 수 있다면 동사, 만들 수 없다면 형용사예요.

달리다	예쁘다
• 달리-+-ㄴ다 → 달린다(○) 현재 표현 가능	• 예쁘-+-ㄴ다 → 예쁘다(×) 현재 표현 불가
• 달리-+-는 → 달리는(○) 현재 표현 가능	• 예쁘-+-는 → 예쁘는(×) 현재 표현 불가
• 달리-+-고 있다 → 달리고 있다(○) 진행형 가능	• 예쁘-+-고 있다 → 예쁘고 있다(×) 진행형 불가

진행형이 가능한 '달리다'는 동사, 불가능한 '예쁘다'는 형용사예요.

이제 다시 '있다'와 '없다'를 한번 떠올려 보세요. '있다'는 '있어라, 있자, 있는다, 있는'이 가능하지만 '없다'는 불가능해요. 그렇다면 '있다'는 동사, '없다'는 형용사겠군요.

알아 두자! 용언의 겹침

한 문장에서 용언이 두 번 이상 나올 때가 있어요.

예 빨래가 다 말라 간다.

그만 늦잠을 자 버렸다.

이 문장에 쓰인 용언 중에 단어의 본래 뜻으로 쓰인 말은 '말라'와 '자'이고, 이와 같은 말을 '본용언'이라고 해요. '간다'와 '버렸다'는 본디 뜻과 다르게 '말라'와 '자'에 진행과 완료의 뜻을 더해 주고 있어요. 이런 말을 '보조 용언'이라고 해요.

◆ '어머, 예뻐라!'와 같이 형용사를 명령형으로 쓰는 경우도 있다. 이때 '예뻐라'는 명령의 의미는 없고 감탄의 의미만 있다.

◆ '있다'는 동사로도 쓰이고 형용사로도 쓰이는데, 각각의 경우에 의미가 다르다.

• 동사일 때
 – 사람이 어느 곳에서 떠나거나 벗어나지 않고 머물다.
 예 가영이는 내일 집에 있는다고 했다.
 – 사람이 어떤 상태를 계속 유지하다.
 예 교실에서는 떠들지 말고 조용히 있자(있어라).
 – 얼마의 시간이 경과하다.
 예 앞으로 며칠만 있으면 방학이다.

• 형용사일 때(형용사 '없다'의 사전적 의미와 반대됨.)
 – 사람, 물체 등이 실제로 존재하는 상태
 예 나는 신이 있다고 믿어.
 – 사람이나 사물 등이 어떤 곳에 자리를 차지하고 존재하는 상태
 예 책상 위에 책이 있다.
 – 어떤 물체를 소유하거나 자격이나 능력 등을 가진 상태
 예 나에게 지금 만 원이 있다.

잠깐 퀴즈 ▶▶ 10쪽

28. 다음 중 용언의 종류가 다른 하나는?

① 높다 ② 먹다
③ 빠르다 ④ 예쁘다
⑤ 아름답다

활용을 할 때는 어미가 필요해요

용언의 가장 큰 특징은 활용을 하는 것이라고 배웠어요. 활용을 할 때는 어떤 **어미**와 결합하는가에 따라 형용사와 동사가 다양하게 변해요. 어미는 비록 용언의 어간 끝에 결합하지만, 영향력이 크고 종류도 다양해요.

어미는 용언과 결합할 때의 위치에 따라 단어의 끝에 놓이는 어말 어미, 어말 어미 앞에 놓이는 선어말 어미로 나뉘어요. 또 하는 역할에 따라 문장을 종결되게 하는 종결 어미, 문장을 연결하는 연결 어미, 용언의 성격을 잠깐 바꾸어 다른 품사의 기능을 할 수 있게 하는 전성 어미가 있어요.

❖ 어미의 종류와 예

종류			예시
위치에 따라	**역할에 따라**	**세부 항목**	**예시**
선어말 어미	높임 표현	−시− → 문장의 주체를 높임.	아버지께서 말씀하시었다.
	공손 표현	−옵− → 듣는 사람을 높임.	성은이 망극하옵니다.
	시제 표현	−ㄴ/는−, −었/았−, −겠−, −더−	밥을 먹는다. / 밥을 먹었다. 밥을 먹겠다. / 밥을 먹더라.

위치에 따라	역할에 따라	세부 항목		예시
어말 어미	종결 어미 → 문장을 끝맺음.	평서형	−다, −네, −오, −ㅂ니다, ……	열심히 공부를 합니다.
		의문형	−니, −다, −ㅂ니까, ……	잘 지내니?
		명령형	−어라/아라, −려무나, ……	밥을 많이 먹어라.
		청유형	−자, −세, ……	일을 열심히 하세.
		감탄형	−구나, −군, −로구나, ……	꽃이 아름답구나!
	연결 어미 → 문장과 문장을 이어 줌.	대등적	−고, −며, −면서, −거나, ……	산이 높고 푸르다.
		종속적	−면, −니, −려고, −러, ……	봄이 오면 꽃이 핀다.
	전성 어미 → 용언의 역할을 바꿔 줌.	명사형	−(으)ㅁ, −기	그의 인품이 원만함을 알았다.
		관형사형	−는, −(으)ㄴ, −(으)ㄹ	지금 떠드는 사람이 누구니?
		부사형	−도록, −게, ……	안 되면 되게 하라.

• 어말: 말의 끝, 문장의 가장 마지막 부분.

• 선어말: 어말의 앞부분.

• 전성: 기능이나 상태 따위가 바뀌어 다른 것으로 됨.

📢» 어말 어미와 선어말 어미의 예

> 예쁘시다

→ 예쁘− + −시− + −다
(어간) (선어말 어미) (어말 어미)

• 종속적: 어떤 것에 딸려 붙어 있는. 또는 그런 것.

♦ 관형사형 어미 '−는, −(으)ㄴ, −(으)ㄹ'은 시간을 표현하기도 한다.
예 이미 간 사람 (과거)
지금 가는 사람 (현재)
곧 갈 사람 (미래)

🔍 잠깐 퀴즈 ▶▶ 10쪽

29. 다음 문장의 용언을 활용하여 제시한 문장 형태로 바꾸어 쓰시오.

> 즐겁게 노래한다.

(1) 청유형:
(2) 명령형:

우리는 이제까지 체언과 용언에 대해서 알아보았어요. 이제 체언과 용언을 꾸며 주는 말들에 대해 공부해 보도록 해요.

수식언 – 관형사와 부사를 하나로 모으다

관형사와 부사는 수식언으로 묶인다고 배웠어요. 수식언의 공통된 특징은 다음과 같아요.

수식언의 특징

> • 문장에서 다른 단어를 꾸며 주는 역할을 해요.
> • 꾸밈을 받는 말 앞에 놓여요.
> • 형태가 변하지 않아요.

그렇다면 관형사와 부사는 각각 어떠한 성격을 가지고 있을까요?

체언을 꾸며요 – 관형사

관형사는 체언 앞에 놓여서, 그 체언을 꾸며 주는 역할을 하는 단어예요. 여기서 '꾸미다'라는 말은 아름답게 장식한다는 의미라기보다는, '다른 성분의 상태·성질·정도 따위를 자세하게 하거나 분명하게 한다.'라는 뜻으로 사용된다는 것에 주의해야 해요.

• 아버지께서는 새 자동차를 구입하셨다.
• 세상의 모든 어버이들께 말씀드리고 싶습니다.

'새'는 뒤에 있는 명사 '자동차'를 꾸미고 있어요. 만약 '새'라는 말이 없었다면 어떤 자동차를 구입하였는지 생각할 수 있는 범위가 엄청나게 넓어졌을 거예요. 따라서 '새'라는 관형사 덕분에 '자동차'는 그 모양과 성질, 상태 등이 분명하게 되었다고 할 수 있어요.

두 번째 문장에서는 '모든'이라는 말 덕분에 말하고자 하는 대상이 매우 넓다는 것을 알 수 있지요.

잠깐 퀴즈 ▶▶ 10쪽

30. 다음 중 관형사가 쓰인 문장은?

① 별 핑계를 다 대는구나.
② 주사 맞기 싫어서 울었어.
③ 엄마는 나를 정말 사랑하셔.
④ 너는 밥을 너무 빨리 먹어.
⑤ 바닷바람을 쐬러 동해로 놀러 갔다.

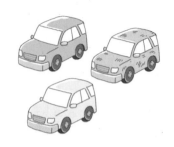

새 자동차

이처럼 사물의 모양, 성질, 상태를 명확하게 해 주는 관형사를 성상 관형사라고 해요. 관형사 중에서는 어떤 대상을 지시하는 기능을 담당하는 것도 있어요.

• 나는 <u>그</u> 자전거를 타 보고 싶다.

'그'라는 말은 '자전거'라는 명사를 지시하고 있어요. 이처럼 특정한 대상을 지시하여 가리키는 역할을 하는 관형사는 지시 관형사라고 해요. 관형사 중에서는 수량을 나타내는 것도 있어요. 이러한 관형사는 수 관형사라고 해요. 역시 예문을 통해서 확인하도록 해요.

• <u>한</u> 입으로 설마 <u>두</u> 말 할까.

'입'과 '말'이라는 명사를 '한'과 '두'라는 관형사가 수식하고 있네요. 그런데 '한'과 '두'를 어디서 본 것 같지 않나요? 그래요. '수사' 부분에서 본 기억이 있을 거예요. 비록 의미는 서로 같지만, 수사는 조사와 결합해 문장에서 설명하는 주체가 되는 역할을 하고, 수 관형사는 뒤에 오는 체언을 수식하기 때문에 쉽게 구별할 수 있을 거예요.

이제까지 살펴본 관형사의 종류를 한눈에 정리해 보면 다음과 같아요.

○ 관형사의 종류

종류	역할	예
성상 관형사	사물의 성질이나 상태를 꾸며 줌.	새, 헌, 옛, 순, ……
지시 관형사	어떤 대상을 가리킴.	이, 그, 저, 온갖, 다른, ……
수 관형사	수량이나 순서를 나타냄.	한, 두, 반, 여러, ……

● 성상: 사람이나 사물의 성질과 상태를 이르는 말.

◆ 관형사와 대명사의 구분
조사와 결합되었거나 결합할 수 있으면 대명사, 그렇지 않으면 관형사에 해당한다.
예 그는 내가 아는 분이다.
그+조사(○): 대명사
예 그 사람은 내가 아는 분이다. → 그는 사람은 내가 아는 분이다.
그+조사(X): 관형사

◆ 관형사와 수사의 구분
조사와 결합되었거나 결합할 수 있으면 수사, 그렇지 않으면 관형사에 해당한다.
예 빵 하나 먹었다. → 빵 하나를 먹었다.
하나+조사(○): 수사
예 빵 한 개를 먹었다. → 빵 한을 개를 먹었다.
한+조사(X): 관형사

 잠깐 퀴즈 ▶▶ 10쪽

31. 다음 밑줄 친 단어의 품사를 〈보기〉에서 골라 쓰시오.

┃보기┃
수사, 관형사

(1) 사과 <u>두</u> 개를 먹었다.
(2) <u>둘</u> 다 키가 크다.

여러 가지 성분을 꾸며요 – 부사

부사는 관형사와 마찬가지로 문장에서 다른 품사를 꾸며 주는 역할을 해요. 그렇다면 부사는 관형사와 어떤 차이가 있을까요? 다음의 예문을 통해 확인해 보도록 해요.

- 한국 음식 중에서는 김치가 <u>가장</u> 유명하다.
- 민희가 <u>아주</u> <u>빨리</u> 달린다.
- <u>과연</u> 그는 누구를 선택할 것인가?

첫 번째 문장을 보세요. '가장'은 뒤에 오는 '유명하다'라는 형용사를 꾸미고 있어요. 즉, '가장'은 여럿 가운데 김치가 제일 유명하다는 것을 분명하게 하는 부사예요. 이렇게 부사는 체언을 꾸며 주는 관형사와는 달리, 주로 용언(동사, 형용사)을 꾸미는 역할을 해요.

그런데 부사는 용언뿐만 아니라, 다양한 말들을 수식할 수 있어요.

두 번째 문장을 보면, '빨리'라는 말은 '달린다'는 동사를 수식하는 부사예요. 그런데 '빨리'의 앞에 놓인 '아주'는 '빨리'의 의미를 더욱 분명하게 만들어 주고 있어요. 따라서 '아주'는 다른 부사를 수식하는 부사라고 할 수 있어요.

세 번째 문장의 경우에는 '과연'이 무엇을 수식하고 있나요? 의미상 바로 뒤에 오는 '그'가 아니라, '그는 누구를 선택할 것인가?' 하는 문장 전체를 꾸미고 있어요. 이처럼 부사는 문장 전체를 수식하기도 해요.

이상을 통해서 부사의 특징을 정리해 볼까요?

부사의 특징

- 문장 속에서 주로 용언을 꾸며 주는 역할을 해요.
- 다른 부사나 관형사, 문장 전체를 꾸미기도 해요.

'너무 헌 집이야.'
에서는 부사가 관형사를 수식하는구나.

부사
용언 수식
부사 수식
관형사 수식
문장 전체 수식

🔍 **잠깐 퀴즈** ▶▶ 10쪽

32. 다음 빈칸에 알맞은 말을 쓰시오.

관형사와 부사는 다른
말을 꾸며 주는 ☐☐
☐ 인데, 관형사는
☐☐ 을, 부사는 주로
☐☐ 을 꾸미는 역할을
한다.

다양한 쓰임을 가진 부사를 종류별로 정리해 보도록 해요.

○ 부사의 종류

종류		역할	예
성분◆부사	성상 부사	사람이나 사물의 모양, 상태, 성질을 꾸밈.	잘, 매우, 바로, ……
	지시 부사	장소나 시간, 앞에 나온 사실을 가리킴.	이리, 그리, 내일, 오늘, ……
	부정 부사	용언의 앞에 놓여 그 내용을 부정함.	못, 아니, 안
문장◆부사	양태● 부사	말하는 이의 태도를 나타냄.	과연, 설마, 제발, 아마, 결코, ……
	접속 부사	체언과 체언, 문장과 문장을 이어 줌.	그러나, 또는, 곧, 즉, ……

◆ 용언이나 관형사, 부사와 같이 문장의 성분을 꾸미는 부사는 성분 부사, 문장 전체를 꾸미는 부사는 문장 부사라고 부른다.

● 양태: 화자의 주관적 태도를 나타내는 것.

잠깐 퀴즈 ▶▶ 10쪽

33. 다음 중 부사가 쓰인 문장이 아닌 것은?

① 배가 불러서 못 먹겠어.

② 광장에 여러 사람이 모여 있다.

③ 설마 너도 나를 몰라보는 거니?

④ 할머니께서 곧 서울로 올라오실 거야.

⑤ 한글은 매우 독창적이고 과학적인 글자이다.

알아 두자! 의성어와 의태어의 품사

소리와 모양을 흉내 내는 의성어와 의태어는 성상 부사에 속해요.

예 북극의 기온이 높아져 빙산이 <u>와르르</u> 무너져 내린다.

작은 강아지가 꼬리를 <u>살랑살랑</u> 흔들며 내게로 왔다.

→ '와르르'는 소리를, '살랑살랑'은 모양을 흉내낸 말로, 뒤에 오는 '무너져'와 '흔들며'라는 동사를 수식하고 있어요.

이제 마지막 남은 품사까지 도착했어요. 마지막 품사를 살펴보아요.

독립성이 강해요 – 감탄사

감탄사는 감정을 넣어 말하는 사람의 놀람, 느낌, 부름이나 대답을 나타내는 단어예요. 즉 평상시에 느낌을 표현하는 말, 부르고 대답하는 말, 그리고 입버릇으로 내는 모든 말이 감탄사에 해당해요.

감탄사는 문장 속의 다른 성분에 얽매이지 않고 독립성이 강해서 단어를 기능으로 나누었을 때 독립언에 속해요. 감탄사에 특징을 정리해 보면 다음과 같아요.

감탄사가 곧 독립언이 되는구나.

감탄사의 특징

- 형태가 변하지 않고, 조사와 결합하지 않아요.
- 문장에서 다른 말들과 관련이 적고, 독립적으로 사용돼요.

알아 두자! 감탄사의 구별

- 실제 이름 뒤에 부름을 나타내는 호격 조사가 붙은 말은 감탄사가 아니에요.
  예 <u>윤아야!</u>: 명사+호격 조사 → 감탄사(×)
- 제시어나 표제어도 감탄사가 아니에요.
  예 <u>청춘,</u> 이 얼마나 아름다운가! → 명사(○), 감탄사(×)

잠깐 퀴즈 ▶▶ 10쪽

34. 다음 중 단어를 기능으로 분류할 때 다른 하나는?

① 갖은 　② 온갖
③ 너무 　④ 어머나
⑤ 빨리

4 어휘의 체계와 양상

우리나라에서 제일 큰 사전인 《표준국어대사전》에는 약 50만 개나 되는 단어가 실려 있다고 해요. 그런데 우리가 일상생활에서 쓰는 단어는 몇 개나 될까요? 또 우리는 주로 어떤 종류의 단어를 쓸까요?

단어는 워낙 그 수가 많고 종류도 다양하지만, 몇 가지 기준을 가지고 공통된 성격에 따라 묶어 보면 단어의 모습을 파악하기가 훨씬 쉬워져요.

이렇게 공통된 성격을 가지는 단어의 집합을 '어휘'라고 하는데, 그 이름은 그 집합의 성격에 따라 정말 다양하게 붙일 수 있어요. '나의 어휘', '우리 국어 선생님의 어휘', '색채 어휘', '문법책 어휘', …… 이런 식으로요.

그렇다면 국어의 어휘를 나누는 대표적인 기준에는 어떤 것이 있을까요?

● 어휘: 단어들을 공통된 성격에 따라 묶은 단어의 집합.

◆ '색채 어휘'나 '문법책 어휘' 등은 고정적이지만, '나의 어휘'와 같은 것은 시간의 흐름이나 상황에 따라 해당되는 단어가 바뀌게 된다.

단어를 끼리끼리 묶어 놓은 것이 어휘구나!

고유어, 한자어, 외래어 – 유래에 따라 나누다

국어의 단어는 유래에 따라 고유어, 한자어, 외래어로 나눌 수 있어요.

고유어는 말 그대로 우리 고유의 말이에요. 한자어는 엄밀하게 따진다면 외래어의 일종이라고 할 수 있지만, 오랜 시간에 걸쳐 우리말 어휘의 큰 부분이 되어 버렸기 때문에 이것을 외래어라고 하지 않고 '한자어'라고 따로 분류해요. 외래어는 다른 나라의 말이 우리나라에 들어와 우리말처럼 쓰이게 된 말이에요.

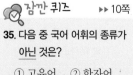
잠깐 퀴즈 ▶▶ 10쪽

35. 다음 중 국어 어휘의 종류가 아닌 것은?
① 고유어 ② 한자어
③ 외국어 ④ 외래어
⑤ 순우리말

■ 고유어

고유어는 '순우리말'이라고도 불러요. 고유어는 예로부터 우리의 문화와 정서를 표현해 온 말이고 일상생활에서도 자주 쓰여 왔어요. 또 고유어는 하나의 단어가 여러 가지 의미를 담고 있는 경우가 많아요. 예를 들어 '하늘'이라는 고유어는 '하늘이 맑다.'라는 문장에서는 기본적인 의미로 쓰이지만 '하늘이 무섭지 않은가?'라는 문장에서는 '신', '심판자'의 의미로 쓰여요.

> 고유어: 아버지, 어머니, 하늘, 땅, 아름답다, 예쁘다, 소쿠리, 구름, 항아리, 무지개, 모꼬지, ······

● 모꼬지: 놀이나 잔치 또는 그 밖의 일로 여러 사람이 모이는 일.

■ 한자어

한자어는 개념이나 추상적인 내용을 표현하는 말에 많이 사용돼요. 그리고 고유어보다 좀 더 분명하고 자세한 뜻을 전달해 주지요. 그래서 하나의 고유어와 비슷한 뜻을 가진 한자어를 찾아보면 한자어의 개수가 훨씬 많다는 사실을 알 수 있어요.◆

> '말하다'와 비슷한 뜻을 가진 한자어: 설명(說明)하다, 변명(辨明)하다, 언급(言及)하다, 주장(主張)하다, 요청(要請)하다, 의미(意味)하다, 진술(眞術)하다, 해명(解明)하다, 대화(對話)하다, ······

◆ 전문적이고 정확한 의미를 전달하는 글에서는 여러 가지 의미를 지니는 고유어보다 한자어를 사용하는 것이 효과적이다.

본래 한자어는 중국 글자인 한자를 가지고 만든 단어이므로 한자어를 우리말이 아니라고 하는 사람도 있지만, 같은 한자어를 쓴다 해도 중국, 일본과 달리 우리만의 발음으로 읽는다는 점에서◆ 이미 완전한 우리말이 되었다고 볼 수 있어요.

◆ 중국, 일본, 한국에서 '博物館'은 다음과 같이 발음한다.
• 중국 - [보우관]
• 일본 - [하쿠부츠칸]
• 한국 - [박물관]

🔊 알아 두자! 우리나라에서 만들어진 한자어

한자어는 굳이 그 종류를 나누자면, 중국에서 들어온 한자어, 일본에서 만들어져 우리나라로 들어온 한자어, 우리 스스로 만들어 낸 한자어 등이 있어요.

이 중 '감기(感氣), 고생(苦生), 복덕방(福德房), 편지(便紙), 사돈(査頓), 식구(食口), 행차(行次)'와 같은 한자어들은 우리나라에서 만들어진 한자어로, 우리나라에서만 사용되고 중국이나 일본에서는 쓰이지 않아요.

🔍 잠깐 퀴즈   ▶▶ 10쪽

36. 다음 중 단어의 유래가 <u>다른</u> 하나는?

① 땅   ② 어휘
③ 모꼬지   ④ 무지개
⑤ 항아리

잠깐 퀴즈 ▶▶ 10쪽

37. 다음 중 단어와 그 유형이 잘못 연결된 것은?
① 꽃 – 고유어
② 강 – 고유어
③ 독서 – 한자어
④ 우동 – 외래어
⑤ 라디오 – 외래어

■ 외래어

외래어는 국가 간 교류가 활발한 요즘에 더욱 많아져서 현재 우리말 어휘의 많은 부분을 차지하고 있어요.

하지만 새롭게 단어가 들어올 때 무조건 외래어로 인정하기보다는 그것을 바꾸어 쓸 수 있는 고유나 한자어는 없는지 먼저 생각해 보는 자세가 중요해요. 그러지 않으면 우리 어휘는 우리 고유의 말보다 외래어가 더 많아질지도 모르니까요.◆

우리말에 뿌리 내린 외래어

• 호미, 수수, 메주, 가위 등 (만주어 및 여진어)

• 버스, 넥타이, 컴퓨터, 아이스크림, 챔피언 등 (영어)

• 세미나, 노이로제, 아르바이트, 알레르기, 이데올로기 등 (독일어)

• 첼로, 오페라, 아리아, 스파게티 등 (이탈리아어)

• 망토, 크레용, 데생, 모델, 앙코르 등 (프랑스어)

• 담배, 카스텔라, 빵 등 (포르투갈어)

❍ 단어의 유래에 따른 어휘의 구분

고유어	우리말 고유의 어휘 예 꽃, 구름, 어머니 등
한자어	한자 문화권에서 들어온 한자로 표기하는 어휘 예 강, 산, 문, 벽, 등산, 독서, 모친 등
외래어	새로운 문물이 들어오면서 차용된 어휘 예 바나나, 라디오, 버스, 우동, 호르몬, 바캉스 등

쓰지 마라 – 금기어, 돌려 써라 – 완곡어

어떤 말이나 행동을 하면 좋지 않다고 하여 금하거나 꺼리는 것을 금기 또는 터부(taboo)라고 해요. 그리고 이처럼 불길하거나 불쾌한 것을 나타내서 사람들이 피하는 말이 금기어지요. 주로 '죽음, 질병, 범죄, 성(性), 배설' 등과 관련된 단어들이 금기어가 됩니다.

그런데 이런 말을 꼭 해야만 하는 상황에서는 어떻게 해야 할까요? 이럴 때는 완곡어를 쓰면 돼요. 완곡어란 '부드럽게 돌려 하는 말'이라는 뜻이지요.

사람이 죽었을 때 '죽었다'라고 말하지 않고 '돌아가셨다'라고 말한다든지, 용변을 보는 곳을 가리켜 '변소(便所; 대소변을 보도록 만들어 놓은 곳)'라고 하지 않고 '화장실(化粧室; 화장을 하거나 맵시를 내는 설비를 갖춘 방)'이라고 하는 경우가 전부 완곡어를 쓴 거예요.

상황에 따라 적절하게 완곡어를 사용하면 금기어를 썼을 때의 불쾌감을 피할 수 있고 예의와 품위를 지킬 수 있어요.

관용어와 속담을 구별해 보자.

관용어와 속담은 둘 이상의 단어들이 모여 특별한 의미를 가지는 표현들이에요.

'미역국을 먹다.'라는 관용어를 생각해 볼까요? '미역국'과 '먹다'의 의미는 각각 알더라도, 그것이 '시험에 떨어지다.'라는 의미와 바로 연결이 되지는 않지요. 관용어는 전체가 하나의 낱말처럼 쓰이기 때문에 만일 '따뜻한 미역국을 먹었다.', '미역국을 맛있게 먹었다.'와 같이 표현을 고치게 되면 '미역국을 먹다'의 관용적인 의미가 사라져 버려요.

속담은 관용어와 비슷하지만 조상들의 삶의 지혜가 담겨 있고 교훈성이 강하다는 특징이 있어요. 예를 들어 '가는 날이 장날.'이라는 속담에는 조상들의 삶에 대한 인식이, '낮말은 새가 듣고 밤말은 쥐가 듣는다.'라는 속담에는 말을 조심하라는 교훈이 담겨 있어요.

관용어와 속담을 적절하게 사용하면 같은 내용이라도 재미있고 다채롭게 표현할 수 있고, 그 속에서 우리의 전통적인 생활 모습과 사고방식을 엿볼 수 있어요.

◆둘 이상의 단어가 생성하는 의미의 특성에 따른 어휘의 구분

관용어
둘 이상의 단어가 합쳐져 하나의 특수한 관습적인 의미로 사용되는 말. 예 입에 풀칠하다, 간이 콩알만 해지다 등

속담
조상들의 삶의 지혜와 교훈성을 담고 있는 관용 표현 예 발 없는 말이 천 리 간다, 백지장도 맞들면 낫다 등

잠깐 퀴즈   ▶▶ 10쪽

38. 다음 중 속담이 쓰인 문장이 아닌 것은?

① 가는 날이 장날이다.
② 백지장도 맞들면 낫다.
③ 발 없는 말이 천 리 간다.
④ 이번 시험에서 미역국을 먹었다.
⑤ 콩 심은 데 콩 나고, 팥 심은 데 팥 난다.

●방언: 한 언어에서, 사용 지
역 또는 사회 계층에 따라 분
화된 말의 체계.

이번에는 지역 방언과 사회 방언의 어휘의 양상을 알아볼까요?

우리는 대화하면서 상대방의 억양이나 발음, 어떤 단어나 표현을 듣고 그 사람의 고향이나 직업을 짐작할 때가 있어요. 이처럼 지역이나 성별, 세대, 직업 등에 따라 언어가 다르기도 해요.

특정한 지역에서만 쓰는 말 – 지역 방언

언어는 지역마다 조금씩 차이를 보여요. 이렇게 지역에 따라 다르게 형성된 각 지방의 말을 **지역 방언**이라고 해요. 우리말은 크게 여섯 개의 방언으로 구분돼요. 중부 방언(경기도, 강원도, 충청도, 황해도), 동북 방언(함경도), 동남 방언(경상도), 서북 방언(평안도), 서남 방언(전라도), 제주 방언, 이렇게 여섯 개의 방언이에요.

지역 방언에 따라 같은 사물을 다르게 부르기도 해요.

이것의 이름은 무엇일까요?

서울을 비롯한 중부 지역에서는 '부추'라고 불러요. 이것이 표준어로 채택되었어요. 그런데 지역에 따라 '정구지(충청, 전북, 경상)', '솔(경상, 전남)', '졸(충청)', '분추(강원, 경북, 충북)', '세우리(제주)', '푸초(평북)', '염지(함경)' 등 다양한 이름으로 불러요.

이것의 이름은 또 무엇일까요?
중부 방언에서는 '벼'라고 부르고, 남부 방언에서는 '나락'이라고 불러요.

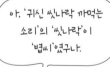

아, '귀신 씻나락 까먹는 소리'의 '씻나락'이 '볍씨'였구나.

알아 두자! 지역 방언의 어휘

지역 방언의 어휘는 각 지역의 향토적 특성을 담고 있고 우리말을 다양하고 풍부하게 해 줘요. 지역 방언을 사용하면 같은 지역 사람들 간에 쉽게 친밀감과 유대감을 느낄 수 있어요. 그렇지만 다른 지역 방언을 쓰는 사람들과는 의사소통이 어려워질 수 있어요. 그러므로 공식적인 자리에서는 되도록이면 표준어를 사용해야 해요.

잠깐 퀴즈　▶▶ 10쪽

39. 지역에 따라 달라져 형성된
각 지방의 말을 무엇이라고
하는지 쓰시오.

우리 집단에서만 쓰는 말 – 사회 방언

언어는 성별, 세대, 직업 등 사회적 요인에 따라 달라지기도 해요. 이러한 사회적 요인에 따라 각 집단에서 특징적으로 쓰는 말을 **사회 방언**이라고 해요.

■ 성별에 따른 언어 차이

말하는 사람의 성별에 따라 사용하는 언어가 다르기도 해요. 높임말을 써야 하는 상황에서 남성은 '하십시오체'를 많이 사용하는 데 비해 여성들은 '해요체'를 더 많이 사용한다고 해요. 또 여성은 자신의 의사를 완곡하고 친밀하게 표현하기 위해 상대방의 동의를 구하는 부가 의문문("그렇죠?" 등)을 사용하거나 감탄사를 많이 사용하는 경향이 있다고 해요. 하지만 최근에는 이러한 차이를 성별에 따른 언어의 차이라기보다는 단순히 말하기 방식의 차이로 보기도 해요.

■ 나이와 세대에 따른 언어 차이

언어는 말하는 사람의 나이나 세대에 따라서도 달라져요. 우리는 친구에게 "야, 뭐하냐?"라고 말해요. 하지만 우리가 노인이 되었다면 같은 상황에서 어떻게 말할까요? "자네, 뭐 하는가?"라고 하지 않을까요? 노인들은 '자네, 처자'와 같은 예스러운 표현과 '하게체', '하오체' 등을 사용해요. 청소년들은 속어, 새말, 유행어를 널리 사용하는 경향이 있어요.

🔍 잠깐 **퀴즈**　　▶▶10쪽

40. 다음 빈칸에 알맞은 말을 쓰시오.

> 언어에서 ☐☐, ☐
> ☐, ☐☐ 등 사회적
> 요인에 따라 다르게 쓰이
> 는 말을 사회 방언이라고
> 한다.

유행어, 은어, 전문어는 어떤 특성을 가질까

사회 방언의 예로는 유행어, 은어, 전문어가 있어요. 유행어, 은어, 전문어의 특성과 사용 효과에 대해서 자세히 살펴보도록 해요.

■ 유행어

유행어란 비교적 짧은 시기에 여러 사람의 입에 오르내리는 단어, 구절, 문장 등을 말해요. 대중 매체 및 정보 통신의 발달은 유행어를 더욱 많이 만들어 냈어요.

유행어는 당시 사회에서 일어난 사건이나 사회 분위기, 사람들의 심리를 잘 반영하고 현실에 대한 비판과 풍자를 해학적으로 드러내기 때문에 '시대의 거울'이라고 불리기도 해요. 또 기존의 표현보다 기발하고 신선한 느낌을 주기도 해서 대화의 분위기를 가볍게 이끌어 갈 수 있는 장점도 있어요.

그러나 유행어를 지나치게 사용하면 진지하지 못하거나 예의 없이 느껴질 수 있고, 개성 없어 보이기도 해요. 유행어가 비속어인 경우에는 말하는 사람의 품위가 떨어질 수도 있어요. 그리고 유행어를 잘 모르는 사람과는 의사소통에 지장이 있어요.

■ 은어

은어란 특정 계층이나 특정 집단에 속한 사람들이 자기들끼리만 사용하는 말이에요.

◎ 청과물 시장 은어

1	2	3	4	5	6	7	8	9	10
먹주	대	삼패	을씨	을씨본	살	살본	땅	땅본	주

은어는 그것을 사용하는 집단의 구성원들끼리 소속감과 동질감을 느끼게 하고, 집단의 비밀을 지켜 이익을 유지하는 데 쓰여요.

따라서 은어가 일반 사회에 알려지게 되면 그 단어는 은어로서의 기능을 잃게 되지요. 집단의 사람들은 그것 대신 새로운 은어를 다시 만들어서 그 비밀을 계속 유지하려고 하게 될 거예요.

오늘날에는 대중 매체가 발달했기 때문에 유행어의 생성과 소멸이 쉽고 전파력이 강해.

● 비판: 현상이나 사물의 옳고 그름을 판단하여 밝히거나 잘못된 점을 지적함.

● 풍자: 현실의 부정적 현상이나 모순 따위를 빗대어 비웃으면서 씀.

● 해학적: 익살스럽고도 품위가 있는 말이나 행동이 있는 것.

● 동질감: 성질이 서로 비슷해서 익숙하거나 잘 맞는 느낌.

잠깐 퀴즈 ▶▶ 10쪽

41. 다음 빈칸에 알맞은 말을 쓰시오.

은어는 은어를 사용하는 집단의 구성원들끼리 ☐☐ 과 ☐☐☐ 을 느끼게 한다.

먹주 대 삼패 을씨 을씨본 살 살본 땅 땅본 주!

그러나 때와 장소를 가리지 않고 은어를 사용하면, 은어를 알지 못하는 사람과는 의사소통이 잘되지 않을 수도 있고, 이로 인해 그 사람에게 소외감을 줄 수 있어요. 또 예의 없게 느껴질 수도 있어요. 더구나 사용한 은어가 비속어인 경우 말하는 사람의 품위가 떨어지고 듣는 사람이 불쾌감을 느낄 수도 있겠지요.

● 소외감: 남에게 따돌림을 당하여 멀어진 듯한 느낌.

■ 전문어

전문어는 전문성이 필요한 분야에서 그 일을 효과적으로 하기 위하여 사용하는 말이에요. 전문어는 일반 사회에서 별로 쓰지 않는 전문 개념을 표현하는 말이기 때문에 의미가 정확하고 자세한 편이에요. 따라서 다의성이 적고, 대응하는 일반 어휘가 없는 경우가 많아요.

전문어는 일반인이 잘 모르는 경우가 많기 때문에 경우에 따라 은어와 비슷한 효과가 나기도 해요. 여기서 '어레스트, 시저, 시피아르' 등의 의학 전문 용어를 고쳐 일반인도 알아듣게 하려면 어떻게 말해야 할까요?

이렇게 전문어를 쓰는 것은 전문 분야의 효율성을 위해 필요하다고는 하지만, 무분별하게 전문어를 남발하는 것은 국어를 오염시킨다는 시선도 있어요.

🐎» 상황에 따른 언어 차이
한 사람의 말이 대화의 상황에 따라 달라지기도 해요. '은어'나 '전문어'는 특수한 상황에서 특정 집단의 사람들이 사용하는 어휘이지요. 또한 말할 때와 글을 쓸 때 사용하는 언어 표현이 다르기도 해요. 예를 들어 '한테'는 말할 때 쓰고 '에게'는 글을 쓸 때 쓰지요. 우리는 대화의 상황에 맞게 적절한 언어 표현을 사용해야 해요.

● 남발: 어떤 말이나 행동을 자꾸 함부로 함.

🔍 잠깐 퀴즈 　▶▶ 10쪽

42. 다음 중 전문어에 대한 설명으로 알맞지 <u>않은</u> 것은?
① 의미가 정확하다.
② 의미가 자세하다.
③ 국어를 발전시킨다.
④ 일의 효율성을 높인다.
⑤ 전문 개념을 표현한다.

5 단어의 의미 관계

지금까지 우리는 여러 가지 기준에 따라 나누어진 어휘의 유형에 대하여 살펴보았어요. 이번에는 의미 관계를 중심으로 단어를 살펴보도록 해요.

유의 관계

> 유의어라고 해도 어느 경우에나 서로 바꾸어 쓸 수 있는 것은 아니야.

의미가 거의 같거나 비슷한 단어끼리는 유의 관계에 있다고 말하고 이러한 단어를 **유의어**라고 해요. 유의 관계는 흔히 한 쌍으로 존재하는 것처럼 생각할 수 있지만, 실제로는 두 개 이상의 단어들이 무리를 이루고 있는 경우가 더 많아요. 그리고 유의 관계에 있는 단어들은 뜻이 서로 비슷하다고 해도 그 의미가 완전히 똑같지는 않아요. 그래서 각 단어의 정확한 의미를 알고, 상황에 맞는 적절한 단어를 선택해서 사용해야 해요.

> • 가끔 – 이따금 – 종종   • 틈 – 사이 – 겨를

또 앞에서 살펴본 어휘의 유형 중에 같은 대상을 가리키는 '고유어 – 한자어 – 외래어', '일상어 – 전문어', '금기어 – 완곡어' 등도 유의 관계에 있는 말이라고 할 수 있어요.

> • 고유어 – 한자어 – 외래어
>   예 가운데 – 중앙 – 센터
>   탈 – 가면 – 마스크
> • 일상어 – 전문어
>   예 소금 – 염화 나트륨
>   기름 – 지방
> • 금기어 – 완곡어
>   예 똥 – 대변
>   천연두 – 마마/손님

> 부뚜막의 염화 나트륨도 집어넣어야 짜지!!

> 아무 데나 전문어 쓰지 마!

유의 관계에 있는 단어를 많이 알고 상황에 따라 그 의미를 잘 구별하여 쓰려고 노력하면 어휘력이 풍부해지겠지요?

📢)
우리말에는 '고유어 – 한자어 – 외래어', '일상어 – 전문어', '금기어 – 완곡어'와 같은 유의어 외에도 높임법과 감각어의 발달 등으로 유의어가 다양하게 나타난다.
예 밥 – 진지 (높임법의 발달)
푸르다 – 푸르스름하다 – 푸르뎅뎅하다 (감각어의 발달)

🔍 잠깐 퀴즈   ▶▶ 10쪽

43. 다음 중 유의 관계가 **아닌** 것은?
① 밥 – 진지
② 틈 – 겨를
③ 기름 – 지방
④ 있다 – 없다
⑤ 가끔 – 이따금

반의 관계

반의 관계란 단어들의 의미가 서로 반대되거나 대립하는 경우를 가리켜요. 이러한 단어는 **반의어**라고 부르지요. 그런데 주의할 것은 어떤 단어가 반의 관계에 있다고 말할 때 그 단어들은 오직 한 개의 의미 요소만 다르고 나머지 의미 요소들은 모두 공통적이라는 점이에요.

> • 남자 – 여자　　　　　　• 할아버지 – 할머니

위에 나온 '남자–여자', '할아버지–할머니' 등을 예로 들어볼까요? 이 단어들은 모두 '사람', '동물'이라는 공통된 의미 요소를 지니고, '성별'이라는 요소에서만 다르다는 사실을 알 수 있어요.

반의어 중에는 하나의 단어에 여러 개의 단어가 대립하는 경우도 있어요.♦

> • 뛰다 – 걷다 / 뛰다 – 내리다　　• 벗다 – 입다 / 벗다 – 쓰다

상하 관계

상하 관계는 한 단어의 의미가 다른 단어의 의미를 포함하는 경우예요. 다른 단어를 포함하는 단어를 **상위어**, 다른 단어에 포함되는 단어를 **하위어**라고 해요.

> • 동물 ⊃ 개 ⊃ 진돗개
> • 과일 ⊃ 사과 배 포도 귤 감 바나나 파인애플

'동물 ⊃ 개 ⊃ 진돗개'의 관계를 보면 '동물'은 '개'에 대해서 상위어이고, '진돗개'는 '개'의 하위어예요. '개'는 '동물'의 일종이고 '진돗개'는 '개'의 일종, 나아가 '동물'의 일종이지요.

상위어와 하위어는 표현하려는 의도에 따라 다르게 사용되기도 해요. 상위어를 사용하면 하위어들의 개별적인 특징보다는 일반적이고 공통적인 특징이 강조되지요. 반면 하위어를 사용하면 공통적인 특징보다는 개별적이고 구체적인 차이가 강조돼요.

◆반의 관계의 예
• 나는 겉옷을 벗었다.
　나는 겉옷을 입었다.
• 나는 모자를 벗었다.
　나는 모자를 썼다.

진돗개, 치와와, 푸들, 포메라니안 똑같은 개지만 우리는 하나하나가 달라!

잠깐 퀴즈　　▶▶ 10쪽

44. 다음 중 반의 관계가 **아닌** 것은?

① 남자 – 여자
② 과일 – 사과
③ 벗다 – 입다
④ 뛰다 – 걷다
⑤ 할아버지 – 할머니

부분 – 전체 관계

한 단어가 다른 단어의 부분이 되는 관계도 있어요. 이것을 부분 – 전체 관계라고 해요. 이때 부분을 나타내는 단어를 '**부분어**', 전체를 나타내는 단어를 '**전체어**'라고 해요. 부분 – 전체 관계는 상하 관계와 비슷해 보이지만, 진돗개가 개이면서 동물이기도 한 상하 관계와 달리, 부분 – 전체 관계에서는 그러한 관계가 성립하지 않아요.

- 몸 – 팔 – 손 – 손톱
- 집 – 방 – 벽 – 문 – 문손잡이 – 나사

'손톱'은 '손'에 속하지만 '팔'에 속한다고 하기는 어렵지요. 부분 – 전체 관계는 부분어가 모여 전체어를 이루지만 부분어들이 전체어의 특성을 지니고 있다고 보기는 어려워요. 또 부분어의 부분어가 전체어와 연관을 가지기 어렵기도 해요.

다의 관계

다의 관계란 의미적으로 유사성을 가지는 관계를 뜻해요. **다의어**는 기본적인 의미를 중심으로 하면서, 그 기본적 의미로부터 연상되는 주변적인 의미들을 가지고 있어요.

'머리'라는 단어를 한 번 살펴볼까요?

㉮ 철수는 머리가 크다. (목 위의 머리)
㉯ 철수는 머리를 잘랐다. (머리카락)
㉰ 철수는 머리가 좋다. (지능)

㉮, ㉯, ㉰ 문장 속의 '머리'라는 단어는 모두 신체 부위인 머리와 관련이 있어요. ㉮ 문장에 쓰인 '머리'의 의미가 가장 기본적인 의미이고 ㉯, ㉰의 의미는 그로부터 확장된 주변적인 의미에 해당돼요.

◆ '손'과 '발'도 매우 많은 다의 관계를 갖는다.
- 손
  – 손이 크다. (씀씀이)
  – 손을 쓰다. (대책)
  – 손이 얼었다. (신체)
  – 손이 부족하다. (일꾼)
- 발
  – 발이 넓다. (인간관계)
  – 발이 빠르다. (걸음)
  – 발이 크다. (신체)

잠깐 퀴즈 ▶▶ 10쪽

45. 다음 중 단어의 관계가 **다른** 하나는?
① 집 – 문
② 동물 – 개
③ 과일 – 포도
④ 채소 – 상추
⑤ 식물 – 튤립

동음이의 관계

마지막으로 알아볼 관계는 동음이의 관계예요. **동음이의어**란 '소리는 같지만 뜻이 다른 말'이라는 뜻으로, 단어의 소리가 우연히 같을 뿐 의미의 유사성은 없는 말들이에요.

> • 사람의 '다리' – 강을 건너는 '다리'
> • 벽지를 '바르다' – 생선 가시를 '바르다' – 행동이 '바르다'
> • 실을 '감다' – 눈을 '감다' – 머리를 '감다'

벽지를 '바르는' 행위는 벽에 종이를 붙이는 것임에 반해 생선 가시를 '바르는' 행위는 생선의 가시를 떼어 내는 것이지요. 의미상 아무런 관련성이 없어요. 하지만 소리로는 두 단어의 의미를 구별하기 어려워요.

동음이의어는 각 언어마다 상당히 많이 존재하지만 적절한 상황과 문맥이 주어지면 어떤 단어를 가리키는 것인지 쉽게 알 수 있어요.

의미끼리 친척이면 다의어, 의미끼리 남남이면 동음이의어구나!

알아 두자! 다의어와 동음이의어 구별하기

다의어와 동음이의어를 구별하는 기준은 각각의 의미들 사이에 유사성이 있는가 하는 점이에요. '다리'라는 단어를 예로 들어 볼까요?

① 사람의 '다리' ② 책상의 '다리' ③ 강 위의 '다리'

사람의 다리와 책상의 다리는 물체의 아래쪽에서 윗부분을 받치고 있다는 관점에서 보면 유사한 점이 있어요. 그러나 강을 건너는 '다리'는 사람의 다리나 책상의 다리와는 아무런 유사점이 없어요. 그래서 ①과 ②는 다의 관계에 있고, ①과 ③, 그리고 ②와 ③은 동음이의 관계에 있다고 할 수 있어요.

또 다의어는 '하나의 단어가 지니는 다양한 의미'를 가지고 있으므로 사전에 실릴 때는 한 개의 단어로 실려요. 반면 동음이의어는 사전에 실릴 때 각각의 단어로 실려요.

잠깐 퀴즈 ▶▶ 10쪽

46. 다음 빈칸에 공통적으로 들어갈 알맞은 말을 쓰시오.

(1) • ☐☐이 복스럽다.
　• 그녀는 우리 학교의 ☐☐이다.
　• 영화 계에 새 로 운 ☐☐이 등장했다.
(2) • 바람이 ☐☐.
　• 공을 ☐☐.
　• 향기로 가득 ☐☐.

핵심만 쏙!

● ☐☐☐ : 의미를 가진 가장 작은 말의 단위. 더 이상 나누면 뜻을 잃어버린다.

자립성의 유무에 따라	☐☐ 형태소	홀로 쓰일 수 있는 형태소 ⑩ 동생, 나, 몰래, 사탕 등
	☐☐ 형태소	홀로 쓰이지 못하는 형태소 ⑩ 이, 을, 먹−, −었−, −다 등
의미와 기능에 따라	☐☐ 형태소	실질적인 의미를 지닌 형태소 ⑩ 동생, 나, 몰래, 사탕, 먹− 등
	☐☐ 형태소	문법적인 의미를 지닌 형태소 ⑩ 이, 을, −었−, −다 등

● **단어**: 문장에서 쓰일 수 있는 가장 작은 자립 형식

· ☐☐는 홀로 쓰일 수 없지만, 단어로 인정된다.

· 단어의 구성 요소

| 어근 | 단어의 실질적인 의미를 나타내는 실질 형태소
⑩ 사과, 나무, 가−, 오−, 지우− |
| 접사 | 어근의 앞이나 뒤에 붙어서 뜻을 더하거나 제한하는 형식 형태소
⑩ 풋−, 새−, −개, |

· 단어의 구성에 따른 분류

☐☐☐	하나의 어근으로 된 단어 ⑩ 사과, 나무, 가−, 오−, 지우−	
복합어	둘 이상의 어근이나, 어근과 접사의 결합으로 이루어진 단어	
	합성어	둘 이상의 어근으로 구성된 단어 ⑩ 사과나무(사과+나무), 오가다(오−+가다)
☐☐☐		어근과 ☐☐로 구성된 단어 ⑩ 풋사과(풋−+사과), 새파랗다(새−+파랗다) 지우개(지우−+−개)

● **합성어**: 둘 이상의 어근으로 구성된 단어

통사적 합성어	우리말의 일반적인 배열 순서에 따라 만들어진 합성어 예) 돌다리(돌+다리) 작은형(작-+-은+형) 돌아가-(돌-+-아+가-)	
⬜⬜⬜⬜ 합성어	우리말의 일반적인 배열에 어긋나는 합성어 예) 덮밥(덮-+밥), 먹거리(먹-+거리) 굶주리다(굶-+주리다), 오가다(오-+가다) 부슬비(부슬+비)	용언 어간+명사 용언 어간+용언 어간 부사+명사

● **파생어**: 어근과 접사로 구성된 단어

접사	접두사	어근의 앞에 붙어서 뜻을 더하는 형태소 어근의 품사를 바꾸지 않음. 예) 풋사과, 치솟다, 새파랗다 등
	⬜⬜⬜	어근의 뒤에 붙어서 뜻을 더하거나 기능을 표시하는 형태소 어근의 품사를 바꾸기도 함. 예) 지우개, 정답다, 걸음, 먹이다, 먹히다, 깨끗이 등

● **단어의 분류**

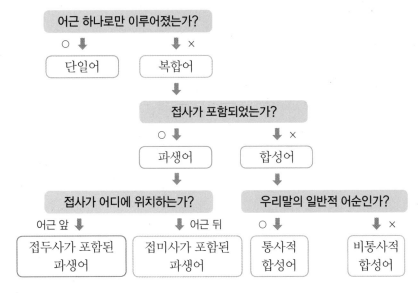

📑 형태소, 자립, 의존, 실질, 형식, 조사, 단일어, 파생어, 접사, 비통사적, 접미사

● **품사:** 단어를 문법적 성질의 공통성에 따라 분류해 놓은 갈래

• 품사의 분류 기준
① 단어의 [ ][ ]가 변하는가? 변하지 않는가?
② 단어가 문장에서 담당하는 [ ][ ]이 무엇인가?
③ 단어가 어떤 [ ][ ]를 가지고 있는가?

• 품사의 분류

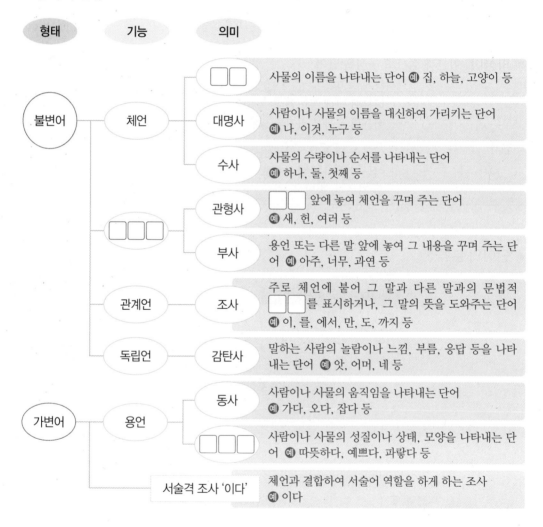

형태   기능   의미

불변어 — 체언 —
- [ ][ ] : 사물의 이름을 나타내는 단어 📵 집, 하늘, 고양이 등
- 대명사 : 사람이나 사물의 이름을 대신하여 가리키는 단어 📵 나, 이것, 누구 등
- 수사 : 사물의 수량이나 순서를 나타내는 단어 📵 하나, 둘, 첫째 등

[ ][ ][ ] —
- 관형사 : [ ][ ] 앞에 놓여 체언을 꾸며 주는 단어 📵 새, 헌, 여러 등
- 부사 : 용언 또는 다른 말 앞에 놓여 그 내용을 꾸며 주는 단어 📵 아주, 너무, 과연 등

관계언 — 조사 : 주로 체언에 붙어 그 말과 다른 말과의 문법적 [ ][ ]를 표시하거나, 그 말의 뜻을 도와주는 단어 📵 이, 를, 에서, 만, 도, 까지 등

독립언 — 감탄사 : 말하는 사람의 놀람이나 느낌, 부름, 응답 등을 나타내는 단어 📵 앗, 어머, 네 등

가변어 — 용언 —
- 동사 : 사람이나 사물의 움직임을 나타내는 단어 📵 가다, 오다, 잡다 등
- [ ][ ][ ] : 사람이나 사물의 성질이나 상태, 모양을 나타내는 단어 📵 따뜻하다, 예쁘다, 파랗다 등

서술격 조사 '이다' : 체언과 결합하여 서술어 역할을 하게 하는 조사 📵 이다

● [ ][ ] : 단어들을 공통된 성격에 따라 묶은 단어의 집합

● 어휘의 체계와 양상

- 단어의 유래에 따른 분류: 고유어, 한자어, 외래어
- 문화적 금기에 따른 구분: 금기어, 완곡어
- 둘 이상의 단어가 모여 특별한 의미를 가지는 경우: 관용어, 속담
- ☐☐ 방언: 지역에 따라 달라져 형성된 각 지방의 말
- 사회 방언: 성별, ☐☐, 직업 등 사회적 요인에 따라 각 집단에서 특징적으로 쓰는 말

유행어	• 비교적 짧은 시기에 걸쳐 여러 사람의 입에 오르내리는 말 • 당시 사건이나 사회 분위기, 사람들의 심리를 반영함. 예 대박, 깜놀, 갑분싸 등
☐☐	• 특정 집단의 구성원들끼리만 사용하는 말 • 비밀 유지가 목적이며, 집단에 대한 소속감과 동질감을 느끼게 함. 예 담탱이, 간지, 먹주 등
전문어	• 특정 분야의 전문적인 개념을 나타내기 위하여 사용하는 말 • 의미가 정밀하고 다의성이 적음. 예 레이아웃, 코마, 일사부재리의 원칙 등

→ 지나치게 사용할 경우 ☐☐☐☐에 지장을 줄 수 있음.

● 단어들의 의미 관계

유의 관계	서로 같거나 비슷한 의미를 가지는 관계 예 가끔 – 종종
☐☐ 관계	서로 반대의 의미를 가지는 관계 예 남자 – 여자, 덥다 – 춥다
상하 관계	한 단어가 다른 단어를 포함하는 관계 예 동물 – 개 – 진돗개
부분 – 전체 관계	한 단어가 다른 단어의 부분에 해당하는 관계 예 몸 – 팔 – 손 – 손톱
☐☐ 관계	한 단어의 여러 의미가 유사성을 가지는 관계 예 머리 ① 신체, ② 머리카락, ③ 두뇌
동음이의 관계	여러 의미 사이에 유사성은 없고 소리만 같은 말들 예 벽지를 바르다 – 생선 가시를 바르다 – 행동이 바르다

答 형태, 기능, 의미, 명사, 수식언, 체언, 관계, 형용사, 어휘, 지역, 세대, 은어, 의사소통, 반의, 다의

기본 익히기

📑 잘 모르겠다면 해당 쪽에서 다시 확인해 보세요.

01 다음 설명이 맞으면 O표, 틀리면 X표를 하시오.
전체

(1) 하나의 단어는 하나의 형태소로 이루어져 있다. ( )

(2) 실질적인 의미를 지닌 형태소는 모두 문장 내에서 홀로 쓰일 수 있다. ( )

(3) 하나의 어근으로 된 단어를 파생어라고 한다. ( )

(4) 품사란 단어를 문법적 성질이 같은 것끼리 분류해 놓은 갈래를 의미한다. ( )

(5) 수식언에는 관형사, 부사가 속한다. ( )

(6) 국어의 단어는 유래에 따라 고유어와 한자어, 외래어로 나눌 수 있다. ( )

(7) 은어와 전문어는 그것을 사용하는 집단 밖의 사람들이 쉽게 알아듣지 못한다. ( )

(8) 단어들의 의미가 거의 같거나 비슷할 때 그들이 다의 관계에 있다고 한다. ( )

🖊 주관식
02 다음 문장에 쓰인 형태소를 종류에 따라 나누어 쓰시오.
76쪽

> 나는 오늘 아주 재미있는 책을 읽었다.

(1) 자립 형태소:

(2) 의존 형태소:

(3) 실질 형태소:

(4) 형식 형태소:

🖊 주관식
03 다음 물음에 대한 답을 〈보기〉에서 골라 쓰시오.
76쪽

> ┤보기├
> 어머니 꽃밭 맨발 여닫이
> 국물 덮개 잔디 바느질

(1) 하나의 형태소로 이루어진 것은?

(2) 자립 형태소끼리 결합하여 이루어진 것은?

(3) 의존 형태소와 자립 형태소로 이루어진 것은?

(4) 의존 형태소와 의존 형태소로 이루어진 것은?

🖊 주관식
04 다음 문장이 각각 몇 개의 단어로 이루어져 있는지 쓰시오.
78쪽

(1) 나는 우리 선생님이 제일 좋다. ( )

(2) 오빠는 엄마를 닮았다. ( )

(3) 나는 내일 학교에 갈 것이다. ( )

🖊 주관식
05 다음 단어를 단일어와 복합어로 나누어 쓰시오.
81쪽

> 비빔밥 사과 색연필 다리 책꽂이 부엌
> 꽃잎 보름달 나무 도시락 먹다 먹이다

(1) 단일어:

(2) 복합어:

06 다음 중 합성어를 찾아 O표를 하시오.
82쪽

> 책가방 김밥 지우개 눈사람
> 돌다리 검붉다 부채질 산나물
> 밥상 솜이불 헛소리 덧버선

07
(85쪽)

의미상 서로 어울리는 접사와 어근을 찾아 바르게 연결하시오.

(1) 개-　　　　　　　㉠ 떡
(2) 맨-　　　　　　　㉡ 겨울
(3) 한-　　　　　　　㉢ 땅
(4) 정　　　　　　　　㉣ -개
(5) 놀-　　　　　　　㉤ -답다
(6) 날-　　　　　　　㉥ -이

08
(89쪽)

다음 ㉠에 해당하는 예로 적절한 것은?

단어를 문법적 성질의 공통성에 따라 분류해 놓은 갈래를 품사라고 한다. 어떤 단어의 형태가 변하는가, 변하지 않는가 하는 것은 품사 분류의 기준 중 하나이다. 이때 형태가 변하는 것을 ㉠가변어라고 하고, 형태가 변하지 않는 것을 불변어라고 한다.

① 맨　　　② 바다　　　③ 빨리
④ 읽다　　⑤ 어머나

09
(94쪽)

다음 중 대명사를 모두 고르시오.

① 딸　　　② 둘　　　③ 저기
④ 사람　　⑤ 누구

10
(93쪽)

다음 중 의존 명사가 사용된 문장이 아닌 것은?

① 살다 보면 그럴 수도 있지.
② 새 집이 더할 나위 없이 좋다.
③ 나를 알아주는 사람은 너밖에 없다.
④ 그 소식을 들으니 그저 기쁠 따름이다.
⑤ 건축에 관한 책 세 권을 추천해 주세요.

11
(97쪽)

다음 밑줄 친 조사 중 앞말에 특별한 뜻을 더해 주는 역할을 하는 것은?

① 날씨가 매우 춥다.
② 부모님께 편지를 썼다.
③ 민수도 캠프장에 갔다.
④ 이것이 선물 받은 시계이다.
⑤ 철수가 신문을 쓰레기통에 버렸다.

12
(100쪽)

다음 중 형용사가 아닌 것은?

① 없다　　　② 젊다　　　③ 마시다
④ 파랗다　　⑤ 고요하다

🖉 주관식
13
(99쪽)

다음 용언의 활용형을 세 개 이상 쓰시오.

(1) 날다　　　(　　　　　　　)
(2) 아름답다　(　　　　　　　)
(3) 푸르다　　(　　　　　　　)
(4) 돕다　　　(　　　　　　　)

🖉 주관식
14
(103쪽)

다음 문장에서 수식언을 모두 찾고, 그 수식언의 품사를 각각 쓰시오.

(1) 누나는 새 책을 선물로 받았다.
　• 수식언:
　• 품사:
(2) 계주를 할 때 민희가 아주 빨리 달렸다.
　• 수식언:
　• 품사:

기본 익히기

15 다음 문장에서 감탄사를 찾아 O표를 하시오.

(107쪽)

(1) 아이고, 저런! 참 딱하구나.

(2) 네, 잘 알겠습니다.

(3) 그게 무슨 소리냐, 응?

16 다음 중 어휘 체계에 대한 설명으로 적절하지 <u>않</u>은 것은?

(108쪽)

① 금기어란 불길하거나 불쾌한 것을 나타내서 사람들이 피하고자 하는 단어이다.

② 전문어란 둘 이상의 단어가 합쳐져 하나의 관습적인 의미로 사용되는 말이다.

③ 유행어는 당대 사회의 분위기, 사람들의 심리를 반영하여 '시대의 거울'이라고도 한다.

④ 은어를 사용하면 집단에 대한 소속감을 느끼게 된다.

⑤ 유행어, 은어, 전문어를 너무 많이 사용하면 의사소통에 지장을 줄 수 있다.

주관식

17 〈보기〉에서 알맞은 말을 찾아 관용어 또는 속담을 완성하시오.

(111쪽)

┤보기├

| 비지떡 | 바가지 | 발 |
| 버릇 | 떡잎 | 가랑비 | 시치미 |

(1) (　　　)이 넓다.

(2) 싼 게 (　　　).

(3) (　　　)에 옷 젖는 줄 모른다.

(4) (　　　) 떼지 마.

(5) (　　　)를 쓰다.

(6) 세 살 (　　　) 여든까지 간다.

(7) 잘 자랄 나무는 (　　　)부터 안다.

18 다음 유의 관계에 있는 단어들 중 문맥에 맞는 단어를 고르시오.

(116쪽)

(1) 굴 (껍질 / 껍데기)

(2) 할아버지, (밥 / 진지) 잡수세요.

(3) 사람들 (틈 / 간격)에 끼다.

(4) 벼 이삭은 익을수록 (고개 / 머리)를 숙인다.

19 다음 중 반의 관계가 <u>아닌</u> 것은?

(117쪽)

① 맑다 – 흐리다

② 좋다 – 싫다

③ 서다 – 멈추다

④ 빌리다 – 빌려주다

⑤ 좋다 – 나쁘다

20 다음 밑줄 친 두 단어의 관계가 동음이의 관계인 것은?

(119쪽)

① <u>손</u>을 뻗다. / <u>손</u>이 부족하다.

② <u>벌</u>에 쏘이다. / <u>벌</u>을 받다.

③ 기온이 <u>높다</u>. / 콧대가 <u>높다</u>.

④ <u>머리</u>가 아프다. / <u>머리</u>를 감다.

⑤ <u>아침</u>이 밝아 온다. / <u>아침</u>을 먹다.

실력 키우기

01 〈보기〉를 참고할 때 다음 문장에 대한 설명으로 적절하지 <u>않은</u> 것은?

┃보기┃

형태소는 문법 단위 중에서 가장 작은 단위이다. 즉 '뜻을 가진 가장 작은 단위'라고 할 수 있다. 형태소를 나누는 몇 가지 기준 중 하나는 문장에서 단독으로 쓰일 수 있느냐이다. 단독으로 쓰일 수 있는 것을 자립 형태소, 그렇지 못한 것을 의존 형태소라고 한다.

나는 동생과 눈사람을 만들었다.

① '나는'은 자립 형태소와 의존 형태소로 구성되었다.
② '눈사람을'은 세 개의 형태소로 구성되었다.
③ '만들었다'는 자립 형태소와 의존 형태소로 구성되었다.
④ '는', '과', '을'은 의존 형태소이다.
⑤ '눈', '사람'은 자립 형태소이다.

02 다음 중 형태소 분석이 <u>잘못된</u> 것은?

① 낚시 → 낚- / -시
② 고무신 → 고무 / 신
③ 또다시 → 또 / 다시
④ 검푸르다 → 검- / 푸르- / -다
⑤ 휘날리다 → 휘- / 날- / -리- / -다

03 〈보기〉의 문장에 쓰인 형태소의 성격에 대한 설명으로 적절하지 <u>않은</u> 것은?

┃보기┃

㉠ 나는 어제 학교에 갔다.
㉡ 얼마 만에 보는 맑은 하늘이냐?
㉢ 내일은 비가 오겠다.

① ㉠의 '가-'는 구체적인 동작을 나타내는 동사의 어간이므로 실질 형태소이다.
② ㉠의 '학교'는 구체적인 대상을 나타내므로 실질 형태소이다.
③ ㉡의 '맑은'은 의존 형태소와 의존 형태소가 결합한 것이다.
④ ㉢의 '은'과 '가'는 문법적 의미를 나타내므로 실질 형태소이다.
⑤ ㉢의 '-겠-'은 추측의 문법적 의미를 나타내므로 형식 형태소이다.

04 다음 밑줄 친 부분의 공통점으로 적절하지 <u>않은</u> 것은?

• 꽃이 피고, 새<u>가</u> 운다.
• 창문을 열었더니, 햇빛이 무척 밝<u>았</u>다.

① 더 분석될 수 없는 뜻을 가진 가장 작은 단위이다.
② 실질적 의미가 아닌 문법적 의미를 나타낸다.
③ 음운 환경에 따라 형태가 바뀌어 나타난다.
④ 반드시 다른 말과 결합하여 나타난다.
⑤ 단어의 자격을 가진다.

05 다음 중 명사가 <u>아닌</u> 품사들이 결합하여 형성된 합성 명사는?

① 잘못   ② 새것   ③ 요사이

④ 오늘날   ⑤ 갈림길

06 다음 중 접사가 어근 뒤에 붙어 어근의 품사가 바뀐 것은?

① 지우개   ② 앞서다   ③ 군소리

④ 휘두르다   ⑤ 사이사이

07 〈보기〉를 참고할 때 밑줄 친 단어의 성격이 <u>다른</u> 하나는?

┤보기├

　단어를 형성할 때 실질적인 의미를 나타내는 중심 부분을 어근이라고 하며 어근에 붙어 그 뜻을 제한하는 주변 부분은 접사라고 한다. 복합어는 둘 이상의 어근 혹은 어근과 접사로 이루어진 단어를 말하는데, 단어 형성 방법에 따라 합성어와 파생어로 나뉜다. 합성어는 두 개 이상의 어근이 결합한 것으로 접사 없이 어근과 어근이 직접 합쳐져서 만들어진 단어를 말하며, 파생어는 어근의 앞이나 뒤에 접사가 붙어서 만들어진 단어를 말한다.

① 어머니의 <u>참뜻</u>을 이제야 깨달았다.

② 가을이라 <u>햇곡식</u>이 들판에 넘친다.

③ 그 사람의 <u>마음씨</u>가 얼마나 고운지 모른다.

④ 눈빛을 보니 진짜 <u>장난꾸러기</u>가 틀림없다.

⑤ 성적이 좋지 않아서 지금 <u>바늘방석</u>에 앉은 것 같다.

08 다음 밑줄 친 단어 중 비통사적 합성어인 것은?

① 당시 그 나라에는 도적이 <u>들끓었다</u>.

② 그는 눈을 <u>치뜨고</u> 정면을 응시하였다.

③ 사람들이 거리를 <u>오가는</u> 소리가 들렸다.

④ 요즘은 <u>한겨울</u>이라 관광객이 많이 줄었다.

⑤ 망치질을 자주 하다 보니 손바닥에 <u>굳은살</u>이 박였다.

09 〈보기〉의 밑줄 친 단어의 품사에 대한 설명으로 적절하지 <u>않은</u> 것은?

┤보기├

　㉠<u>산모퉁이</u>를 돌아 ㉡<u>외딴</u> 우물을 ㉢<u>홀로</u> ㉣<u>찾아가선</u> ㉤<u>가만히</u> 들여다봅니다.

① ㉠: 사물의 이름을 나타낸다.

② ㉡: 체언 앞에 놓여 그 내용을 꾸민다.

③ ㉢: 용언 또는 다른 말 앞에 놓여 그 내용을 꾸민다.

④ ㉣: 사람이나 사물의 움직임을 나타낸다.

⑤ ㉤: 사람이나 사물의 상태나 성질을 나타낸다.

10 다음 밑줄 친 단어 중 품사가 <u>다른</u> 하나는?

① 학생 <u>하나</u>가 찾아왔어요.

② 친구 <u>둘</u>이 함께 걸어간다.

③ 아주머니, 사과 <u>세</u> 개만 주세요.

④ 친구 <u>네다섯</u>과 여행을 가려고 해.

⑤ 달리기 시합에서 <u>셋째</u>로 들어왔다.

11 〈보기〉의 ㉠~㉤에 대한 설명으로 적절하지 않은 것은?

┃보기┃
철수: 영희야, 안녕! 어, 손에 들고 있는 ㉠그것은 뭐니?

영희: 응, ㉡이것은 서양 미술에 관한 책이야. 재미있어 보여서 아까 ㉢저기 서점에서 샀어.

철수: 그렇구나. ㉣우리 누나도 그림 좋아하는데. 그래서 우리 집에도 미술에 관한 책이 많이 있어.

영희: 아, 정말? ㉤그것들을 좀 빌려 볼 수 있을까?

철수: 아마도 될 거야. 누나한테 물어볼게.

① ㉠은 듣는 사람에게 가까이 있는 대상, 곧 영희가 들고 있는 책을 가리킨다.

② ㉡은 말하는 사람에게 가까이 있는 대상, 곧 영희가 들고 있는 책을 가리킨다.

③ ㉢은 듣는 사람에게 가까이 있는 장소를 가리킨다.

④ ㉣은 듣는 사람을 포함하지 않고 있다.

⑤ ㉤은 대화 상황에서 앞서 언급한 대상, 곧 철수의 집에 있는 책을 가리킨다.

12 다음 밑줄 친 부분에 해당하는 예로 적절하지 않은 것은?

조사는 다른 말에 붙어서 앞말과 다른 말과의 문법적 관계를 나타내 주거나, 앞말에 어떤 특별한 의미를 더해 준다.

① 너에게 말해 주는 거야.

② 친구들이 운동장에 모여 있다.

③ 나는 국어를 좋아한다.

④ 정부가 조사 결과를 발표하였다.

⑤ 우리의 소원은 통일

13 다음 밑줄 친 부사 중 문장 전체를 꾸며 주는 기능을 하는 것은?

① 영희는 글씨를 잘 쓴다.

② 민희가 아주 빨리 달린다.

③ 과연 그 사람은 그 일을 할 것인가?

④ 나는 내일 친구를 만난다.

⑤ 아무도 그를 못 말린다.

14 다음 중 감탄사의 특징으로 적절하지 않은 것은?

① 형태가 변하지 않고, 조사와 결합하지 않는다.

② 문장에서 다른 말들과 관련이 적고, 독립적으로 사용된다.

③ 대답을 할 때 쓰는 '예', '아니오'는 감탄사에 속한다.

④ '윤아야!'와 같이 명사에 호격 조사를 결합하면 감탄사가 된다.

⑤ 감정을 넣어 말하는 사람의 놀람, 느낌, 부름이나 대답을 나타낸다.

15 다음 중 국어 어휘의 특징으로 적절하지 않은 것은?

① 국어의 어휘는 유래에 따라 고유어, 한자어, 외래어로 나눌 수 있다.

② 전문적이고 정확한 의미를 전달하는 글에서는 고유어를 사용하는 것이 효과적이다.

③ 한자어 중에는 '감기(感氣), 사돈(査頓)'과 같이 우리나라에서 만든 것도 있다.

④ 비슷한 의미를 지닌 고유어와 한자어는 유의 관계를 이룬다.

⑤ 새로운 문물이 들어오면서 새로운 단어가 들어오기도 한다.

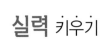

16 다음 밑줄 친 표현 중 단어 본래의 의미 이상의 특별한 의미를 지녔다고 볼 수 <u>없는</u> 것은?

① 그 사람은 정말 <u>앞뒤</u>가 다르다.

② 오늘 아침에 맛있는 <u>미역국</u>을 먹었다.

③ 그는 공사판에서 <u>잔뼈</u>가 굵은 사람이다.

④ 그는 도둑질을 하다가 <u>덜미</u>를 잡혀 경찰서에 끌려갔다.

⑤ 그는 어찌나 <u>얼굴이 두꺼운지</u> 툭하면 찾아와 어려운 부탁을 했다.

17 🖊주관식

다음 빈칸에 공통으로 들어갈 수 있는 동사를 쓰시오.

> • 양심을 (　　　).
> • 범인을 잡는 데 현상금을 (　　　).
> • 지나가는 사람에게 시비를 (　　　).
> • 그는 부당 해고라고 회사에 소송을 (　　　).

18 다음 밑줄 친 부분이 〈보기〉의 ㉠과 가장 의미적으로 유사한 의미로 쓰인 것은?

> ┤보기├
> 이 버스에 ㉠<u>타신</u> 승객 여러분께 안내 말씀 드리겠습니다.

① 부모님께 용돈을 <u>탔다</u>.

② 땡볕에 얼굴이 새까맣게 <u>탔다</u>.

③ 재판의 결과는 전파를 <u>타고</u> 빠르게 퍼져 나갔다.

④ 운명을 잘 <u>타고</u> 태어났는지 하는 일마다 운수 대통이다.

⑤ 우리 집 강아지는 동네 사람들의 손을 자주 <u>타서</u>인지 잘 자라지 않는다.

19~20 다음을 읽고 물음에 답하시오.

> 해양학자들은 바닷속에 각종 ㉠센서를 설치해 온도나 염류의 성분 변화 등 다양한 정보를 얻는다. 그런데 이 센서들은 기본적으로 전기로 작동하기 때문에 정기적으로 배터리를 교체해 줘야 한다. 이 작업은 시간도 많이 들고 경비 또한 ㉡만만치 않다. 먼바다에 설치해 둔 센서의 배터리를 교체하기란 쉽지 않은 일이기 때문이다.
> 과학자들은 이 문제의 해답을 미생물에서 찾고 있다. 미생물은 유기물을 분해하는 과정에서 전자를 발생시키는데 이 전자를 ㉢뽑아내면 바로 전기가 된다. 즉 미생물이 배터리 구실을 할 수 있다는 의미이다.
> 미생물 연료 전지는 바다 밑 토양의 유기물을 분해하는 미생물들을 이용해 전기를 생산한다. 바다 밑 토양에는 항상 유기물들이 ㉣침전되어 연료 또한 풍족한 셈이므로 이론적으로 전지는 ㉤영구적으로 작동한다. 미생물로 영구적인 전지도 얻고 시간과 비용도 절약할 수 있으니 그야말로 (　@　) 셈이다.
> – 《매일경제》, 2002년 7월 23일 자에서

19 다음 중 ㉠~㉤과 바꾸어 쓸 수 <u>없는</u> 것은?

① ㉠: 감지기　　② ㉡: 상당하다

③ ㉢: 선별하면　④ ㉣: 쌓이게 돼

⑤ ㉤: 무한히

20 다음 중 @에 들어갈 수 있는 속담으로 적절한 것은?

① 간에 붙었다 쓸개에 붙었다 하는

② 밑 빠진 독에 물 붓는

③ 소 뒷걸음질 치다 쥐 잡는

④ 바늘 가는 데 실 가는

⑤ 도랑 치고 가재 잡는

21 다음 중 어휘 관계에 대한 설명으로 적절하지 않은 것은?

① '메아리'와 '산울림'은 유의 관계에 있다.

② 반의 관계에 있는 어휘들은 오직 한 개의 의미 요소에서만 차이를 보인다.

③ 사람의 '다리'와 책상의 '다리'는 다의 관계에 있다.

④ 벽지를 '바르다'와 행동이 '바르다'는 의미상 관련성이 없으므로 다의 관계이다.

⑤ '식물'은 '꽃'의 상위어이며, '무궁화'는 '꽃'의 하위어이다.

22 다음 ㉠, ㉡에 나타난 국어의 복수 인칭 대명사 '우리'의 특징을 각각 쓰시오.

> (수빈, 나경, 세은이 대화를 하고 있다.)
> 수빈: 나경아, 머리핀 못 보던 거네. 예쁘다.
> 나경: 고마워. 우리 엄마가 얼마 전 새로 생긴 선물 가게에서 사 주셨어.
> 세은: 너희 어머니 참 자상하시네. 나도 그런 머리핀 하나 사고 싶은데 ㉠우리 셋이 지금 사러 갈까?
> 수빈: 미안해. 나도 같이 가고 싶은데 ㉡우리 집에 일이 있어 못 갈 것 같아.
> 세은: 그래? 그럼 할 수 없네. 오늘은 나경이랑 둘이 다녀올게.
> 나경: 그래, 수빈아. 다음엔 꼭 우리 다 같이 가자.

	'우리'의 특징
㉠	
㉡	

23 〈보기〉의 ㉠, ㉡에 해당하는 예로 적절한 것은?

┤보기├

> 학생: 선생님, 다음 두 문장을 보면 모두 '가깝다'가 쓰였는데 의미가 좀 다른 것 같아요.
>
> (1) 우리 집은 학교에서 가깝다.
> (2) 그의 말은 거의 사실에 가깝다.
>
> 선생님: (1)의 '가깝다'는 '어느 한 곳에서 다른 곳까지의 거리가 짧음'을 뜻하고, (2)의 '가깝다'는 '성질이나 특성이 기준이 되는 것과 비슷함'을 뜻한단다. 이는 본래 ㉠공간과 관련된 중심적 의미를 지니던 것이 ㉡추상화되어 주변적 의미도 지니게 된 것이라고 할 수 있지.
> 학생: 아, 그렇군요. 그러면 '가깝다'는 여러 의미를 지닌 단어로군요.
> 선생님: 그렇지. 그래서 '가깝다'는 다의어란다.

	㉠	㉡
①	물은 낮은 곳으로 흐른다.	환경에 대한 관심도가 낮다.
②	그는 성공할 가능성이 크다.	힘든 만큼 기쁨이 큰 법이다.
③	두 팔을 최대한 넓게 벌렸다.	도로 폭이 넓어서 좋다.
④	내 좁은 소견을 말씀드렸다.	마음이 좁아서는 곤란하다.
⑤	작은 힘이라도 보태고 싶다.	우리 학교는 운동장이 작다.

IV

문장과 담화

이 장에서는 문장을 구성하는 여러 가지 성분을 배워 보고 그런 성분들을 통해 문장이 어떻게 구성되는지, 상황에 따라 문장을 정확하게 쓰려면 어떻게 해야 하는지 알아보도록 합시다.

한눈에 쏙!

문장 성분

우리는 '문장'이라는 말을 아주 익숙하게 사용하고 있어요. 물론 '문장'이라는 단어도 이미 알고 있지요. '문장이 너무 길다.', '문장이 어렵다.' 등의 말을 쓰면서 막연하게 그 개념도 알고 있었을 거예요. 그런데 누군가 문장이 무엇이냐고 물어보면 어떻게 답할 수 있을까요?

다음을 보세요. 이것은 문장일까요?

• 나 철수 공부   • 영희 되다

네, 이것들은 문장이 아닌 단어의 나열일 뿐이에요. 그러면 다음은 문장일까요?

• 나는 철수와 공부했다.   • 영희는 선생님이 되었다.

그래요. 이것들은 단어 사이의 관계를 나타내는 조사, 동사나 형용사 등을 이용해 정확한 생각을 표현한 문장이에요. **'문장'**이란 이렇게 생각을 완성해서 전달할 수 있는 최소의 단위를 가리키는 말이랍니다.

일반적으로는 여러 개의 단어들이 모여서 한 문장을 이루지만 단 하나의 단어가 문장이 될 수도 있어요. "네.", "아니오."와 같은 짧은 대답도 여러분의 생각을 나타내 주는 문장이거든요. 또 누군가 질문을 할 때 "왜?"라고 묻는 말도 문장이라고 할 수 있어요. 의미만 충분하다면, 단 한 개의 단어도 문장이 될 수 있어요. 분명한 것은 단어의 개수가 많든 적든, 여러분의 생각과 감정을 잘 전달할 수 있어야 좋은 문장이라는 사실이에요.

또 문장에는 문장이 끝났다는 것을 알려 주는 표지가 있어요. 글을 쓸 때 문장이 끝날 때마다 찍어 주는 마침표, 즉 '온점(.), 물음표(?), 느낌표(!)'들이 표지예요.

지금까지 우리는 문장이 무엇인지 배웠어요. 그런데 문장은 도대체 어떤 요소로 이루어져 있을까요?

재료만 늘어놓는다고 음식이 되는 게 아니듯이 단어만 나열한다고 문장이 되는 것은 아니야.

● 표지: 어떤 사실을 알리거나 사물을 다른 것과 구별하게 하는 표시나 특징.

잠깐 퀴즈   ▶▶ 15쪽

1. 다음 중 문장이 아닌 것은?

① 공부 불
② 불이야!
③ 아니오.
④ 왜?
⑤ 네.

문장을 구성하는 단위는 무엇일까

■ 어절

우리가 문장이라고 부르는 것을 자세히 들여다보면 특징적인 모습이 보여요. 바로 띄어쓰기예요.

내 친구는 잠을 많이 잔다.

그림에 나온 말을 문장으로 써 볼게요. 띄어쓰기가 몇 번이나 되어 있지요?

띄어쓰기가 제대로 안 된 문장은 뜻이 명확하지 않아.

내✓친구는✓잠을✓많이✓잔다.

네, 전부 네 번의 띄어쓰기가 되어 있어요. 그리고 다섯 개의 도막으로 나누어져요. 이렇게 띄어 쓰는 단위로 나누어진 도막을 바로 **어절**이라고 해요. 이 어절은 문장의 성분을 나누는 기준이 되고, 문장의 기본 단위가 된답니다. 따라서 위의 문장은 '내, 친구는, 잠을, 많이, 잔다' 이렇게 다섯 개의 어절로 이루어졌다고 말할 수 있어요.

■ 구

구는 두 개 이상의 어절이 모여서 하나의 단어처럼 쓰인 것을 뜻해요. 이러한 구가 주어, 서술어의 역할을 할 수도 있어요.

내 친구가 잠을 많이 잔다.
　명사구　　　　　　동사구

여기서 '내'와 '친구는'은 두 어절이 모여 주어의 역할을 하는 명사구를 이루고, '많이'와 '잔다'는 두 어절이 모여 서술어의 역할을 하는 동사구를 이루었어요.

잠깐 퀴즈　　▶▶ 15쪽

2. 다음 문장은 몇 개의 어절로 이루어졌는지 쓰시오.

> 내 친구는 책 두 권을 샀다.

■ 절

구보다도 더 큰 단위가 있는데 바로 '절'이에요. 절 또한 두 개 이상의 어절이 모여서 이루어지지만 구와 달리 하나의 문장처럼 주어와 서술어를 갖는 것이 특징이에요. 하지만 독립된 문장이 아니라 문장의 일부분으로 쓰인다는 점이 문장과 달라요.

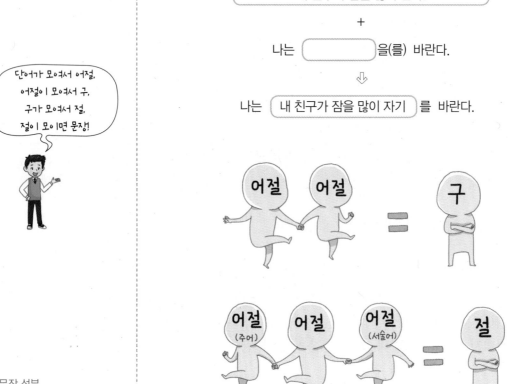

> 내 친구가 잠을 많이 잔다.
>
> +
>
> 나는 [　　　　　]을(를) 바란다.
>
> ⇩
>
> 나는 [내 친구가 잠을 많이 자기]를 바란다.

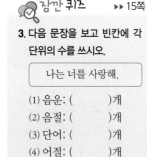

단어가 모여서 어절,
어절이 모여서 구,
구가 모여서 절,
절이 모이면 문장!

◆ 문장 성분
문장을 구성하는 요소로서 문장 안에서 일정한 문법적인 기능을 하는 부분. 주성분, 부속 성분, 독립 성분으로 나뉜다.

잠깐 퀴즈 ▶▶ 15쪽

3. 다음 문장을 보고 빈칸에 각 단위의 수를 쓰시오.

나는 너를 사랑해.

(1) 음운: (　　　　)개
(2) 음절: (　　　　)개
(3) 단어: (　　　　)개
(4) 어절: (　　　　)개

각각의 문장 성분은 어떤 역할을 할까

어절, 구, 절은 문장 안에서의 역할에 따라 크게 주성분, 부속 성분, 독립 성분으로 나눌 수 있어요. 주성분은 문장의 기본 틀을 이루는 성분이고, 부속 성분은 주성분을 꾸며 주는 성분, 그리고 독립 성분은 다른 문장 성분과 직접적인 관련이 없는 성분이에요.

■ 주성분

주성분이 될 수 있는 것은 주어, 서술어, 목적어, 보어예요.

① 주어

문장에서 서술하는 행위의 주체를 '**주어**'라고 해요. 주어는 문장에서 움직임이나 상태, 성질을 나타내는 말의 주체를 나타내는 것이지요.

> 누가(무엇이) 무엇이다.
> 누가(무엇이) 어찌하다.
> 누가(무엇이) 어떠하다.

이때, '누가(무엇이)'에 해당하는 것이 주어입니다.

• 밥이 보약이다.
• 동생이 일어났다.
• 다리가 저리다.

다리가 저리다.

이 문장들에서 주어를 찾을 수 있나요? 네, '밥이', '동생이', '다리가'예요. 주어는 주로 체언(명사, 대명사, 수사) 또는 명사의 성격을 갖는 구나 절에 조사 '이/가'가 붙은 모습으로♦ 나타나요. ↻97쪽 다음과 같이 말이지요.

• 하나가 모자란다. (체언)
• 오른쪽 다리가 저리다. (명사구)
• 어제 내린 눈이 아주 보드라웠다. (명사구)

오른쪽 다리가 저리다.

오른쪽 다리

② 서술어

문장에는 주어의 움직임이나 상태, 성질 등을 풀이해 주는 말들이 있어요. 이것을 **서술어**라고 해요.

> 누가(무엇이) 무엇이다.
> 누가(무엇이) 어찌하다.
> 누가(무엇이) 어떠하다.

♦주어에 '이/가' 이외의 조사가 붙는 경우
• 아버지께서 일찍 일어나셨다. (높임말에서)
• 검찰에서 이번 사건을 수사하고 있다. (단체 뒤에서)

잠깐 퀴즈 ▶▶ 15쪽

4. 다음 문장에서 주어를 찾아 쓰시오.
(1) 형이 시험을 망쳤다.
(2) 아빠가 설거지를 하신다.
(3) 친구들이 편지를 보냈다.

이때 '무엇이다', '어찌하다', '어떠하다'에 해당하는 것이 '서술어'예요.

- 밥이 <u>보약이다</u>.
- 동생이 <u>일어났다</u>.
- 다리가 <u>저리다</u>.

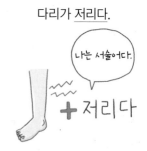

다리가 <u>저리다</u>.

따라서 위의 문장에서는 '보약이다', '일어났다', '저리다'가 서술어예요. 서술어가 될 수 있는 것은 동사와 형용사 같은 용언, 그리고 유일하게 활용을 하는 조사인 '이다'예요. ◯91쪽, 97쪽 물론 '이다'는 조사니까 '체언'과 함께 쓰이지요.

- 밥이 <u>보약이다</u>. (체언+서술격 조사)
- 동생이 <u>일어났다</u>. (용언(동사))
- 다리가 <u>저리다</u>. (용언(형용사))

다리가 <u>저리다</u>.

서술어는 문장에서 중요한 위치를 차지해요. 서술어에 따라 반드시 필요한 문장 성분이 달라지기 때문이에요.

- 바람이 <u>분다</u>.
- 아버지가 진지를 <u>잡수셨다</u>.
- 선생님께서 완득이를 제자로 <u>삼으셨다</u>.

'분다'가 필요로 하는 문장 성분은 몇 개일까요? 네, 주어 하나예요. '잡수셨다'는요? 잡수시는 분이 누구인지, 또 잡수시는 음식이 무엇인지 알아야 하니 주어와 목적어, 두 개가 필요하겠네요. '삼았다'는 '누가', '무엇을(누구를)', '무엇으로'와 같이 세 개의 성분이 필요해요.

이처럼 서술어는 성격에 따라서 반드시 필요한 문장 성분이 정해져 있는데, 서술어가 필요로 하는 문장 성분의 개수를 서술어의 자릿수라고 불러요.

서술어에 따라 자릿수가 달라.

서술어는 반드시 필요한 문장 성분과 자릿수를 결정해.

▶▶ 15쪽

잠깐 퀴즈

5. 다음 문장에 밑줄 친 서술어는 각각 몇 자리 서술어인지 쓰시오.
(1) 형이 나에게 용돈을 <u>주었다</u>. (   )
(2) 언니가 밥을 <u>먹는다</u>. (   )
(3) 팔이 <u>아프다</u>. (   )

③ 목적어

문장에서 서술어가 '무엇을' 어찌하는지 그 내용을 나타내 주는 문장 성분을 '**목적어**'라고 불러요. 서술어의 동작 대상이 되는 문장 성분이지요. 목적어는 주로 명사, 대명사, 수사 같은 체언에 조사 '을/를'을 붙여서 만들어요. ○97쪽 구나 절도 목적어가 될 수 있는데, 이때에도 목적격 조사 '을/를'이 붙지요.

- 나는 <u>사과를</u> 먹었어. (체언+목적격 조사)
- 그는 <u>온갖 과일을</u> 좋아한다. (명사구)
- 우리는 <u>그가 떠났음을</u> 깨달았다. (명사절)

④ 보어

주어가 아닌데도 조사 '이/가'가 붙어 만들어지는 문장이 있어요.

- 물은 <u>나무가</u> 아니다.
- 나는 <u>가수가</u> 되었다.

'되다', '아니다'를 완성시키는 것이 보어야

여기서 '나무'와 '가수'는 주어가 아닌데도 '이/가'가 붙어 있어요. 그리고 서술어인 '되다', '아니다'를 보충해 주는 역할을 하고 있어요. 이런 성분을 '**보어**'라고 해요. 보어는 '되다', '아니다' 두 서술어가 올 때 '무엇이 되고', '무엇이 아닌지' 나타내 주는 문장 성분이에요.

지금까지 배운 주어, 서술어, 목적어, 보어는 문장을 이루는 데 꼭 필요한 성분이기 때문에 문장의 주성분이라고 해요.

우리는 문장의 주성분!

주어   목적어   보어   서술어

조사는 형식 형태소로 체언의 문장 성분을 결정해.

◆ '되다', '아니다'는 주어 외에 항상 보어를 필요로 하는 두 자리 서술어이다.

잠깐 퀴즈   ▶▶ 15쪽

6. 다음 밑줄 친 부분 중 문장의 주성분에 해당하지 <u>않는</u> 것은?

① 나는 <u>고기를</u> 샀다.
② 나는 <u>사과를</u> 먹었다.
③ 나는 <u>학교로</u> 뛰었다.
④ 언니가 <u>동생을</u> 울렸다.
⑤ 언니는 <u>반장이</u> 되었다.

●부속: 어떤 사실을 알리거나 사물을 다른 것과 구별하게 하는 표시나 특징.

■ 부속 성분

부속 성분이란 주로 주성분을 꾸며 주는 역할을 하는 문장 성분이에요.

㉮ 엄마는 <u>새</u> 신발을 꺼내 주셨다.
㉯ 내가 찾은 게 바로 <u>이거야</u>!

㉮에서 '새'는 '신발'을 꾸며 주고, ㉯에서 '바로'는 '이거야'를 꾸며 주고 있어요. 그러면 부속 성분인 '새'와 '바로'를 없애 볼까요?

㉮ 엄마는 신발을 꺼내 주셨다.
㉯ 내가 찾은 게 이거야!

부속 성분이 있어야 문장의 느낌이 풍부해져.

어딘지 허전해……

부속 성분이 없어도 문장은 이루어지는군요. 그렇다면 부속 성분은 문장에서 중요하지 않은 걸까요?

그건 아니에요. 주성분은 문장의 기본 틀을 이룰 수는 있지만 그것만으로는 말하고자 하는 바를 정확하게 표현하기가 어렵지요. 부속 성분을 넣어야 전하려는 내용을 좀 더 정확하게 문장으로 만들 수 있어요.

부속 성분에는 관형어와 부사어 두 가지가 있어요.

① 관형어

'관형어'는 체언을 꾸며 주는 역할을 하는 문장 성분이에요. 관형사, 체언에 관형격 조사 '의'가 붙은 형태, 용언에 관형사형 어미 '-(으)ㄴ', '-는', '-던', '-(으)ㄹ'이 붙은 형태가 관형어 역할을 할 수 있어요. 또한 체언이 뒤에 오는 체언을 바로 꾸며 줌으로써 관형어 역할을 할 수도 있어요.

◆관형어의 형태
• 관형사
• 체언+'의'
• 용언+'-(으)ㄴ, -는, -던, -(으)ㄹ'
• 체언

• 아저씨는 <u>헌</u> 집을 헐었다. (관형사)
• 그는 <u>시골의</u> 풍경을 좋아한다. (체언+관형격 조사 '의')
• 가을은 낙엽이 <u>지는</u> 계절이다.
  (용언+관형사형 어미 '-(으)ㄴ', '-는', '-던', '-(으)ㄹ')
• <u>우리나라</u> 여름은 덥고 습하다. (체언이 체언을 꾸밈.)

잠깐 퀴즈   ▶▶ 15쪽

7. 다음 문장에서 관형어를 찾아 ○표 하시오.
(1) 이모는 새 집으로 이사를 갔다.
(2) 그는 도시의 풍경을 좋아한다.

관형어가 부속 성분이기는 하지만 문장에서 절대로 빠져서는 안 되는 경우가 있어요. 바로 의존 명사와 함께 쓰일 때예요. 의존 명사는 홀로 쓰일 수 없는 단어이기 때문에 관형어가 꼭 필요해요. ⟳93쪽

우리는 서로 꼭 필요해!

관형어 의존 명사

<u>나쁜</u> 것은 가져가지 마라.

이 문장에서 '것'은 의존 명사라 홀로 쓰일 수 없기 때문에, '나쁜'이라는 관형어가 반드시 필요한 것이지요.

또 관형어는 여러 개가 겹쳐서 쓰일 수도 있어요.

의존 명사에게 관형어는 필수!

| 이 물건 | + | 온갖 물건 | + | 새 물건 |

⇩

이 온갖 새 물건

② 부사어

관형어가 체언을 꾸며 주는 역할을 한다면 부사어는 주로 용언을 꾸며 주는 역할을 해요. 여기에서 '주로'라는 말이 붙었다는 점을 주의하세요. **'부사어'**는 용언뿐만 아니라 다른 관형어나 부사어를 꾸며 주기도 하고, 심지어 문장 전체를 꾸며 주는 역할도 할 수 있는 다재다능한 성분이에요. 그리고 문장이나 단어를 이어 주는 말들도 부사어에 포함돼요.

- 용언 수식: 나는 국어 시간을 <u>제일</u> 좋아한다.
- 부사어 수식: 그 사람은 너를 <u>정말</u> 오래 그리워했다.
- 관형어 수식: 남은 사진이라고는 <u>겨우</u> 서너 장뿐이었다.
- 문장 전체 수식: <u>제발</u> 비가 그쳤으면 좋겠다.
- 문장 연결: 나는 일찍 잠이 들었다. <u>그리고</u> 꿈을 꾸었다.

우리는 부사어야!

제일 정말 겨우 제발 그리고

잠깐 퀴즈 ▶▶ 15쪽

8. 다음 중 부사어의 주된 역할이 <u>아닌</u> 것은?
① 체언 수식
② 용언 수식
③ 부사어 수식
④ 관형어 수식
⑤ 문장 전체 수식

◆부사어의 형태
• 부사
• 체언+부사격 조사
• 용언+ '-게, -도록, -듯이, -이'

부사어는 문장 속에서 부사, 체언+부사격 조사, 용언+부사형 어미 '-게', '-도록', '-듯이', '-이' 등의 형태로 나타나요.

• 내가 좋아하는 사람은 <u>바로</u> 너다. (부사)
• <u>거리에</u> 사람들이 많다. (체언+부사격 조사)
• 돈을 <u>헤프게</u> 쓰지 마라. (용언+부사형 어미)

의존 명사가 쓰일 때 관형어가 꼭 필요하다고 한 것 기억하시나요? 마찬가지로 부사어도 부속 성분이지만 어떤 서술어는 그 부사어를 반드시 필요로 할 때가 있어요. 이런 부사어를 '필수적 부사어'라고 불러요.

• 동생은 <u>초등학교에</u> 다닌다.
• 할아버지께서 내 친구를 <u>손자처럼</u> 여기셨다.

만약에 이 문장들에서 '부사는 부속 성분이니 빼 볼까?'라고 생각해 밑줄 친 부분을 뺀다면 동생이 어딜 다니는지, 할아버지께서 내 친구를 무엇으로 여기는지가 드러나지 않아요. 이때 '초등학교에'와 '손자처럼'은 부사어이긴 하지만 문장에 꼭 필요한 '필수적 부사어'예요.

부사어 역시 관형어처럼 여러 개가 함께 쓰일 수 있어요.

나는 <u>너무 많이</u> 먹어서 배가 <u>아주 불룩하게</u> 나왔다.

🔍 잠깐 퀴즈   ▶▶ 15쪽

9. 다음 문장에서 관형어와 부사어를 찾아 쓰시오.

아름다운 꽃이 흐드러지게 피었다.

(1) 관형어:
(2) 부사어:

알아 두자! 다양한 부사격 조사

다른 격 조사들과 달리 부사격 조사는 종류도 의미도 매우 다양해요.
예 • 사과를 식탁<u>에</u> 두고 왔다. (장소) • 식탁<u>에서</u> 사과를 가져오너라. (장소)
• 칼<u>로</u> 물 베기 (도구)   • 하늘<u>에</u> 던진 그물 (지향점)
• 아빠<u>에게서</u> 온 편지 (발신자)   • 친구<u>에게</u> 사과하기 (대상)
• 나는 서울<u>에서</u> 부산<u>까지</u> 갔다. (출발점과 도착점)
부사격 조사는 이와 같이 다양한 형태로 부사어를 만들어 '어찌'의 의미를 나타내 주지요.

■ 독립 성분

독립 성분은 문장 안에서 다른 문장 성분과 직접적인 관련이 없는 문장 성분을 말해요. 이러한 독립 성분에는 '**독립어**'가 있어요. 독립어에는 감탄사와 체언에 호격 조사(아/야)가 붙은 것 등이 있어요. ↻107쪽

◆독립어의 형태
• 감탄사
• 체언+호격 조사

• 우와, 정말 멋지다! (감탄사)
• 수영아, 왜 나를 부른 거야? (체언+호격 조사 '아/야')

그런데 독립어가 다른 문장 성분과 상관 없이 독립적이라는 말은 무슨 뜻일까요? 예문에서 '우와'나 '수영아'는 다른 문장 성분에 영향을 주지 않고, 느낌을 나타내거나 누군가를 부르고 있어요. 그래서 '독립적'이라고 하는 거예요.

누군가를 부르거나
감탄하는 말은
모두 '독립어'구나.

알아 두자! 문장 부사어와 독립어 구별하기

문장 전체를 꾸며 주는 문장 부사어와 독립어는 어떻게 구별할까요?
문장 부사어와 독립어는 문장 맨 앞에 나오는 점은 비슷하지만, 독립어는 문장을 꾸며 주는 역할을 하지는 못해요. 독립어가 없어도 문장의 의미는 전혀 변하지 않고요.

• 아아, 다행히 형이 시험을 잘 봤어.

이 문장에서 '다행히'는 형이 시험을 잘 봤다는 문장을 꾸며 주고 있어요. '형이 시험을 잘 봐서 다행이다.'라고 문장을 고쳐 보면 '다행히'가 뒤에 이어지는 내용과 관련이 있음을 쉽게 알 수 있어요. 하지만 독립어인 '아아'는 '다행히'처럼 문장 안의 다른 성분과 관련되기는 어렵지요.

잠깐 퀴즈 ▶▶15쪽

10. 다음 중 독립어가 쓰인 문장이 아닌 것은?

① 아, 달이 밝다.
② 우와, 풍경이 아름답다.
③ 수영아, 저쪽으로 가면 돼.
④ 비가 주룩주룩 내려서 춥다.
⑤ 아니요, 제 이름은 ○○○입니다.

지금까지 우리는 각각의 문장 성분을 배웠어요. 그렇다면 우리가 문장을 사용할 때 이러한 문장 성분을 모두 다 잘 사용하고 있을까요? 우리는 일상생활에서 문장 성분을 생략하고 말하는 경우가 많아요. 의미가 통한다면 생략을 하는 것이 경제적이기 때문이죠.

하지만 무턱대고 문장 성분을 생략하면 어떻게 될까요? 의미가 모호해지거나 또는 여러 가지로 해석될 수 있고, 논리적으로 맞지 않는 말을 하게 될 수도 있어요. 따라서 문장을 쓸 때에는 필요한 문장 성분을 반드시 포함시키고, 필요 없는 것은 제외하며, 문장 성분 간의 관계를 바르게 설정하여 표현해야 해요.

의미가 제대로 전해지지 않을 수 있으니 무조건 생략하는 게 좋은 건 아니구나!

필요한 문장 성분이 생략되었는지 살펴보자

주어나 서술어, 그리고 목적어와 보어는 주성분인 만큼 함부로 생략하면 문장의 의미가 제대로 전달되지 않아요.

• 그녀는 세계적으로 유명한 인물이고, 본받고자 노력하는 사람도 많다.

이 문장에서는 많은 사람들이 누구를 본받고자 노력하고 있는지는 분명히 알 수가 없네요. '본받다'에 대한 목적어가 생략되었기 때문이죠. 따라서 다음과 같이 고쳐야 바른 문장이 될 수 있어요.

→ 그녀는 세계적으로 유명한 인물이고, <u>그녀를</u> 본받고자 노력하는 사람도 많다.

다음 문장은 어떠한가요?

• 정치가는 사회 현실과 사회적 책임을 다해야 할 것이다.

이번에는 '사회 현실'에 대한 적절한 서술어를 찾아볼 수 없네요. 사회 현실은 '하는 것'이 아니라, '아는 것'일 텐데 말이죠. 이 문장을 바로잡아 보도록 해요.

→ 정치가는 사회 현실을 <u>알고</u>, 사회적 책임을 다해야 할 것이다.

잠깐 퀴즈 ▶▶ 15쪽

11. 다음 문장을 바르게 고쳐 쓰시오.

전기 사용량을 아껴야 한다.

필요하지 않은 문장 성분을 사용하면 오히려 의미 전달을 방해할 수 있어요. 동일한 단어를 거듭 사용한다거나, 비슷한 의미를 지닌 단어를 거듭 사용하는 경우가 이에 해당해요.

■ 단어의 반복 사용

• 친구란, 가깝게 오래 사귄 사람이 친구이다.

'친구'라는 단어가 반복되어 어색한 문장이 되어 버렸네요. 자연스럽게 고치면 다음과 같아요.

→ 친구란, 가깝게 오래 사귄 사람을 말한다.

■ 의미의 중복

동일한 단어는 아니지만, 의미가 비슷한 단어를 거듭 사용하여 문장이 어색해지는 경우도 있어요.

• 나는 방학 기간 동안 유럽에 다녀왔다.

'기간'이라는 말과 '동안'이라는 말은 둘 다 어느 일정한 시기부터 다른 어느 일정한 시기까지의 사이를 뜻하는 말이에요. 따라서 다음과 같이 수정해야 바른 문장이 돼요.

→ 나는 방학 기간에 유럽에 다녀왔다.
→ 나는 방학 동안 유럽에 다녀왔다.

'역전 앞, 처갓집, 옥상 위'도 의미가 비슷한 단어를 거듭 사용한 경우야.

문장 성분의 짝을 찾아라

다음을 알맞은 것끼리 이어 보세요.

결코	부탁해.
아마	아니다.
제발	그럴 거야.

잠깐 퀴즈　　▶▶ 15쪽

12. 다음 문장을 바르게 고쳐 쓰시오.

> 너는 내키지 않는 일은 반드시 하지 않는구나.

단어끼리는 서로 친한 것, 잘 어울리는 것이 있어요. 이것을 문장 성분의 호응이라고 해요. '결코' 다음엔 부정적 의미의 서술어가, '아마' 다음엔 추측하는 의미의 서술어, '제발' 다음엔 요청의 의미를 지니는 서술어가 오는 것처럼, 앞에 어떤 말이 오면 거기에 응하는 말이 따라오는 것이 **'호응'**이에요.

어떤 문장 성분끼리 잘 어울려야 하는지 다양한 문장들을 통해 확인해 봐요.

■ **주어와 서술어의 호응**

문장에서 주어와 서술어는 밀접한 관계를 맺고 있어요. 주어가 하는 행동을 표현한 것이 서술어이고, 서술어 입장에서는 서술어를 실현하는 주체가 주어이기 때문이죠. 따라서 문장에서 주어가 무엇이고 서술어는 무엇을 서술하고 있는지 항상 확인해야 해요.

• 어제는 비와 바람이 불었다.
→ 어제는 <u>비가</u> <u>오고</u> <u>바람이</u> <u>불었다.</u>
      주어   서술어   주어   서술어

■ **부사어와 서술어의 호응**◆

부사어와 서술어도 친하게 지내는 경우가 많아요. 그래서 하나의 말처럼 굳어진 표현들도 쉽게 찾아볼 수 있어요.

종류	예
비록 ~ -ㄹ지라도[-라도, -지만, -어도].	비록 꿈이 좌절되었다고 할지라도 나는 포기하지 않을 것이다.
결코 ~지 않겠다[아니다].	아무리 힘들어도 결코 좌절하지 않겠다.
왜냐하면 ~ 때문이다.	설레서 잠을 잘 수가 없다. 왜냐하면 내일은 처음 해외여행을 가는 날이기 때문이다.
만약 ~이면[-라면/-다면], ~ㄹ 것이다[~ㄹ 테다].	내가 만약 새라면 하루 종일 노래할 텐데.
절대로 ~ 않다[마라, 말라, 마세요].	우리 아버지는 예의 없는 행동은 절대로 그냥 넘어가지 않으신다.
마치 ~ 같다.	눈이 너무 많이 내려서 세상이 마치 사라진 것 같다.

◆부사어-서술어 호응의 종류
•긍정적 호응: 과연 ~ 했구나!
•부정적 호응: 절대로 ~ 아니다, ~해서는 안 된다, 전혀 ~없다(아니다).
•가정(假定: 분명하지 않은 것을 임시로 인정함.)적 호응: 만일 ~더라도, 혹시 ~ㄹ지라도
•추측적 호응: 아마(틀림없이) ~ㄹ 것이다.

잠깐 퀴즈　▶▶15쪽

13. 다음 중 문장 성분의 호응이 바르지 <u>않은</u> 것은?
① 어제는 바람이 불고 비가 내렸다.
② 아무리 힘들어도 결코 좌절하지 않겠다.
③ 내가 만약 새라면 하루 종일 노래하기 때문이다.
④ 눈이 많이 내려서 세상이 마치 사라진 것 같다.
⑤ 우리 아버지는 거짓말하는 행동은 절대로 그냥 넘어가지 않으신다.

■ 수식어와 피수식어의 호응

문장 성분을 공부하면서 관형어는 체언을, 부사어는 용언을 비롯하여 다른 부사나 문장 전체를 수식하는 역할을 한다고 했던 것 기억하고 있나요? 수식어와 피수식어 사이에도 호응이 필요해요. 그런데 이들 간의 거리가 너무 멀면 꾸밈 관계가 분명하지 않아 의미가 모호해질 수 있어요.

●피수식어: 수식어에 의하여 의미상의 한정을 받는 말.

• 통통한 농부의 닭은 언제나 모이를 잘 먹는다.

이 예문만 보고서는 통통한 것이 '농부'인지, '농부의 닭'인지 분명하게 알 수 없어요. 이러한 의미의 모호함은 어떻게 해결할 수 있을까요? 쉼표를 사용하거나 문장 성분의 순서를 바꿔서 수식 관계가 분명하게 드러나도록 고쳐 주어야 해요.

→ 통통한, 농부의 닭은 언제나 모이를 잘 먹는다. (쉼표 사용)

→ 농부의 통통한 닭은 언제나 모이를 잘 먹는다. (문장 순서 바꿈.)

고친 문장에서는 '닭'이 통통하다는 의미가 분명해지네요.

• 오늘은 어김없이 바람이 부는 날인데도 내 동생은 <u>외출을 했다</u>.

이 문장에서는 '어김없이'라는 수식어가 '외출을 했다'라는 피수식어를 꾸며 주고 있어요. 그런데 수식어와 피수식어의 사이가 너무 멀어 수식 관계가 모호해졌어요. 수식어는 피수식어 앞에 위치하는 것이 바람직해요.

→ 오늘은 바람이 부는 날인데도 내 동생은 <u>어김없이</u> 외출을 했다.

호응 관계를 이해하고 글을 읽으니까 문장의 의미가 한결 분명하게 다가오는걸!

■ 조사와 서술어의 호응

조사 중에서는 특정한 서술어와 함께 짝을 지어야 하는 것이 존재해요.

• 그녀는 운동선수치고 몸이 튼튼하다.

여기서 '치고'라는 조사는 앞말과 대립되는 서술어와 호응하는 조사예요. 따라서 다음과 같이 수정해야 해요.

→ 그녀는 운동선수<u>라서</u> 몸이 <u>약하지 않다</u>.

→ 그녀는 운동선수<u>치고</u> 몸이 <u>약하다</u>.

🔍 잠깐 퀴즈 ▶▶ 15쪽

14. 다음 문장을 뜻이 분명하게 드러나도록 고쳐 쓰시오.

그는 운동선수라서 몸이 약하다.

문장 구조

●홑문장: 주어와 서술어가 한 번만 나타난 문장(단, 주어는 자주 생략됨.).

●겹문장: 주어와 서술어가 두 번 이상 나타난 문장(단, 주어는 자주 생략됨.). 홑문장+홑문장.

●문맥: 글에 표현된 의미의 앞뒤 연결.

문장은 주어와 서술어가 문장에 몇 번 나타나느냐에 따라 홑문장과 겹문장으로 구분할 수 있어요. 한 문장에 주어와 서술어가 한 번만 나타나면 **홑문장**, 두 번 이상 나타나면 **겹문장**이라고 해요. 겹문장은 한마디로 문장이 여러 개가 모여 확장된 형태라고 할 수 있는데, 주어가 자주 생략되기 때문에 잘 살펴야 해요. 그러면 홑문장과 겹문장에 대해 하나씩 알아보기로 해요.

홑문장과 겹문장 – 서술어로 따져라

우리말 문장에서는 문맥을 통해 주어가 무엇인지 알 수 있는 경우에는 주어를 자주 생략하기도 해요. 따라서 홑문장과 겹문장을 구분하려면 서술어가 몇 번 나오는지 살펴보아야 해요.

㉮ 건우는 언제나 자기만의 방식으로 공부 계획을 세운다.
㉯ 할머니는 날씨만 좋으면 산에 가신다.

두 문장 중에 어떤 문장이 홑문장이고, 어떤 문장이 겹문장일까요? 문장의 길이로는 홑문장과 겹문장을 판단할 수 없어요. 주어와 서술어를 살펴보아야 합니다.

서술어가 2개 이상이면 겹문장이라고 할 수 있지.

㉮ 주어: 건우는
　　서술어: 세운다
㉯ 주어: 할머니는, 날씨만
　　서술어: 좋으면, 가신다

㉮는 주어와 서술어가 하나인 홑문장이고, ㉯는 주어와 서술어가 두 개인 겹문장이군요.

겹문장은 한 문장이 다른 문장의 성분으로 쓰이는 형태와 여러 문장이 이어지는 형태로 구분할 수 있어요.

 잠깐 **퀴즈**　　▶▶ 15쪽

15. 다음 빈칸에 알맞은 말을 쓰시오.

한 문장에 주어와 서술어가 한 번만 나타나면 (　　　), 두 번 이상 나타나면 (　　　)이라고 한다.

하나의 문장이 다른 문장을 안다

한 문장이 다른 문장의 성분이 되어 합쳐지는 겹문장에서, 다른 문장의 성분이 되는 문장을 '절'이라고 해요. 절은 문장이기 때문에 그 속에 주어와 서술어를 따로 갖추고 있어요. 물론 주어는 생략될 때도 있지요.◆

문장 속에 들어가 있는 절을 '**안긴문장**'이라고 하고, 절을 포함하고 있는 문장을 '**안은문장**'이라고 해요.

절은 문장에서 어떻게 쓰이느냐에 따라 명사절, 관형절, 부사절, 인용절, 서술절로 분류돼요.

■ 명사절

명사절은 문장에서 명사처럼 쓰이는 절이에요. 따라서 명사와 똑같이 주어, 목적어, 보어 등의 기능을 할 수 있어요.

- 그 사건을 <u>해결하기</u>가 어렵다.

  (주어 – 명사형 어미 '-기')
- 하지만 <u>시험이 코앞에 다가왔음</u>을 깨달았다.

  (목적어 – 명사형 어미 '-음')

명사절 만들기

용언+-기
-(으)ㅁ

명사절을 만들려면 용언에 '-기'나 '-(으)ㅁ' 어미를 붙여 주면 돼요. '-기'나 '-(으)ㅁ'은 명사절을 만들어 주는 역할을 하기 때문에 명사형 어미라고 불러요.

> **알아 두자!** 명사형 어미의 선택
>
> 명사형 어미 '-기'나 '-(으)ㅁ' 중 어떤 것을 쓸지는 서술어에 따라서 달라져요. '알다', '보다'와 같은 서술어에는 '-(으)ㅁ'이 자연스럽고, '창피하다', '기도하다'와 같은 서술어에는 '-기'가 더 자연스러워요.
>
> 📝 마을 사람들은 불길이 점점 (<u>번짐을</u> / 번지기를) 보았다. 사람들은 불길이 (잦아듦을 / <u>잦아들기를</u>) 저마다 간절히 기도했다.

◆문장과 절의 관계
문장과 절은 똑같이 주어와 서술어를 갖추고 있다. 하지만 절은 문장의 일부분으로 쓰인다는 점에서 문장과 다르며, 한 문장이 다른 문장에 안기면 절이 된다.

잠깐 퀴즈　▶▶ 15쪽

16. 다음 중 명사절을 만들 때 필요한 어미를 모두 고르시오.

-기, -(으)ㄴ, -(으)ㅁ, -던

■ 관형절

관형절은 관형어처럼 체언을 꾸며 주는 절로, 용언에 관형사형 어미를 붙여서 표현해요. 관형사형 어미에는 '-(으)ㄴ', '-는', '-(으)ㄹ', '-던'이 있는데, 이것들은 저마다 각기 다른 시간을 나타낼 수 있어요.

- 지난주에 본 영화는 재미있었다. ('-ㄴ' → 과거)
- 지금 보는 영화는 별로 재미가 없다. ('-는' → 현재)
- 다음 주에 볼 영화는 재미있으려나? ('-ㄹ' → 미래)

■ 부사절

부사절은 문장 속에서 부사어의 기능을 하는 절이에요. '-게', '-듯이', '-도록', '-이' 등이 용언에 붙어 부사절을 만들어요.

- 그녀는 눈이 부시게 예뻤다. (부사형 어미 '-게')
- 해가 불이 활활 타듯이 솟아올랐다.
  (부사형 어미 '-듯이')
- 나는 강아지가 도망가도록 풀어 주었다.
  (부사형 어미 '-도록')
- 눈이 밤새 소리도 없이 내렸다. (부사 파생 접사 '-이')

특히 부사절을 이루는 어미는 워낙 많기 때문에 하나하나 외우려 하기보다는 그 절이 문장에서 어떤 기능을 하는지 생각해 보면서 파악해야 해요.

잠깐 퀴즈 ▶▶ 15쪽

17. 다음 중 부사절을 만들 때 필요한 어미나 접사가 아닌 것은?

① -게 ② -이
③ -도록 ④ -던
⑤ -듯이

알아 두자! 같은 말 다른 품사

다음 두 문장에 쓰인 '듯이'는 어떻게 다를까요?
- 금방 한 듯이 김이 나는 떡
- 구름에 달 가듯이 가는 나그네

이것을 구분하려면 '듯이'가 앞에서 꾸밈을 받는지, 뒤의 말을 꾸며 주는지를 보아야 해요. 관형어의 꾸밈을 받는 앞 문장의 '듯이'는 의존 명사에 조사가 붙은 것이고, '가는'이라는 관형어를 꾸며 주는 '듯이'는 부사어가 돼요.

■ 인용절

인용절은 문장 속에 다른 사람의 말을 끌어와 그 문장의 서술어를 보충하는 역할을 해요.

인용에는 크게 직접 인용과 간접 인용, 두 가지 방법이 있어요. 직접 인용은 주어진 문장을 그대로 가져오는 것으로 큰따옴표(" ")를 쓰고, 조사 '라고'를 붙여요. 간접 인용은 가져다 쓰는 사람이 원래의 문장을 자신의 표현으로 고쳐서 문장에 사용하는 것으로 조사 '고'가 쓰여요.

- 철수는 나에게 "선생님께 네가 말씀 드려."라고 말했다. (직접 인용)
- 철수는 나에게 선생님께 내가 말씀드리라고 말했다. (간접 인용)

같은 내용이라도 어떤 인용이냐에 따라 느낌이 달라요. 예문을 보면, 직접 인용은 듣는 이를 가리키는 '네가'와 말하는 이의 말투인 '드려'가 나타나기 때문에 누군가가 한 말을 그대로 옮겨 놓은 것처럼 보여요. 하지만 간접 인용절에서는 '네가'가 '내가'로 바뀌고 '드려'도 '드리라'라는 형식으로 바뀌어서 '나'의 입장에서 철수의 말을 표현했다는 느낌이 들어요.

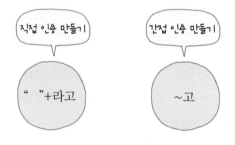

◆생각, 느낌, 판단 등을 나타내는 인용절도 있다.
예 나는 '더 어두워지기 전에 집에 가야지'라고 생각했다.
나는 이제 봄이라고 느낀다.
내 친구는 범인은 이웃 사람이라고 확신한다.

●상대 높임법: 말하는 이가 듣는 이를 높이는 법. 예를 들어 친구에게 '물 먹어.'라고 했던 말이, 듣는 이가 할아버지로 높아지면 '물 드세요.'라고 하는 것.

잠깐 퀴즈 ▶▶ 15쪽

18. 다음 문장을 간접 인용으로 바꾸어 쓰시오.

> 선우는 선생님께 "병원에 다녀오겠습니다."라고 말했다.

알아 두자! 인용절과 높임법

간접 인용절에서는 상대 높임법이 나타나지 않아요. 직접 인용을 할 때에는

- 정호는 할아버지께 "제가 하겠습니다."라고 말씀드렸다.

라고 하지만, 이 문장을 간접 인용으로 나타내면

- 정호는 할아버지께 자기가 하겠다고 말씀드렸다.

라고 써야 해요.

■ 서술절

서술절은 말 그대로 서술어 기능을 하는 절을 가리켜요. 서술어 부분에 절이 들어가기 때문에 서술절을 가진 안은문장은 주어가 두 개 있는 것처럼 보이는 것이 특징이에요.

- 나는 <u>꿈이 많다</u>.
- 기린이 <u>목이 길다</u>.
- 가방이 <u>아래쪽이 찢어졌다</u>.

'기린이 목이 길다.' 기린과 목, 둘 다 주어처럼 보이네!

- 대등: 서로 견주어 높고 낮음이나 낫고 못함이 없이 비슷함.

- 종속: 자주성이 없이 주가 되는 것에 딸려 붙음.

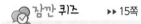잠깐 **퀴즈** ▶▶15쪽

19. 다음 중 서술절을 가진 안은문장은?

① 진희는 소설가가 아니다.
② 셔츠가 소매가 너무 길다.
③ 지혜는 진우가 좋다고 말했다.
④ 선생님 말씀이 있으시겠습니다.
⑤ 상현이는 시험이 코앞에 다가왔음을 깨달았다.

문장과 문장이 이어지다

지금까지 우리는 하나의 문장이 다른 문장을 안는 절에 대해 알아보았어요. 그런데 겹문장에는 이어진문장도 있어요. 이어진문장은 문장과 문장의 의미 관계에 따라서 대등하게 연결된 이어진문장과 종속적으로 연결된 이어진문장으로 나눌 수 있어요.

■ 대등하게 연결된 이어진문장

대등하다는 것은 서로 비교해 봤을 때 차이가 별로 없고 비슷하다는 뜻이에요. 그래서 대등하게 연결된 이어진문장은 앞의 문장과 뒤의 문장의 순서를 바꾸어 써도 의미에 큰 변화가 일어나지 않아요. 대등하게 연결된 이어진문장에는 어미 '-고', '-며', '-만', '-나' 등의 연결 어미가 쓰이는데, '-고', '-며'는 나열하는 문장에, '-만', '-나' 등은 앞뒤를 대조하는 문장에 쓰여요.

- 형은 대학생이<u>고</u>, 누나는 고등학생이다. (나열)
- 이 책을 좋게 평가하는 사람도 있<u>지만</u> 나쁘게 평가하는 사람도 있을 거야. (대조)

■ 종속적으로 연결된 이어진문장

종속적으로 연결된 이어진문장◆은 하나의 문장이 다른 문장의 원인이나 조건이 되는 문장이에요. 종속적으로 연결된 이어진문장에 사용되는 연결 어미는 매우 많고, 그것들이 나타내는 의미도 다양해요.

- 피곤하면 일찍 들어가 쉬어라. (조건)
- 비가 오더라도 내가 꼭 마중을 나가겠다. (양보)
- 노트북을 사려고 누나가 돈을 모으고 있다. (의도)
- 눈이 너무 많이 내려서 버스가 다니지 못한다. (원인)
- 내가 집을 나서던 참이었는데, 갑자기 비가 쏟아졌다. (배경)

종속적으로 연결된 이어진문장에서 앞뒤 문장의 주어가 같을 경우에는 한쪽을 생략해야 자연스러운 문장이 돼요. 다음 문장에서처럼 주어인 '누나가'를 이어져 있는 두 문장에 모두 쓰면 어색한 문장이 되고 말지요.

- 누나가 노트북을 사려고 누나가 돈을 모으고 있다. (어색함.)
  → 누나가 노트북을 사려고 돈을 모으고 있다.
  → 노트북을 사려고 누나가 돈을 모으고 있다.

종속적으로 연결된 이어진문장은 앞뒤 문장이 바뀔 수 없어.

◆종속적으로 연결된 이어진문장
- 조건, 가정: -(으)면
  예 날이 맑으면 산에 가야지.
- 이유, 원인: -(아)서, -(으)니까
  예 눈이 내리니까 세상이 하얗다.
- 덧보태거나 더하여 감.: -(으)ㄹ수록
  예 벼는 익을수록 고개를 숙인다.
- 의도: -(으)려고, -고자
  예 너에게 주려고 목도리를 떴어.
- 목적: -(으)러
  예 꽃을 사러 화원에 갔다.

잠깐 퀴즈 ▶▶ 15쪽

20. 다음 중 종속적으로 연결된 이어진문장은?

① 꽃이 피고 새가 운다.
② 나는 중학생이고 형은 대학생이다.
③ 숲에서 아름다운 아가씨를 만났다.
④ 해가 져서 주변이 깜깜해졌다.
⑤ 상호는 장학금을 탔음을 밝히고 분식집에서 한턱냈다.

알아 두자! 종속적으로 연결된 이어진문장과 부사절

우리는 앞에서 '-게'가 부사절을 만드는 부사형 어미라고 배웠어요. 그런데 어떤 문장에서는 '-게'가 붙은 절이 종속적으로 연결되어 어떤 행위의 의도를 나타내기도 해요. 다음 문장을 보세요.

- 할머니께서 바깥바람을 쐬실 수 있게 나는 창문을 활짝 열었다.

부사절을 가진 안은문장과 종속적으로 연결된 이어진문장이 확실하게 구분되지 않지요? 이런 경우에는 '-게'를 종속적 연결 어미로도 볼 수 있어요.

문법 요소

문장 성분을 제대로 갖춘 문장이더라도 상황에 어울리는 적절한 표현을 사용하지 않으면 제대로 된 문장이라고 할 수 없어요. 여기서는 우리말의 여러 문장 표현을 살펴보며 문장을 정확하게 사용할 때 고려해야 할 요소를 배워보도록 해요.

문장을 어떻게 끝낼까 – 종결 표현

문장의 끝부분만 변했을 뿐인데, 느낌이 전혀 다르죠? 효과적인 의사소통을 위해서는 문장의 끝부분에 오는 표현, 즉 문장의 **종결 표현**을 이해하고 있어야 해요.

종결 표현은 종결 어미를 통해 이루어지고, 종결 어미의 형태에 따라 문장의 종류가 달라져요. 문장은 평서문, 의문문, 명령문, 청유문, 감탄문과 같이 다섯 가지로 분류할 수 있답니다.

● 화자: 이야기를 하는 사람.

- 평서문: 오늘부터 아침 운동을 시작했<u>다</u>. (내용 전달)
- 의문문: 오늘부터 아침 운동을 시작할<u>까</u>? (대답을 요구)
- 명령문: 오늘부터 아침 운동을 시작해<u>라</u>. (행동을 요구)
- 청유문: 오늘부터 아침 운동을 시작하<u>자</u>. (함께하자고 제안)
- 감탄문: 오늘부터 아침 운동을 시작했<u>구나</u>! (화자의 느낌 표현)

이 다섯 문장을 보면 화자의 의도에 따라 종결 어미가 달라진다는 사실을 알 수 있어요. 대답이나 행동을 요구하기도 하고, 함께하자고 제안하기도 하며, 말하는 사람이 자신의 느낌을 표현하기도 해요.

잠깐 퀴즈 ▶▶ 15쪽

21. 다음 빈칸에 알맞은 말을 쓰시오.

> 문장은 종결 표현에 따라 (   ), (   ), 명령문, (   ), 감탄문의 다섯 가지로 분류할 수 있다.

종결 어미는 문장의 형태뿐만 아니라 청자에 대한 높임의 정도를 표시하기도 해요. 종결 어미를 살펴보면 화자와 청자가 얼마나 친한지, 서로 격식을 갖추어야 할 사이인지 아닌지 알 수 있어요. 예를 들어, 친구에게는 "왔어?"라고 말하지만, 웃어른께는 "오셨습니까?"라고 말하지요.

종결 어미의 형태에 따라 문장의 종류를 나누는 것은 실제 언어생활의 모습과 거리가 있을 수 있어요. 생활 속에서 어떤 상황에 쓰이느냐에 따라 문장이 본래와는 다른 기능을 할 수도 있기 때문이에요.

● 청자: 이야기를 듣는 사람.

이 상황을 보면 같은 어미를 사용한 문장이 평서문이 되기도 하고 명령문이 되기도 한다는 사실을 알 수 있어요.

같은 의문문의 형태이지만 내용상 화자가 청자에게 어떤 행동을 해 줄 것을 요구하는 경우도 있어요. 의문문도 명령의 기능을 할 수 있는 것이지요.◆

◆ 의문문의 다양한 기능
① 구체적인 설명 요구
　예 영숙아, 누구 기다리는 거니?
　－ 준희가 온다고 해서 기다리고 있어.
② 긍정이나 부정의 대답 요구
　예 저 영화 재미있어요?
　－ 예, 재미있어요.
③ 답변을 요구하지 아니하고 서술, 명령, 감탄의 효과를 나타냄(수사 의문문).
　예 이거 진짜야.
　－ 내가 네 말을 믿을 것 같아?
④ 자신의 의견에 동의해 줄 것을 요구
　예 오늘 날씨 좋지?
　－ 응, 정말 좋다.
⑤ 둘 이상의 것에서 하나를 골라 대답하기를 요구
　예 내일 거기 갈 거야, 안 갈 거야?
　－ 난 갈 거야.

잠깐 퀴즈　▶▶ 15쪽

22. 다음 설명이 맞으면 ○표, 틀리면 ✕표 하시오.
(1) 명령문만 명령의 기능을 한다. (　　)
(2) 종결 어미는 청자에 대한 높임의 정도를 표시하기도 한다. (　　)

청유문은 청자에게 무엇을 함께하자고 제안하는 의미를 나타내는데, 상황에 따라서는 제안이 아니라 청자가 따로 어떤 행동을 해 줄 것을 요구하는 명령의 의미를 나타내기도 해요.

따라서 대화가 이루어지는 상황에 따라 적절한 종결 표현을 사용하는 것이 필요해요.

알아 두자! 동사·형용사의 종결 어미 차이

우리가 쓰는 종결 어미를 잘 살펴보면 동사냐 형용사냐에 따라서 종결 어미의 모양이 조금씩 다르다는 것을 알 수 있어요. 다음 어미의 변화를 보세요. ↻100쪽

문장의 형태	동사	형용사/명사+이다
평서문	• 어간에 받침이 있을 때: '-는다' 예 웃는다(웃-+-는다) • 어간의 받침이 'ㄹ'이거나 받침이 없을 때: '-ㄴ다' 예 구른다(구르-+-ㄴ다)	-다 예 예쁘다, 빠르다
의문문	• 어간에 받침이 있을 때: '-을까' 예 웃을까(웃-+-을까) • 어간의 받침이 'ㄹ'이거나 받침이 없을 때: '-ㄹ까' 예 구를까?(구르-+-ㄹ까)	-ㄹ까 예 예쁠까? 빠를까?
명령문	-아라/어라 예 웃어라	(없음.)◆
청유문	-자 예 웃자	(없음.)
감탄문	-는구나 예 웃는구나	-구나 예 예쁘구나!

◆ 형용사는 성질, 상태를 나타내는 말이므로 명령형 어미와 함께 사용될 수 없다. 그런데 실제로는, "건강하세요.", "행복하세요."와 같이 형용사에 명령형 어미가 붙은 형태를 인사말로 자주 쓰고 있다. 이는 간곡한 부탁의 의미를 지닌 명령형으로 볼 수 있다.

잠깐 퀴즈 ▶▶15쪽

23. 동사로는 만들 수 있지만 형용사로는 만들 수 **없는** 종결 형태에 ◯표를 하시오.

평서문 의문문 명령문
청유문 감탄문

어른에게 하는 말과 친구에게 하는 말 - 높임 표현

우리말은 높임 표현이 잘 발달되어 있어요. 높임 표현은 말하는 대상이나 대화하는 상대방이 누구인지에 따라 달라져요. 그리고 화자의 의도나 화자가 느끼는 심리적 거리에 따라서 높임 표현이 달라지기도 해요. 높임 표현은 높이는 대상에 따라 '주체 높임법', '객체 높임법', '상대 높임법'으로 나누어 볼 수 있어요.

■ 주체 높임법 - 문장의 주어를 높인다

주체 높임법은 문장의 주어를 높이는 방법이에요. 주체 높임법은 주로 조사 '께서'나 선어말 어미 '-시-'를 통해서 표현돼요.

- 영수가 설거지를 하였다.
- 어머니<u>께서</u> 설거지를 <u>하셨다.</u>♦

  (높임 대상: 어머니/주격 조사 '께서', 선어말 어미 '-시-')

♦ 하셨다= 하-+-시-+-었-+-다

높임의 선어말 어미 '-시-'는 높임의 대상인 주어와 호응을 이루어야 해요. 문장의 짜임새가 복잡해지면 '-시-'가 잘못 쓰일 수 있기 때문에, 누구를 높여야 하는지 관계가 정확하게 표현되도록 해야 돼요.

- 정윤아, <u>선생님께서</u> 너 교무실로 잠깐 좀 <u>오시라고</u> <u>했어.</u>(×)
- 정윤아, <u>선생님께서</u> 너 교무실로 잠깐 좀 <u>오라고</u> <u>하셨어.</u>(○)

(높임 대상: 선생님)

손님에게 바지가 아주 잘 어울리시네요.

주체 높임법은 말하는 이가 주어를 직접 높이느냐, 주어와 관련된 대상을 통해 높이느냐에 따라 직접 높임과 간접 높임으로 나눌 수 있어요. 다음 그림을 한번 볼까요?

이 그림에서 '바지'는 높임의 대상이 아니지만, 점원 입장에서는 높여야 할 사람인 손님이 입고 있는 것이기에 서술어에 선어말 어미 '-시-'를 쓰고 있어요.

이처럼 높임 대상의 소유물이나 신체 일부분, 관련 있는 사람을 높이는 방법을 간접 높임이라고 해요.

♦간접 높임의 예
- 할머니께서 귀가 밝으시다.
- 우리 엄마는 감기가 드셨다.
- 할아버지는 손이 크시다.

잠깐 퀴즈 ▶▶ 15쪽

24. 다음 빈칸에 알맞은 말을 쓰시오.

> 높임 표현은 높이는 대상에 따라 (   ), (   ), 상대 높임법으로 나눌 수 있다.

주체 높임법을 사용하면 높임의 대상에 대한 존경심이나 친밀감을 드러낼 수도 있어요.

- 세종이 한글을 만들었지. (단순히 사실을 전달함.)
- 세종 대왕님께서 한글을 만드셨지. (세종에 대한 존경심을 표현함.)

주어를 높이기 위해서는 선어말 어미 '-시-'뿐만 아니라 '주무시다', '잡수시다', '계시다', '편찮으시다', '드시다', '댁(집)', '진지(밥)', '연세(나이)', '성함(이름)', '말씀(말)'과 같은 특수한 단어를 사용할 수도 있어요.

동생이 잔다.

할아버지께서 주무신다.

■ **객체 높임법 – 목적어나 부사어를 높인다**

주체 높임법이 문장의 주어를 높이는 방법이었다면, **객체 높임법**은 문장의 목적어나 부사어를 높이는 방법이에요. '뵙다, 드리다, 모시다, 여쭈다'와 같은 특수한 어휘를 사용해서 문장의 목적어나 부사어를 높이는 거지요. 하지만 부사어에 조사 '에게' 대신 '께'가 쓰이는 것은 주체 높임법과 같아요.

- 나는 할아버지를 찾아뵙고 할아버지께 선물을 드렸다.
  (높임 대상: 할아버지)
- 너는 선생님을 모시고 오너라. (높임 대상: 선생님)
- 내가 선생님께 언제 방학하는지 여쭤 보고 올게. (높임 대상: 선생님)

잠깐 퀴즈 ▶▶ 15쪽

25. 다음 중 높임을 표현하는 어휘가 아닌 것은?

① 댁   ② 나이
③ 계시다   ④ 드시다
⑤ 주무시다

■ **상대 높임법 – 대화하는 상대방을 높인다**

상대 높임법은 대화의 상대가 누구냐에 따라 상대를 높이거나 낮춰 표현하는 거예요. 상대를 높이는 것은 종결 어미로 표현해요.

상대 높임법의 종결 어미를 정리하면 다음과 같아요.

상대 높임법의 종결 어미

	평서문	의문문	명령문	청유문	감탄문
격식체 하십시오체 (아주 높임)	비가 내립니다.	언제 귀국하셨습니까?	어서 가십시오.	(책을 읽으시지요)	
하오체 (예사 높임)	비가 내리오.	언제 귀국하시오?	어서 가시오.	책을 읽읍시다.	정말 반갑구려.
하게체 (예사 낮춤)	비가 내리네.	언제 귀국하는가?	어서 가게.	책을 읽게.	정말 반갑구먼.
해라체 (아주 낮춤)	비가 내리다.	언제 귀국하니?	어서 가라.	책을 읽자.	정말 반갑구나.
비격식체 해요체 (두루 높임)	비가 내려요.	언제 귀국해요?	어서 가세요.	책을 읽어요.	정말 반가워요.
해체 (두루 낮춤-반말)	비가 내려.	언제 귀국해?	어서 가.	책을 읽어.	정말 반가워.

↑ 높임 / ↓ 낮춤

● 예사 높임: 예사(例事)는 '보통'이란 의미로, 예사 높임은 서술어의 종결형에서 청자를 예사로 높이는 것을 말함.

그런데 상대 높임의 종결 어미가 항상 동일하게 적용되는 것은 아니에요. '해라체'는 격식체이지만 친한 친구들 사이에서는 친밀감을 드러낼 수 있어요. 또 '해요체'는 비격식체로 분류되어 있지만 공식적인 자리에서 '하십시오체'와 어울려 쓰이기도 하지요.

우리가 잘 쓰지 않는 표현도 있네! '하오체'나 '하게체'는 요즘 잘 안 쓰잖아.

알아 두자! 낮추면서 높이기

- 압존법은 청자를 고려한 높임의 방법으로, 어떤 사람이 화자에게는 높여야 할 사람이지만 청자에게는 높여야 할 사람이 아닐 경우 청자 앞에서 그 사람을 높이지 않는 것이에요.

  예 (손자가 할아버지에게) 할아버지, 아까 아버지가 집에 왔어요.

  > 할아버지, 아버지는 책을 읽고 계십니다.

- 자신을 낮춤으로써 상대방을 높이는 표현도 있어요. 자신을 낮출 때는 특별한 단어를 사용하는데, '나' 대신 쓰이는 '저'가 가장 대표적이에요. '우리'를 대신해서는 '저희'가 쓰이는데, '저희'는 자신을 포함한 다른 사람까지 모두 낮추는 것이기 때문에 주의해야 해요.

  예 선생님, 저희들 왔어요.(○) 저희나라(✕)/우리나라(○)

잠깐 퀴즈 ▶▶ 15쪽

26. 비격식체이며 두루 높일 때 쓰는 상대 높임의 등급은?

과거와 현재, 미래를 표현하는 말 – 시간 표현

이미 지나간 시간이나 아직 일어나지 않은 사건을 표현하려면 어떻게 할까요? 우리는 이때 시제라는 것을 사용해요. **시제**는 어떤 사건이나 행위가 어떤 시점에 있는지 나타내 주는 장치입니다. 문장에 나타난 행위의 시간상 앞뒤 관계를 문법적으로 나타낸 것이지요. 우리가 흔히 '과거, 현재, 미래'로 인식하는 시간을 구체적인 언어 형태로 표현해 준 것이에요.

■ 시제와 시간

시제를 제대로 이해하려면 먼저 화자가 말을 하고 있는 시간과 문장이 담고 있는 내용이 일어난 시간을 구분해야 해요. 화자가 말을 하는 시점을 '**발화시**'라고 하고, 그 말 속에 표현된 동작이나 상태가 일어나는 시점을 '**사건시**'라고 해요.

- 나는 어제 친구를 만났다. (과거 시제)
- 지금은 게임을 한다. (현재 시제)
- 내일 영화를 보겠다. (미래 시제)

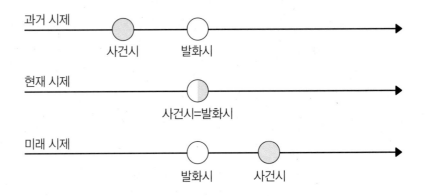

이처럼 발화시와 사건시는 떨어져 있을 수도 있고 서로 일치할 수도 있어요. 발화시와 사건시의 관계에 따라 시제를 과거, 현재, 미래로 나눌 수 있답니다.

❍ 시제의 종류

- 과거 시제 – 사건시가 발화시보다 앞서 있는 것
- 현재 시제 – 사건시와 발화시가 일치하는 것
- 미래 시제 – 사건시가 발화시보다 뒤에 놓이는 것

잠깐 퀴즈 ▶▶ 15쪽

27. 사건시와 발화시가 동일할 때의 시제는?

■ 어미와 부사로 시제를 표현하다

우리말의 시제는 어미로 표현돼요. 그리고 시간을 나타내는 부사를 함께 쓰면 시제를 더욱 분명하게 표현할 수 있어요.

다음 문장을 살펴보면 '-았/었-'과 같은 선어말 어미와 함께 '어제'와 같은 시간을 나타내는 부사어가 쓰여 과거 시제를 나타내고 있음을 알 수 있어요. 부사어 '오늘'은 현재 시제를 나타내 주지요. 그리고 '내일'이라는 시간 부사어나 '-겠-'과 같은 선어말 어미는 미래 시제를 표현해요.

어제 동생은 많이 아팠다.　　오늘은 덜 아프다.　　내일은 안 아프겠다.

어미는 종결 표현에 이어 시간 표현까지 담당하네. 정말 만능이야!

시제를 표현하는 어미와 부사를 한눈에 볼 수 있도록 정리하면 다음과 같아요.

◎ 시제 표현에 사용되는 어미와 부사

시제	과거	현재	미래
어미	-았/었-, -았었/었었-, -더-	-는/ㄴ-	-겠-, -(으)리-
부사	어제, 옛날, 이미, 막, 금방, 방금, 그제야, 이제야	오늘, 지금, 갓, 곧	내일, 모레

Ⅲ단원을 열심히 공부한 친구라면 어미나 부사뿐만 아니라, 관형사형 어미도 시간을 표현해 준다는 사실을 알고 있을 거예요. 102쪽 이때 동사와 형용사에 붙는 어미에는 차이가 있어요. 다음 그림을 통해 차이를 확인해 볼까요?

잠깐 퀴즈　　▶▶ 15쪽

28. 다음 중 시제를 드러내는 요소가 없는 것은?

선생님께서는 내일 오겠
　　　　ⓐ　　ⓑ　　ⓒ
다고 말씀하셨다.
　　ⓓ

아름답던 단풍

과거-회상 '-던'

아름다운 단풍

현재 '-(으)ㄴ'

아름다울 단풍

미래 '-(으)ㄹ'

관형사형 어미의 시간 표현 – 형용사

어미처럼 작은 단위로도 의미가 이렇게나 달라지는구나!

떨어진 단풍잎

과거 '-(으)ㄴ/-던'

떨어지는 단풍잎

현재 '-는'

떨어질 단풍잎

미래 '-(으)ㄹ'

관형사형 어미의 시간 표현 – 동사

🔍 **알아 두자!** 시제의 다양한 의미

　시제가 시간을 표시하는 것 말고도 다른 의미를 나타낼 때가 있어요. 미래 시제를 표현하는 선어말 어미 '-겠-', '-(으)리-' 등은 시제뿐만 아니라 추측이나 의지, 가능성 등을 표현하는 데에도 쓰인답니다.

　　예 내가 다시 찾아오리다. (의지)
　　　 이 정도면 충분하겠다. (추측)
　　　 나 혼자서도 할 수 있겠다. (가능성)

🔍 **잠깐 퀴즈**　▶▶15쪽

29. '내일은 무슨 일이 있어도 기필코 시합에서 이기겠다.'에 나타난 '-겠-'의 의미는?

■ 시점 사이에 걸쳐 있는 시간을 표현하다 – 동작상

시간 표현에는 시제뿐만 아니라, 동작상이라는 것이 있어요. 시제가 어느 시점에서 사건이 일어나는 것인가를 표현하는 것이라면, 동작상은 사건이 그 시점에서 계속 일어나고 있는지, 아니면 끝나 버렸는지를 표현해 주는 방법이에요. 즉, **동작상**은 어떤 지점에서 어떤 지점까지 걸쳐 있는 시간을 말해요.

어떤 사건이 계속 일어나고 있음을 나타내는 것을 **진행상**이라고 하고, 어떤 사건이 끝났음을 나타내는 것을 **완료상**이라고 해요. 진행상과 완료상은 보조 용언의 도움을 받아 표현하게 돼요. 다음 그림을 통해 동작상에 대해서 이해해 보기로 해요.

어제 나는 집에서 숙제를 하고 있었다.

–고 있다, 진행상

어제 나는 집에서 숙제를 다해 버렸다.

–아/어 버리다, 완료상

지금 버스가 출발하고 있어.

–고 있다, 진행상

지금 버스가 출발해 버렸다.

–아/어 버리다, 완료상

오늘은 눈이 많이 내리고 있다.

–고 있다, 진행상

내일은 눈이 많이 내려 있겠지?

–아/어 있다, 완료상

● 보조 용언: 본용언과 연결되어 그것의 뜻을 보충하는 역할을 하는 용언. 보조 동사와 보조 형용사가 있음.

예 가지고 싶다
　(서술어) (보조 용언
　　　　–'희망'의 의미)

　먹어 보다
　(서술어) (보조 용언
　　　　–'시도'의 의미)

동작상이 시제와 함께 쓰이면 시간을 다양하게 표현해 줘.

🔍 잠깐 퀴즈　　▶▶ 15쪽

30. 다음 문장에 쓰인 동작상의 종류는?

나는 집에서 숙제를 다해 버렸다.

잡느냐, 잡히느냐 – 능동 표현과 피동 표현

📢 피동문만 있고 능동문이 없는 문장

• 날씨가 풀렸다.
• 영수가 감기에 걸렸다.
• 기가 막히다. (관용적 표현)

분명 같은 장면을 보았는데, 할머니와 손녀의 표현이 다르군요. 왜 그럴까요? 그것은 어떤 사람을 주어로 하느냐에 따라 표현이 달라지기 때문이에요.

자신의 힘으로 어떤 동작이나 행위를 하는 사람을 주어로 두면 **능동 표현**이 되고, 다른 주체에 의해서 어떤 일을 당하게 되는 사람이나 사물을 주어로 하면 **피동 표현**이 돼요. 그림을 통해서 능동 표현과 피동 표현을 이해해 보도록 해요.

사냥꾼이 토끼를 잡았다.

→ 주어인 사냥꾼이 직접 잡는 행동을 했으므로 능동 표현

토끼가 사냥꾼에게 잡혔다.

→ 주어인 토끼가 사냥꾼에 의해서 잡히게 되었으므로 피동 표현

🔍 잠깐 퀴즈   ▶▶ 15쪽

31. 다음 빈칸에 알맞은 말을 쓰시오.

자신의 힘으로 어떤 동작이나 행위를 하는 사람을 주어로 두면 (   ) 표현이 되고, 다른 주체에 의해서 어떤 일을 당하게 되는 사람이나 사물을 주어로 하면 (   ) 표현이 된다.

그렇다면 피동 표현은 어떻게 만들 수 있을까요?

피동 표현을 만드는 방법

- 용언에 피동 접사 '-이-, -히-, -리-, -기-'를 붙여요.
  - 예 섞다 → 섞이다, 막다 → 막히다, 풀다 → 풀리다, 끊다 → 끊기다
- 용언에 '-어지다'를 붙여요.
  - 예 나누다 → 나누어지다, 이루다 → 이루어지다
- 일부 단어 뒤에 피동의 뜻을 더하는 '되다'를 붙여서 만들어요.
  - 예 형성하다 → 형성되다, 사용하다 → 사용되다

능동문이 피동문으로 될 때는 서술어의 모양만 달라지는 것이 아니라, 문장 성분에도 변화가 일어나요. 능동문의 주어는 피동문에서 부사어로 나타나고, 능동문의 목적어는 피동문에서 주어로 나타나요.

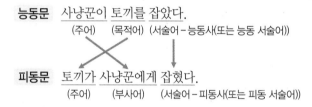

능동문 사냥꾼이 토끼를 잡았다.
　　　　(주어)　(목적어)　(서술어 - 능동사(또는 능동 서술어))

피동문 토끼가 사냥꾼에게 잡혔다.
　　　　(주어)　(부사어)　(서술어 - 피동사(또는 피동 서술어))

똑같은 사건을 능동문으로 표현할 때와 피동문으로 표현할 때 느낌이 어떻게 달라질까요? 능동문에서는 행동을 하는 사람이나 사물이 주어로 나타나므로 주어의 행위가 강조돼요. 그러나 피동문으로 표현하면 주어 자리에 행동을 당한 사람이나 사물이 오게 되어 사건을 일으킨 주체보다 행동을 당한 사람이나 사물이 강조돼요.

- "김 순경이 드디어 범인을 잡았습니다." → 김 순경이 범인을 잡은 것이 강조됨.
- "드디어 범인이 잡혔습니다." → 범인이 잡힌 것이 강조됨.

같은 상황이라도 능동 표현을 사용하느냐 피동 표현을 사용하느냐에 따라 서로 다른 측면이 부각되는 걸 알 수 있죠?

◆ 능동문에서 '목적어'는 피동문에서 '주어'로, 능동문에서 '능동형 서술어'는 피동문에서 '피동형 서술어'로 바뀐다.
예 심사 위원은 그를 최고의 가수로 뽑았다. (능동)
그는 최고의 가수로 뽑혔다. (피동)

📢 내용을 분명하게 전달하기 위해서 불필요한 피동 표현은 삼가야 한다.
- 사람들의 인식이 바뀌어져야 한다. → 사람들의 인식이 바뀌어야 한다.
- 간접 체벌도 금지되어져야 한다. → 간접 체벌도 금지되어야(금지해야) 한다.
- 한류 열풍은 당분간 계속될 것으로 보여진다. → 한류 열풍은 당분간 계속될 것으로 보인다.

🔍 잠깐 퀴즈　▶▶ 15쪽

32. 다음 문장을 능동문으로 바꾸어 쓰시오.

> 사슴이 사냥꾼에게 쫓겼다.

스스로 하느냐, 시키느냐 - 주동 표현과 사동 표현

표현 방법에 따라 문장을 주동문과 사동문으로도 구분할 수 있어요. **주동**이란 주어가 제 힘으로 직접 일을 하는 것을 가리키는 것이고, **사동**은 주어가 남에게 동작을 하도록 시키는 것을 말해요.

주동과 사동의 차이는 무엇일까요?

동생이 밥을 먹는다.

엄마가 동생에게 밥을 먹인다.

동생이 스스로 행동했는지, 엄마가 동생이 그 행동을 하도록 만들었는지에 따라 문장 표현이 달라지네요. 왼쪽 문장은 주동 표현을, 오른쪽 문장은 사동 표현을 썼어요.

그렇다면 사동문은 어떻게 만들 수 있을까요?

사동 표현을 만드는 방법

- 용언에 사동 접사 '-이-, -히-, -리-, -기-, -우-, -구-, -추-'를 붙여요.
  예) 끓다 → 끓이다, 넓다 → 넓히다, 얼다 → 얼리다, 남다 → 남기다

  비다 → 비우다, 일다 → 일구다, 늦다 → 늦추다
- 용언에 '-시키다', '-게 하다'를 붙여요.
  예) 입학하다 → 입학시키다, 부수다 → 부수게 하다

  일어나다 → 일어나게 하다

사동 접사를 이용한 사동문과 '-게 하다' 사동문은 같은 사동문이지만 의미가 미묘하게 달라요.

- 사동 접사 사동문: ① 주어가 직접 행동을 함.
  ② 대상에게 행동을 하도록 시킴.
- '-게 하다' 사동문: 대상에게 행동을 하도록 시킴.

사동문만 있고 주동문이 없는 문장

- 선생님이 종을 울렸다.
- 증인이 끝까지 진실을 숨겼다.
- 내 친구는 돼지를 먹인다.
  (돼지를 기른다는 의미)

잠깐 퀴즈 ▶▶ 15쪽

33. 다음 문장을 주동문으로 바꾸어 쓰시오.

선생님이 영수에게 책을 읽혔다.

| 나는 동생에게 옷을 입혔다. | 나는 동생에게 옷을 입게 했다. |

→ 내가 직접 동생에게 옷을 입히는 행동을 했다. (직접 사동)

→ 나는 동생에게 옷을 입으라고 말했고, 동생이 스스로 옷을 입었다. (간접 사동)

능동문이 피동문으로 바뀔 때 문장 성분의 변화가 일어났던 것을 기억하고 있지요? 주동문이 사동문으로 바뀔 때에도 마찬가지로 문장 성분의 변화가 일어나요.

주동문　동생이　옷을　입었다.
　　　　　　(주어)　(목적어)　(주동 서술어)

사동문　내가　동생에게　옷을　입혔다.
　　　(새로운 주어)　(부사어)　(목적어)　(사동 서술어)
　　　　└ 시킨 사람

이 문장에서 확인할 수 있듯이 주동문의 목적어는 사동문에서도 그대로 목적어로 나타나지만 주어는 사동문에서 부사어로 나타나요. 그리고 사동문에는 주동문에 나타나지 않았던 행위를 시킨 사람이 나타난답니다.

주동문을 사동문으로 바꿀 때에는 행위를 시킨 사람이 꼭 추가돼야 해.

◆ 주동문의 주어가 항상 부사어가 되는 것이 아니다. 주동사가 목적어가 필요한 동사일 경우는 주어가 부사어가 되지만, 주동사가 목적어가 필요없는 경우에는 주어가 목적어가 된다.
⟨예⟩ 수아가 잔다. → (아빠가) 수아를 재운다.

알아 두자! 주의해야 할 사동 표현 '-시키다'

'-시키다'라는 말을 붙인다고 해서 무조건 사동 표현이 되는 것은 아니에요.
⟨예⟩ 내게도 여자 친구를 소개시켜 주세요.
　　→ 내게도 여자 친구를 소개하게 해 주세요. (×)
'소개시키다'를 '소개하게 하다'로 바꿔 써 보았더니 전혀 의미가 통하지 않는 문장이 되었지요? '-시키다'를 '-하게 하다'로 바꿔 썼을 때 문장이 어색해지면 사동 표현을 쓸 수 없는 동사랍니다. 그러므로 위의 예문은 "내게도 여자 친구를 소개해 주세요."라고 고쳐야 해요.

잠깐 퀴즈 ▶▶ 15쪽

34. 다음 문장을 사동문으로 바꾸어 쓰시오.

동생이 신발을 신었다.

'못' 하는 것과 '안' 하는 것 – 부정 표현

"넌 왜 그렇게 부정적이야?", "그 사실을 부정하지 마."와 같은 말을 누구나 한번쯤 사용하거나 들어 본 경험이 있을 거예요. '부정'이란 쉽게 말해 '아니다'라고 하는 거예요. 긍정문에 부정을 나타내는 말을 써서 내용 전체 또는 일부를 부정하는 문장을 부정문이라고 해요.

부정문은 어떠한 부정어를 사용했느냐에 따라 '안' 부정문, '못' 부정문, '말다' 부정문으로 나눌 수 있어요. 또한 문장의 길이에 따라 짧은 부정문, 긴 부정문으로 나눌 수도 있어요.

'안'이나 '못'을 부사어로 쓰면 짧은 부정문, '-지 않다'나 '-지 못하다'의 형태로 쓰면 긴 부정문이라고 해요. '말다'는 긴 부정문으로만 쓰여요.

각각의 부정문이 담고 있는 느낌을 제대로 파악해서 상황에 맞게 사용해야겠어.

- 나는 어제 운동을 안 했다. (짧은 부정문) ┐ '안' 부정문
- 나는 어제 운동을 하지 않았다. (긴 부정문) ┘ (의지 부정, 상태 부정)
- 나는 어제 운동을 못 했다. (짧은 부정문) ┐ ← '못' 부정문(능력 부정)
- 나는 어제 운동을 하지 못했다. (긴 부정문) ┘
- 쓰레기를 아무 데나 버리지 말아라. (긴 부정문) – '말다' 부정문(금지 부정)

잠깐 퀴즈 ▶▶ 15쪽

35. 다음 문장을 제시한 형태로 각각 바꾸어 쓰시오.

> 어제 친구들과 도서관에 갔다.

(1) 짧은 '안' 부정문
(2) 긴 '안' 부정문
(3) 짧은 '못' 부정문
(4) 긴 '못' 부정문

위 그림의 친구는 글자 하나 다르게 말한 것뿐인데, 결과는 완전히 다르게 되었네요. 왜 그럴까요? '안' 부정과 '못' 부정은 모두 부정문이지만 둘 사이의 의미 차이가 존재하기 때문이에요. '안' 부정은 주어가 의지를 가지고 있다는 느낌을 주는 반면, '못' 부정은 주어의 능력이 부족하거나 다른 일이 일어났기 때문이라는 느낌을 주지요.

하나의 부정문은 여러 가지 의미를 나타낼 수가 있어요.

나는 너 안 좋아해. → 다른 사람이 널 좋아해. (주어 '나' 부정)

→ 나는 너 말고 다른 사람을 좋아해. (목적어 '너' 부정)

→ 나는 너를 좋아하지 않고 사랑해. (서술어 '좋아해' 부정)

부정문은 이렇게 다양하게 해석될 수 있기 때문에 자칫 잘못하면 의사소통의 오해를 불러일으킬 수도 있답니다. 하지만 보조사나 억양을 사용해서 부정하려고 하는 문장 성분을 강조하거나, 말의 순서를 바꾸면 부정문의 중의성을 어느 정도 없앨 수 있어요. 예를 들어 '지난 일요일에 나는 등산을 가지 않았다.'라는 부정문의 중의성을 없애려면 다음과 같이 하면 돼요.

● 중의성: 한 단어나 문장이 두 가지 이상의 뜻으로 해석될 수 있는 현상이나 특성.

지난 일요일에 <u>나는</u> 등산을 가지 않았다. ——주어 부정——> <u>다른 사람이</u> 등산을 갔다.

나는 <u>지난 일요일에는</u> 등산을 가지 않았다. ——부사어 부정——> <u>다른 날에는</u> 등산을 갔다.

나는 지난 일요일에 <u>등산은</u> 가지 않았다. ——목적어 부정——> <u>놀이공원을</u> 갔다.

🔍 **잠깐 퀴즈** ▶▶ 15쪽

36. 다음 문장이 담고 있는 의미를 모두 쓰시오.

학생들이 모두 가지 않았다.

다른 사람의 말을 옮겨 와요 – 인용 표현

다른 사람의 말이나 글을 자신의 말이나 글에 끌어오는 것을 **인용**이라고 해요. 이러한 인용 표현에는 직접 인용과 간접 인용이 있어요. 둘의 차이는 무엇일까요?

> 오늘 명동에 갔었는데, 외국인이 나한테 "근처에 맛있는 식당이 어디입니까?"라고 물어봤다.

> 오늘 명동에 갔었는데, 외국인이 나한테 근처에 맛있는 식당이 어디냐고 물어봤다.

같은 그림의 상황을 오른쪽의 두 글에서 각기 다르게 표현하고 있어요. 첫 번째 글은 자신이 들은 말을 바꾸지 않고 그대로 전달하고 있죠. 이것을 **직접 인용**이라고 해요. 두 번째 글은 다른 사람의 말을 자신의 관점에 따라 바꾸어 표현하고 있어요. 이것을 **간접 인용**이라고 해요.

직접 인용을 할 때에는 따온 문장에 큰따옴표(" ")를 쓰고, 문장 뒤에 인용격 조사 '–라고'를 붙여요.

간접 인용은 자신의 관점으로 표현하는 것이기 때문에 따옴표를 쓰지 않아요. 그리고 인용되는 문장의 종류에 따라 그 표현이 달라져요. 평서문은 '–다고', 의문문은 '–(느)냐고', 명령문은 '–(으)라고', 청유문은 '–자고'로 표현해요.

- 그는 나에게 "나는 만화책을 좋아해."라고 말했다. (직접 인용)
- 그는 나에게 <u>자기는</u> 만화책을 좋아<u>한다고</u> 말했다. (간접 인용)

평서문을 간접 인용할 때에는 '–다고'를 써요. 간접 인용은 화자의 입장에서 기술하는 것이기 때문에 직접 인용과는 대명사나 표현이 달라질 수 있어요. 여기서는 직접 인용의 '나'가 간접 인용에서 '자기'로 바뀌었어요.

◆문장의 종류
- 평서문: 화자가 청자에게 특별한 요구없이, 단지 정보를 전달하고자 하는 문장
- 의문문: 화자가 청자에게 대답을 요구하는 문장
- 명령문: 화자가 청자에게 어떠한 행동을 할 것을 요구하는 문장
- 청유문: 화자가 청자에게 어떠한 행동을 함께 할 것을 요청하는 문장

잠깐 퀴즈 ▶▶ 15쪽

37. 다음 중 간접 인용문으로 알맞지 <u>않은</u> 것은?
① 그는 나에게 밥을 같이 먹자고 하였다.
② 나는 그에게 오늘은 바쁘다고 하였다.
③ 나는 친구에게 너를 좋아한다고 말했다.
④ 친구는 나에게 밥을 언제 먹니라고 물었다.
⑤ 아버지는 나에게 청소를 언제 하느냐고 하셨다.

- 나는 선생님께 "언제 집에 가십니까?"라고 물었다. (직접 인용)
- 나는 선생님께 언제 집에 가시<u>느냐고</u> 물었다.   (간접 인용)

- 그는 어제 나에게 "내일 2시에 밥을 같이 먹어요."라고 말했다. (직접 인용)
- 그는 어제 나에게 오늘 2시에 밥을 같이 먹<u>자고</u> 말했다.   (간접 인용)

의문문을 간접 인용할 때에는 '-(느)냐고'를, 청유문을 간접 인용할 때에는 '-자고'를 써요. 그런데 직접 인용문의 하십시오체나 해요체와 같은 상대 높임법♦은 간접 인용문에서는 별로 중요하지 않아요. 직접 인용문의 '가십니까'는 간접 인용문에서는 '가시느냐고'로, '먹어요'는 '먹자고'로 바뀌어요. 명령문을 간접 인용할 때에는 '-(으)라고'를 써요.

♦ 상대 높임법이란 말하는 이가 듣는 이를 높이거나 낮추는 방법으로 하십시오체, 하오체, 하게체, 해라체, 해요체, 해체가 있다.

- 누나는 동생에게 "오늘 방 청소를 해라"라고 말했다. (직접 인용)
- 누나는 동생에게 오늘 방 청소를 하<u>라고</u> 말했다.   (간접 인용)

마지막으로 인용한 말 안에 있는 인용한 말을 나타낼 때나 구절이나 단어를 인용할 때에는 작은따옴표를 써요.

- 그는 "학생 여러분! '시작이 반이다.'라는 말 들어 보았죠?"라고 말하며 강연을 시작했다.
- 거기에는 '주차 금지'라고 쓰여 있다.

문장의 종류에 따라 사용하는 어미가 달라지는 구나.

자신의 생각을 인용할 때에는 직접 인용과 간접 인용을 모두 쓸 수 있는데, 간접 인용이 더 자연스러워요.

- 나는 '오늘은 너무 힘들어서 집에 가야겠다.'라고 생각했다.
- 나는 오늘은 너무 힘들어서 집에 가야겠다고 생각했다.

오늘은 너무 힘들어서 집에 가야겠다.

잠깐 퀴즈   ▶▶ 15쪽

38. 다음 설명이 맞으면 ○표, 틀리면 ✕표 하시오.

(1) 직접 인용에는 큰따옴표(" ")나 작은따옴표(' ')를 사용할 수 있다.
          (   )

(2) 간접 인용에서 상대 높임법은 중요한 요소이다.   (   )

담화

지금까지 우리는 여러 가지 문장 표현을 배우면서 문장 표현이 상황과 밀접한 관련이 있다는 것을 배웠어요. 문장을 제대로 사용하고 이해하기 위해서는 문장 그 자체를 이해하는 것도 중요하지만 문장과 관련된 여러 맥락을 이해하는 것도 중요해요. 이번에는 문장이 실생활에 쓰이는 모습을 살펴보면서 문장을 사용할 때 어떤 맥락을 고려해야 하는지 살펴보도록 해요.

맥락 – 모습은 똑같아도 의미는 다르다

우리는 일상생활에서 주로 말로 의사소통을 하는데, 이때 말로 나타나는 문장을 **발화**라고 해요. 그런데 때때로 같은 모습을 가진 발화가 서로 다른 의미를 갖게 되는 경우를 발견할 수 있어요.

어법에 맞고 맥락에 어울리는 문장을 써야 의사소통을 잘 할 수 있어.

"오늘 낮부터 비가 온다는구나."라는 말에 담긴 의미가 서로 다르다는 것을 느낄 수 있죠? 두 상황을 비교해 보면, 왼쪽 그림에서는 비가 와서 아쉽다는 의미가 들어 있고, 오른쪽 그림의 발화에는 비가 와서 기쁘다는 의미가 들어 있어요.

이처럼 발화는 홀로 떨어져 있는 것이 아니라 우리 생활 속의 여러 요소들과 관련을 맺고 있어요. 의사소통에 누가 참여하고 있는지, 의사소통이 이루어지고 있는 시간과 장소는 어떻게 되는지, 의사소통을 하는 의도와 목적은 무엇인지 등에 따라 발화의 의미가 결정돼요.

잠깐 퀴즈 ▶▶ 15쪽

39. 다음 설명이 맞으면 O표, 틀리면 X표 하시오.
(1) 말로 나타나는 문장을 발화라고 한다. (   )
(2) 같은 모습을 가진 발화는 한 가지 의미를 갖는다. (   )

담화는 맥락에 따라 달라진다

다음 상황에서 나온 말을 보세요.

두 상황에서 똑같이 "너밖에 없다."라는 말이 나왔어요. 하지만 맥락이 다르기 때문에 "너밖에 없다."의 의미가 서로 다르지요. 왼쪽 그림에서는 "너밖에 없다."라는 말이 친구에게 고마움을 표시하는 말인데, 오른쪽 그림에서는 너말고 다른 사람은 없다는 의미를 나타내고 있어요.

위의 두 문자 메시지에는 똑같이 '영화 어때?'라는 문장이 쓰였어요. 그러나 왼쪽은 영화를 같이 보러 가자고 제안하는 의미를 가지고 있고, 오른쪽은 영화가 재미있었는지 물어보는 의미를 가지고 있어요. 이처럼 발화나 문장은 모두 맥락과 함께 담화를 이루고, 맥락에 따라 서로 다른 **담화**가 만들어져요.

> **알아 두자!** '담화'라는 용어의 쓰임
>
> 담화는 발화로 이루어졌느냐 문장으로 이루어졌느냐에 따라 구어 담화와 문어 담화로 나뉘어요. 일반적으로 발화로 이루어진 '구어 담화'를 그냥 '담화'라고 부르고, 문장으로 이루어진 '문어 담화'를 '글'이라고 불러요. '담화'라는 용어의 쓰임도 맥락을 고려해서 사용해야겠지요?

맥락을 고려하지 않는다면 의미 해석이 어려워서 오해가 생길 수도 있겠구나.

🔍 **잠깐 퀴즈**　▶▶ 15쪽

40. 다음 빈칸에 알맞은 말을 쓰시오.

> 발화나 문장은 모두 (　　　)과 함께 담화를 이루고, (　　　)에 따라 서로 다른 담화가 만들어진다.

맥락이라고 다 같은 맥락이 아니다

담화의 의미에 큰 영향을 미치는 맥락은 상황 맥락과 사회·문화적 맥락으로 나누어 볼 수 있어요. **상황 맥락**은 담화가 이루어지는 상황과 직접적으로 관련된 맥락이에요. 상황 맥락에서 고려해야 할 요인들에는 담화의 참여자, 담화가 이루어지는 시간과 장소, 담화의 의도와 목적 등이 있어요.

"밥이 많은데요."의 의미를 제대로 이해하려면 상황 맥락을 고려해야 해요. 왼쪽 그림에서 밥이 많다고 하는 것은 자기가 먹기에 밥이 너무 많다는 것을 의미하죠. 따라서 남자의 발화는 밥을 덜어야겠다는 의도를 가진 것으로 파악할 수 있어요. 반면에 오른쪽 그림에서 밥이 많다고 하는 것은 이미 해 놓은 밥이 아직도 많이 남았다는 것을 의미해요. 따라서 여자의 발화는 오늘은 외식을 하지 말고 집에서 남은 밥을 먹자는 의도를 가진 것으로 볼 수 있어요.

맥락 중에는 상황 맥락 말고도 특정 사회나 문화에서 오랜 시간 동안 만들어진 **사회·문화적 맥락**이 있어요. 아무리 상황 맥락을 고려한다고 하더라도 사회·문화적 맥락을 고려하지 않으면 담화가 제대로 이루어지지 않게 돼요.

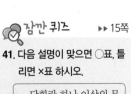

▶▶ 15쪽

잠깐 퀴즈

41. 다음 설명이 맞으면 ○표, 틀리면 ×표 하시오.

담화란 하나 이상의 문장이 연속되어 이루어지는 글의 단위를 말한다.

세대에 따른 사회·문화적 맥락

성별에 따른 사회·문화적 맥락

사회·문화적 맥락은 세대나 성별, 지역과 같은 요인에 영향을 받아요. 담화의 내용은 같지만 세대, 성별, 지역에 따라 서로 다른 표현이 사용되기도 해요.

최근 점점 많은 외국인들이 우리나라에 정착해서 살고 있어요. 하지만 서로 다른 사회·문화적 맥락을 갖고 있기 때문에 담화가 제대로 이루어지지 않아서, 의사소통에 문제가 생길 수 있어요.

맥락이란 말이 조금 어렵게 느껴지지만 '상황', '관계' 같은 말과 함께 생각해 보면 이해하기가 쉽겠는걸.

문화에 따른 사회·문화적 맥락

우리나라 사람들은 귀한 선물을 할 때도 '별 거 아닙니다.'와 같은 표현을 사용해요. 하지만 선물을 받는 사람은 그 말을 듣고도 선물을 준 데 대한 감사의 표시를 합니다. 이러한 담화가 생기는 까닭은 우리나라에서는 자신이나 자신과 관련된 것을 낮춰 표현하여 겸손함을 드러내는 사회·문화적 맥락이 존재하기 때문이에요. 이러한 맥락을 이해하지 못하면 제대로 된 의사소통하기가 어려워요. 이런 경우 서로 다른 사회·문화적 맥락을 가지고 있다는 점을 고려해야겠지요.

잠깐 퀴즈 ▶▶ 15쪽

42. 다음 빈칸에 알맞은 말을 쓰시오.

> 상황 맥락에 맞는 말하기는 원활한 (　　　)을 하기 위해 필요하다.

핵심만 쏙!

● **문장**: 생각이나 감정을 완결된 내용으로 표현하는 가장 작은 단위

• 주어와 ☐☐☐를 갖추는 것이 원칙이나, 생략될 수도 있음.
• 문장이 끝났음을 나타내는 표지를 갖추고 있음.

$$\text{문장} = \boxed{\text{단어 1개 이상}} + \boxed{\begin{array}{c}\text{표지}\\ \text{. , ? , !}\end{array}} \Rightarrow \text{생각과 감정을 전달함.}$$

● **문장 성분**: 문장 안에서 일정한 문법적인 기능을 하는 부분

종류	성분	내용	예문
주성분	☐☐	문장에서 서술하는 행위나 상태, 성질 등의 주체	나는 사과를 먹었다.
	서술어	주어의 움직임이나 상태, 성질 등을 풀이해 주는 부분	나는 사과를 먹었다.
	☐☐☐	서술어가 나타내는 동작의 대상이 되는 부분	나는 사과를 먹었다.
	보어	'되다', '아니다' 앞에서 '무엇이'의 내용을 나타내는 부분	나는 가수가 되었다.
부속 성분	관형어	☐☐을 꾸며 줌.	• 그는 헌 집을 헐었다. • 깨끗한 하늘을 보니 기분이 좋다. • 나는 시골의 풍경을 좋아한다.
	☐☐☐	• 용언을 꾸며 줌. • 다른 부사어나 관형어를 꾸며 주거나, 문장 전체도 꾸밈. • 단어나 문장을 이어주는 말들도 포함됨.	• 나는 국어를 제일 좋아한다. • 그는 너를 정말 오래 그리워했다. • 사진이 겨우 서너 장 남았다. • 제발 비가 그쳤으면 좋겠다. • 나는 잠을 잤다. 그리고 꿈을 꾸었다.
독립 성분	독립어	다른 문장 성분과 관련이 없음.	우와! 정말 멋지다.

● 올바른 문장 쓰기

① 필수적인 문장 성분을 생략하지 않음.

② 같은 의미의 말을 중복 사용하면 않고, 불필요한 반복을 피함.

③ 문장 성분끼리의 ☐☐을 고려함(주어와 서술어의 호응, 부사어와 서술어의 호응, 수식어와 피수식어의 호응, 조사와 서술어의 호응).

● 홑문장과 겹문장

한 문장에 주어와 서술어가 한 번만 나타나면 홑문장, 두 번 이상 나타나면 겹문장임.

● 겹문장의 종류

- 안은문장 ☐홑문장☐ + ☐홑문장☐ = ☐안긴문장☐ 안은문장

- 이어진문장 ☐홑문장☐ + ☐홑문장☐ = ☐☐ ☐☐ 이어진문장

	종류	예문
안은문장	☐☐☐을 가진 안은문장	그 사건은 <u>해결하기가</u> 어렵다.
	관형절을 가진 안은문장	<u>지난주에 본</u> 영화는 재미있었다.
	부사절을 가진 안은문장	그녀는 <u>눈이 부시게</u> 예뻤다.
	인용절을 가진 안은문장	철수는 나에게 <u>선생님께 내가 말씀드리라고</u> 말했다.
	☐☐☐을 가진 안은문장	기린은 <u>목이</u> 길다.
이어진문장	대등하게 연결된 이어진문장	• 형은 대학생이고, 누나는 고등학생이다. (나열) • 이 책을 좋아하는 사람도 있지만, 싫어하는 사람도 있다. (대조)
	☐☐☐으로 연결된 이어진문장	• 피곤하면 일찍 들어가 쉬어라. (조건) • 눈이 너무 많이 내려서, 버스가 다니지 못한다. (원인·결과)

답 서술어, 주어, 목적어, 체언, 부사어, 호응, 명사절, 서술절, 종속적

● 문장 표현

종결 표현	어떤 의도와 느낌을 표현하느냐에 따라	평서문	정보 전달 예 아침 운동을 시작했<u>다</u>.
		의문문	대답 요구 예 아침 운동을 시작했<u>니</u>?
		명령문	행동 요구 예 아침 운동을 시작해<u>라</u>.
		□□문	함께할 것을 제안 예 아침 운동을 시작하<u>자</u>.
		감탄문	화자의 느낌과 생각 표현 예 아침 운동을 시작했<u>구나</u>!
높임 표현	높이는 상대가 누구냐에 따라	주체 높임법	문장의 주어를 높임. 예 아버지<u>께서</u> 웃으<u>신</u>다.
		객체 높임법	문장의 목적어나 □□□를 높임. 예 할머니를 <u>모시</u>고 오너라. 　이것을 할머니<u>께</u> <u>드려</u>라.
		□□ 높임법	대화 상대(청자)를 높임. 예 선생님, 잘 지내<u>셨습니까</u>?
시간 표현	발화시를 중심으로 사건시를 표현	사건시〉발화시	과거 예 어제 영화를 보<u>았</u>다.
		사건시=발화시	현재 예 지금 영화를 <u>본</u>다.
		사건시〈발화시	□□ 예 내일 영화를 보<u>겠</u>다.
	동작의 진행 여부	□□상	동작이 끝나 버렸음. 예 어제 전화를 걸<u>었</u>어.
		진행상	현재 또는 어느 시점까지 동작이나 상태가 이어지고 있음. 예 지금 전화를 걸<u>고 있</u>어.
피동 표현과 사동 표현	누가 하고 누가 당하는가	능동 – 피동	주어가 제 힘으로 어떤 일을 함. – 주어가 다른 주체에 의해서 어떤 일을 당하게 됨. 예 어머니가 아이를 안았다. 　 – 아이가 어머니에게 안<u>겼</u>다.
	누가 하도록 시키고 누가 하는가	주동 – □□	주어가 제 힘으로 직접 어떤 일을 함. – 주어가 남에게 동작을 하도록 시킴. 예 동생이 밥을 <u>먹었</u>다. 　 – 내가 동생에게 밥을 <u>먹였</u>다.

부정 표현	주어의 의지나 능력에 따라	'안' 부정문	단순 부정, 상태 부정, 의지 부정 예 나는 책을 안 읽었다.
		'못' 부정문	상태 부정, ☐☐ 부정 예 나는 책을 못 읽었다.
		'말다' 부정문	명령문과 청유문을 부정할 경우 예 그 책은 읽지 말아라. / 그 책을 읽지 말자.
	문장의 길이에 따라	짧은 부정문	안, 못+서술어 예 나는 우유를 {안/못} 마신다.
		긴 부정문	서술어+'-지 않다', '-지 못하다' 예 나는 우유를 마시지 {않는다/못한다}.
인용 표현	말을 전달하는 방식에 따라	직접 인용	자신이 들은 말을 바꾸지 않고 그대로 전달하는 경우 예 그는 나에게 "나는 준서를 좋아해."라고 말했다.
		☐☐ 인용	남의 말을 자신의 관점에 따라 바꾸어 표현하는 경우 예 그는 나에게 자기는 준서를 좋아한다고 말했다.

● 문장 표현과 맥락

☐☐ 맥락	뜻	담화나 글의 의미를 해석하는 데에 관련된 요인
	특성	똑같은 말이나 글도 상황 맥락에 따라 다르게 해석될 수 있음.
	구성 요소	말하는 이, 듣는 이, 시간과 장소, 의도와 목적 등
	고려해야 하는 이유	• 이야기의 상황 맥락을 고려하지 않을 경우 오해가 생기거나 의미 해석 자체가 불가능할 수 있음. • 이야기의 상황 맥락에 맞지 않는 표현을 할 경우 예의에 어긋나거나 상대방의 마음을 불편하게 할 수도 있음.
사회·문화적 맥락	뜻	특정 사회나 문화에서 오랜 시간 동안 만들어진 맥락
	구성 요소	세대, 성별, 지역, 문화 등
	고려해야 하는 이유	상황 맥락을 고려한다 하더라도 사회·문화적 맥락을 고려하지 않으면 의사소통이 잘 이루어지지 않을 수 있음.

답 청유, 부사어, 상대, 미래, 완료, 사동, 능력, 간접 , 상황

기본 익히기

🏳 잘 모르겠다면 해당 쪽 에서 다시 확인해 보세요.

01
전체

다음 설명이 맞으면 O표, 틀리면 X표를 하시오.

(1) 문장은 생각이나 감정을 완결된 내용으로 표현하는 가장 작은 단위이다. ( )

(2) 국어의 문장 성분은 주성분과 부속 성분으로 나눌 수 있다. ( )

(3) 겹문장은 크게 안은문장과 이어진문장으로 나눌 수 있다. ( )

(4) 시제의 종류 중 사건시와 발화시가 일치하는 것이 과거 시제이다. ( )

(5) 청유문은 상대로 하여금 어떠한 행동을 하도록 요구하는 문장이다. ( )

(6) '안' 부정문은 능력 부정, '못' 부정문은 의지 부정을 나타낸다. ( )

02
137~
143쪽

다음 밑줄 친 부분에 해당하는 문장 성분을 〈보기〉에서 골라 쓰시오.

┃보기┃
> 주어, 서술어, 목적어, 보어,
> 관형어, 부사어, 독립어

(1) 그는 어제 <u>책을</u> 읽었다. ( )

(2) <u>엄마야 누나야</u> 강변 살자 ( )

(3) 나는 <u>학생이</u> 아니다. ( )

(4) 빼앗긴 들에도 <u>봄은</u> 오는가? ( )

(5) 나는 사과를 <u>가장</u> 좋아한다. ( )

(6) <u>남의</u> 것은 가져가지 마라. ( )

(7) 마음은 영원히 뻗어 가는 <u>나팔꽃이다.</u> ( )

03
138쪽

다음 중 세 자리 서술어가 쓰인 문장이 아닌 것은?

① 나는 친구에게 편지를 보냈다.

② 희수가 상자를 창고에 두었다.

③ 삼촌이 커다란 물고기를 잡았다.

④ 영수는 체육복을 사물함에 넣었다.

⑤ 어머니는 그 남자를 사위로 삼았다.

04
140쪽

다음 문장에서 관형어를 찾아 밑줄을 치시오.

(1) 그는 새 책을 샀다.

(2) 이 침대는 가격이 매우 싸다.

(3) 어머니는 도시의 풍경을 좋아하신다.

(4) 우리나라 봄은 따뜻하다.

(5) 가을은 열매가 익는 계절이다.

05
141쪽

다음 밑줄 친 부분 중 부사어가 아닌 것은?

> 어느 때부터인지 나는 ①메모에 집착하기 시작하여, 오늘에 와서는 잠시라도 이 메모를 버리고는 살 수 없는, ②실로 한 ③메모광이 되고 말았다. 이러한 버릇이 ④차차 심해 감에 따라, 나는 내 기억력까지를 의심할 만큼 뇌수의 일부분을 메모지로 ⑤가득 찬 포켓으로 만든 듯한 느낌이 든다.
>
> – 이하윤, 〈메모광〉에서

06 다음 중 문장 성분의 호응이 자연스러운 것은?

146쪽

① 어제는 비와 바람이 불었다.

② 그는 운동선수치고 몸이 튼튼하다.

③ 아무리 힘들어도 결코 좌절할 것이다.

④ 만약 내일 비가 온다면 집에 있어야지.

⑤ 설레서 잠을 잘 수가 없다. 왜냐하면 내일
은 소풍을 가는 날이다.

07 다음 문장이 홑문장이면 '홑', 겹문장이면 '겹'이라

148쪽 고 쓰시오.

(1) 우리 강아지는 꽤 영리하다.　　　　(　　)

(2) 그가 얼굴에 가득 미소를 띠었다.　　(　　)

(3) 내가 꾼 꿈을 내 친구가 샀다.　　　(　　)

(4) 성호는 노래도 잘하고 춤도 잘 춘다. (　　)

08 다음 중 홑문장이 아닌 것은?

148쪽

① 우리 집 고양이는 간식을 좋아한다.

② 아기가 울어 대는 통에 잠을 못 잤다.

③ 할머니는 언제나 고향을 그리워하신다.

④ 그는 지난여름 동안 세계 곳곳을 여행하였다.

⑤ 나는 항상 나만의 방식으로 공부 계획을
세운다.

09 다음 중 겹문장의 형태가 <u>다른</u> 하나는?

153쪽

① 봄이 오면 산에 진달래가 핀다.

② 여행을 떠나려고 계획을 세웠다.

③ 나는 그가 돌아온 것을 전혀 몰랐다.

④ 그가 왔으니 우리 팀이 이길 것이다.

⑤ 함박눈이 내려서 세상이 하얗다.

 주관식

10 다음 두 문장을 명사절을 가진 안은문장의 형태로

149쪽 만들어 쓰시오.

> • 나는 깨달았다.
> • 부모님의 말씀이 옳았다.

11 다음 문장이 대등하게 연결된 이어진문장이면

152쪽 '대', 종속적으로 연결된 이어진문장이면 '종'이라
고 쓰시오.

(1) 장갑을 벗어도 손이 시리지 않다.　　(　　)

(2) 지금 서울은 바람이 불고 눈이 오겠다.

　　　　　　　　　　　　　　　　　(　　)

(3) 남풍이 솔솔 불어오면 보리들이 누런빛으
로 변한다.　　　　　　　　　　　(　　)

(4) 비가 내려서 날씨가 추워졌다.　　　(　　)

12 다음 중 의문문의 쓰임이 다른 하나는?

155쪽

① (시험지 채점을 하다가 짝꿍에게) "3번 문제 답이 뭐야?"

② (출근하는 어머니께) "엄마, 오늘 몇 시에 들어오세요?"

③ (아버지가 아들에게) "할아버지께 신문 좀 갖다 드릴래?"

④ (수업 시간에 선생님이 학생에게) "더 궁금한 점이 있나요?"

⑤ (식당 종업원이 손님에게) "더 필요하신 것은 없으신지요?"

13 🖊주관식

157~
159쪽

다음 밑줄 친 부분과 관련된 높임말을 〈보기〉에서 골라 첫 글자를 쓰시오.

┃보기┃
주체 높임법, 객체 높임법, 상대 높임법

(1) 어머니께서 밥을 지으셨다.   (   )

(2) 너는 선생님을 모시고 오너라.   (   )

(3) 영수야, 지금 학교에 가니?
   선생님, 지금 학교에 가십니까?   (   )

14 다음 중 '-겠-'의 쓰임이 다른 하나는?

162쪽

① 나는 그 책을 사겠어.

② 저는 이 일에서 빠지겠습니다.

③ 내가 그 사람을 만나러 가겠다.

④ 제가 이 음식을 먹어 보겠습니다.

⑤ 내일은 하루 종일 비가 내리겠습니다.

15 🖊주관식

164~
167쪽

다음 밑줄 친 부분을 바르게 고쳐 쓰시오.

(1) 소녀가 입김으로 언 손을 녹았다.
   → (   )

(2) ○○○ 씨를 여러분께 소개시켜 드립니다.
   → (   )

(3) 김 순경이 범인을 잡혔습니다.
   → (   )

16 다음 중 알맞은 표현을 골라 ○표를 하시오.

164~
167쪽

(1) 나는 무거운 가방을 (들었다 / 들렸다).

(2) 어머니는 어린 나를 (씻고 / 씻기고), 옷을 (입고 / 입히고), 밥을 (먹어 / 먹여) 주셨다.

(3) 나는 팔이 아파서 동생에게 스스로 밥을 (먹였다 / 먹게 했다).

17 🖊주관식

168쪽

다음 빈칸에 '안'과 '못' 중 어울리는 말을 쓰시오.

(1) 문제가 너무 어려워서 (   ) 풀었다.

(2) 친구에게 화가 나서 친구의 전화를 (   ) 받았다.

(3) 그 책은 필요가 없어서 (   ) 샀다.

(4) 그 앨범이 이미 다 팔려서 (   ) 샀다.

실력 키우기

○ 정답과 해설 17쪽

01 다음 밑줄 친 부분 중 주어가 <u>아닌</u> 것은?

① <u>우리</u> 작년에 이사 갔어.

② 나는 <u>친구에게</u> 책을 받았다.

③ <u>너만</u> 그 사람을 옹호하고 있다.

④ <u>검찰에서</u> 이번 사건을 조사 중이다.

⑤ <u>선생님께서</u> 저에게 선물을 주셨습니다.

02 다음 밑줄 친 부분 중 서술어가 반드시 필요로 하는 성분이 <u>아닌</u> 것은?

① 그는 나를 <u>제자로</u> 삼았다.

② 이 옷은 <u>네 옷과</u> 비슷하다.

③ 친구는 <u>집에서</u> 학교로 갔다.

④ 동생이 드디어 <u>직장인이</u> 되었다.

⑤ 나는 <u>어머니와</u> 매우 닮았다.

03 다음 문장에서 부사어를 모두 골라 밑줄을 치시오.

(1) 날씨가 진짜 너무 더워서 땀을 매우 많이 흘렸다.

(2) 그는 아주 새 사람이 되었다.

(3) 나는 너무 많이 먹어서 배가 불룩하게 나왔다.

(4) 과연 금강산은 아름답구나.

(5) 아빠가 사신 이 딸기는 꿀보다 달다.

(6) 봄에는 꽃이 핀다. 그리고 가을에는 열매가 익는다.

04 다음 중 관형어가 쓰인 문장이 <u>아닌</u> 것은?

① 드디어 새 컴퓨터를 샀다.

② 이 코트가 겨우 3만 원이라고?

③ 넓은 바다를 보니 기분이 좋다.

④ 내가 살던 곳에는 큰 공원이 있었다.

⑤ 그는 매우 빨리 뛰어서 사람들을 놀라게 했다.

05 다음 밑줄 친 부분 중 문장 성분의 성격이 <u>다른</u> 하나는?

① 꽃이 <u>피지를</u> 않는다.

② 우리는 열심히 <u>굴을</u> 팠다.

③ 저녁에는 <u>커피 마시기가</u> 싫다.

④ 철수가 <u>밥도</u> 안 먹고 공부한다.

⑤ 동생은 과학은 싫어하고 <u>수학만</u> 좋아한다.

🖊 주관식

06 다음 빈칸에 공통으로 들어갈 문장 성분이 무엇인지 쓰고, 그 문장 성분의 특징을 쓰시오.

> ㉮ 그는 훌륭한 (　　) 아니다.
> ㉯ 그 사람은 나의 (　　) 아니라 친구이다.
> ㉰ 얼음이 녹아 (　　) 되어서, 이제야 마실 수 있다.

(1) 문장 성분:

(2) 문장 성분의 특징:

07 다음 중 안은문장에 안긴 절의 성격이 <u>다른</u> 하나는?

① 어제 본 영화는 재미가 없었다.
② 이것은 영국에서 수입해 온 차이다.
③ 그는 아버지가 가져오신 책을 읽었다.
④ 나는 그가 약속을 지키지 않았음을 이제야 알았다.
⑤ 언니는 어릴 때부터 꿈꿔 오던 사업을 시작했다.

08 다음 중 부사절이 쓰인 문장은?

① 배고프면 밥을 먼저 먹어라.
② 그는 입이 찢어지게 웃었다.
③ 영화가 재미없더라도 졸지 않겠다.
④ 막 나가려고 하는데 그가 들어왔다.
⑤ 여기는 해가 일찍 져서 금방 어두워진다.

09 다음 중 문장의 기능이 <u>다른</u> 하나는?

① 이곳으로 오세요.
② 좀 조용히 해 주시겠어요?
③ 저번에 먹었던 식당이 어디지?
④ 비가 오니까 우산을 가져가거라.
⑤ 오늘 이후 음식을 드시지 마십시오.

10 주관식 다음 문장에 높임 표현이 나타나는 단어에 밑줄을 치고, 어떠한 높임 표현이 사용되었는지 쓰시오.

(1) 나는 어제 할머니를 뵈었다.

(2) 할아버지는 발이 크시다.

(3) 형은 어제 아버지께 혼이 났어요.

(4) 그 일에 대해 어머니께 여쭤보았다.

11 다음은 격식체를 사용한 문장이다. 상대방을 높이는 정도에 따라 높은 것부터 낮은 것까지 순서대로 나열하시오.

(1) 여기 앉게.
(2) 여기 앉으오.
(3) 여기 앉으십시오.
(4) 여기 앉아라.

12 주관식 다음 문장에 사용된 높임 표현을 바르게 고쳐 쓰시오.

(1) 선생님께서 하실 말씀이 계시다고 한다.
　(　　　) → (　　　)
(2) 손님, 주문하신 음식이 곧 나오십니다.
　(　　　) → (　　　)
(3) 찾으시는 옷의 사이즈는 없으십니다.
　(　　　) → (　　　)

주관식

13 다음은 여러 시제 표현이 사용된 글이다. 밑줄 친 ㉠~◎이 과거, 현재, 미래 중 각각 어떤 것을 나타내는지 쓰시오.

> 며칠 동안 바람이 심하게 ㉠불었다. ㉡오늘은 아침부터 비가 ㉢온다. 일기 예보를 ㉣확인하니 주말까지는 비가 계속 ㉤오겠다. ㉥내일은 일찍 나가야 해서 아침에 ㉦먹을 빵을 미리 ◎준비해야겠다.

(1) 과거:

(2) 현재:

(3) 미래:

14 다음 중 사용된 시제가 다른 하나는?

① 민수가 이제 밥을 먹는다.
② 우리 반 교실이 깨끗하다.
③ 진호는 농구를 할 것이다.
④ 하늘이 매우 흐리고 희뿌옇다.
⑤ 이 빌딩은 우리 동네에서 가장 높다.

15 다음은 시제와 동작상 표현이 사용된 문장이다. 나타내는 시간이 다른 하나는?

① 기차가 벌써 출발해 버렸다.
② 언니는 신발을 신어 보고 있다.
③ 형은 집에서 공부를 하고 있다.
④ 지금 제주도는 눈이 많이 내린다.
⑤ 나는 학교에서 밥을 먹는 중이다.

16 다음 중 미래 시제를 나타내는 문장이 아닌 것은?

① 내년엔 꼭 여행을 가겠다.
② 다음 달에 친구가 올 거야.
③ 비행기가 이제 곧 출발할 것이다.
④ 어머니가 공항에 벌써 도착하셨겠다.
⑤ 그는 언젠가는 이곳을 떠날 사람이다.

주관식

17 다음 문장을 제시된 표현 방식으로 바꾸어 쓰시오.

(1) 고양이가 쥐를 잡았다.
   피동문: _____

(2) 아이가 밥을 먹었다.
   사동문: _____

(3) 호랑이가 토끼를 잡아먹었다.
   피동문: _____

서술형

18 다음 두 문장의 형태와 그 의미 차이를 서술하시오.

> (가) 아빠가 아이에게 약을 먹였다.
> (나) 아빠가 아이에게 약을 먹게 했다.

✎ 서술형

19 다음 중 피동문으로 만들 수 없는 문장을 찾아 그 이유를 서술하시오.

> (1) 벌이 사람을 쏘았다.
> (2) 아버지가 아이를 업었다.
> (3) 동생이 울었다.

20 다음 중 문장의 성격이 <u>다른</u> 하나는?

① 나는 동생에게 옷을 입혔다.
② 사람들이 길을 넓혔다.
③ 그는 난롯불로 얼음을 녹였다.
④ 아버지는 옷장 뒤에 선물을 숨겼다.
⑤ 검찰의 수사 끝에 드디어 사건이 풀렸다.

21 다음 문장의 문맥을 고려하여 적절한 부정 표현을 고르시오.

(1) 나는 열쇠가 없어서 집에 들어가지 (못했다 / 않았다).
(2) 그는 힘이 세지만, 그 짐을 일부러 들지 (못했다 / 않았다).
(3) 이 사과는 아직 익지 (못해서 / 않아서) 먹으면 안 돼.
(4) 약을 먹었더니 더 이상 배가 아프지 (못하다 / 않다).

✎ 서술형

22 다음 두 문장의 의미 차이를 서술하시오.

> (가) 난 어제 잠을 안 잤어.
> (나) 난 어제 잠을 못 잤어.

✎ 주관식

23 〈보기〉를 참고하여 다음 문장의 맥락에 따라 적절한 부정 표현을 쓰시오.

┤보기├
'-지 않다'나 '-지 못하다'의 형태로 만드는 부정문을 긴 부정문이라고 한다. 명령문과 청유문에서는 '-지 않다', '-지 못하다' 대신에 '말다'를 사용한다.

(1) (친구들에게 권유하는 상황) 우리 다 같이 이 빵을 먹지 (　　).
(2) (부모가 아이에게 명령하는 상황) 식당에서는 뛰지 (　　).

✎ 주관식

24 〈보기〉는 부정문이 가지는 중의성을 해소하기 위해 여러 방법으로 문장을 고친 것이다. 다음 빈칸을 채우시오.

┤보기├
나는 지난 일요일에 수영을 하지 않았다.
→ '지난 일요일'을 부정: 나는 지난 일요일에는 수영을 하지 않았고 월요일에는 수영을 했다.
→ '수영'을 부정: 나는 지난 일요일에 수영을 하지 않고 테니스를 쳤다.

(1) '나'를 부정:
(2) '하다'를 부정:

✎주관식

25 다음 문장에서 직접 인용은 간접 인용으로, 간접 인용은 직접 인용으로 바꾸어 쓰시오.

(1) 나는 그에게 "밥은 드셨어요?"라고 물어보 았다.

(2) 아버지께서 형에게 내일은 미술관에 가라 고 하셨다.

(3) 나는 할머니께 오늘 같이 식사를 하자고 하였다.

(4) 직원은 손님에게 이곳에서는 담배를 피지 말라고 하였다.

(5) 그는 나에게 "내일 뵙겠습니다."라고 말하 며 퇴근했다.

26 다음 중 간접 인용 표현의 특징으로 적절하지 <u>않</u>은 것은?

① 간접 인용에는 따옴표가 쓰이지 않는다.

② 상대 높임법은 간접 인용문에서 중요한 요 소이다.

③ 간접 인용은 인용되는 문장의 종류에 따라 그 표현이 달라진다.

④ 간접 인용의 의문문은 '-느냐고'와 '-냐고' 가 모두 쓰일 수 있다.

⑤ 간접 인용은 화자의 입장에서 다른 사람의 말이나 생각을 인용하는 표현이다.

✎주관식

27 〈보기〉의 문장이 사용된 맥락을 고려하여 교사의 말에 대한 학생들의 적절한 반응을 쓰시오.

┤보기├
(교실에 들어온 교사가 추위를 느껴서 학생 들에게 하는 말) 창문이 열려 있네요.

◎기출

28 〈보기〉의 ㉠에 들어갈 예로 가장 적절한 것은?

┤보기├
"확실한 사실은 그가 지금까지 성실하게 살 아왔다."는 주어인 '사실은'과 호응하는 서술어 가 없어서 잘못된 문장이다. 이와 같이 주어와 서술어 사이에 호응이 이루어지지 않은 또 다 른 문장의 예는 다음과 같다.

㉠

① 회원들은 상품 구매를 싸게 구입할 수 있 다.

② 이 글의 특징은 길이가 짧지만 인상은 강 하다.

③ 아들의 성공 소식은 부모님께 여간한 기쁨 이었다.

④ 새 기계는 유해 물질과 연료 효율을 높여 주었다.

⑤ 그는 자신의 행복한 마음을 형언할 방법을 찾았다.

어문 규정

이 장에서는 우리말 규범이 필요한 이유와 각각의 우리말 규범의 원칙, 꼭 알아 두어야 할 항목들을 살펴보도록 합시다.

한눈에 쏙!

우리말 규범

한글 맞춤법
- 표준어를 소리대로 적고, 어법에 맞도록 함.
- 각 단어는 띄어 씀.

국어의 로마자 표기법
- 외국인에게 필요한 국어 규범

표준어 규정과 표준 발음법
- 표준어: 교양 있는 사람들이 두루 쓰는 현대 서울말.
- 표준 발음법: 표준어의 실제 발음을 따름.

외래어 표기법
- 국어의 24 자모만으로 적음.
- 1 음운 1 기호 원칙

한글 맞춤법

한글 맞춤법은 왜 필요할까

우리말 규범의 핵심이라고도 할 수 있는 '**한글 맞춤법**'은 우리말을 '한글'로 적을 때에 지켜야 할 기준을 정한 것이에요. 한글은 소리 문자라 소리나는 대로 쓰고 읽으면 의미가 쉽게 통할 텐데 왜 굳이 맞춤법이 필요한 것일까요? 다음 예를 통해 생각해 보아요.

'한글 맞춤법' 덕분에 의미를 빠르고 바르게 파악할 수 있어.

왼쪽과 오른쪽의 표현 중 어느 쪽이 더 이해하기 쉬운가요? 아마 오른쪽 표현이 더 금방 파악되고 이해하기 쉬웠을 거예요. 오른쪽 문자판은 발음을 그대로 적는 대신 일정한 의미를 가지고 있는 '책'과 '읽다', '-으면' 등을 바르게 적고 있어요. 또 띄어쓰기를 해 놓아서 의미 전달이 훨씬 빠르지요. 즉 오른쪽 문자는 한글 맞춤법에 맞게 적었고 왼쪽은 맞춤법을 고려하지 않고 적은 것이에요.

이처럼 우리가 글을 쉽게 읽고 의미를 빠르게 파악할 수 있도록 규칙을 제시해 주는 것이 바로 '한글 맞춤법'이에요.

● 총칙: 전체를 포괄하는 규칙이나 법칙.

🔍 **잠깐 퀴즈** ▶▶ 20쪽

1. 다음 빈칸에 알맞은 말을 쓰시오.

> 한글 맞춤법은 표준어를 ☐☐대로 적되, ☐☐에 맞도록 함을 원칙으로 한다.

한글 맞춤법의 원칙은 무엇일까

한글 맞춤법의 원칙은 한글 맞춤법 총칙을 살펴보면 금방 알 수 있어요.

한글 맞춤법 총칙 제1항
한글 맞춤법은 표준어를 소리대로 적되, 어법에 맞도록 함을 원칙으로 한다.

'소리대로 적되'라는 말은 표준어를 소리 나는 대로 적는다는 것을 의미해요. 예를 들어 '구름'이라는 단어를 쓸 때 '굴음', '굴흠'처럼 멋대로 적어서는 안돼요.

'어법에 맞도록 한다.'라는 말은 뜻을 파악하기 쉽도록 형태소의 모양을 한 가지로 고정해서 표기한다는 뜻이에요. '책', '읽-'과 같은 체언과 용언뿐만 아니라 '이', '을', '만', '도'와 같은 조사, '-었-', '-고'와 같은 어미에 이르기까지, 이들을 무조건 소리 나는 대로 적으면 그 뜻이 쉽게 파악되지 않기 때문에 원래의 형태를 구별하여 적는 거예요. ⟳92쪽, 96쪽, 98쪽, 102쪽

다음으로 중요한 한글 맞춤법의 원칙은 띄어쓰기예요.

한글 맞춤법 총칙 제2항
문장의 각 단어는 띄어 씀을 원칙으로 한다.

다음 그림을 보면서 띄어쓰기의 필요성에 대해 생각해 보도록 해요.

서울가서 방을 구하시오?

서울 가 서방을 구하시오?

서울가서방을구하시오.

'한국 대학생'으로 쓰면 한국의 대학생들이고, '한국대학생'으로 쓰면 한국대학교 학생들이네.

서울에 가서 방을 구하라는 편지를 보냈는데 띄어쓰기를 하지 않고 보내니 '서울 가서 방을' 구하라는 것인지, '서울에 가 서방을' 구하라는 것인지 알 수 없게 되어 버렸네요.

띄어쓰기의 단위가 되는 '단어'는 독립적으로 쓰이는 하나의 의미 덩어리예요. 단어의 단위를 살려 띄어쓰기를 하면 불필요한 오해를 피할 수 있고, 글을 읽을 때 내용을 쉽고 빠르게 파악할 수 있게 되지요. (마냥우리가지금보고인는이책또이와가치저녀띄어쓰기도하지안코어뻐블지키지아느면이거슬잉는동안정말피곤해질꺼예요.)

🔍잠깐 퀴즈 ▶▶20쪽

2. 한글 맞춤법에서 문장의 각 ☐☐는 띄어 쓰는 것이 원칙이다.

그러면 지금부터 한글 맞춤법의 주요 항목들을 살펴보도록 해요.

한글 자모의 이름과 순서를 알아보자

1527년 최세진이 쓴 《훈몽자회》라는 책에 훈민정음의 자음과 모음에 대한 당시의 이름이 나와 있어요. 현재 우리들이 쓰고 있는 이름도 이에 따른 것으로, 한글 맞춤법에 한글 자음과 모음의 이름을 명시하고 있어요.

■ 자음의 이름을 붙이는 규칙

'ㄴ'의 경우 **니은**
바뀌지 않는 부분
해당 자음이 들어가는 부분

그런데 자음의 이름을 붙이는 규칙이 적용되지 않는 자음도 있어요.

ㄱ 기역
ㄷ 디귿
ㅅ 시옷

이것만 이름이 달라.

'ㄱ' – '기윽'이 아니고 '기역'이다.
'ㄷ' – '디읃'이 아니고 '디귿'이다.
'ㅅ' – '시읏'이 아니고 '시옷'이다.

> **《훈몽자회》:** 한자를 종류별로 모아서 한글로 음과 뜻을 달아 놓은 한자 학습서.
>
> **명시:** 분명하게 드러내 보임.

잠깐 퀴즈 ▶▶ 20쪽

3. 한글 자모의 이름이 **잘못된** 것은?
① ㄱ(기역) ② ㄷ(디귿)
③ ㅅ(시옷) ④ ㅌ(티귿)
⑤ ㅎ(히읗)

제4항	한글 자모의 수는 스물넉 자로 하고, 그 순서와 이름은 다음과 같이 정한다.			
ㄱ(기역)	ㄴ(니은)	ㄷ(디귿)	ㄹ(리을)	ㅁ(미음)
ㅂ(비읍)	ㅅ(시옷)	ㅇ(이응)	ㅈ(지읒)	ㅊ(치읓)
ㅋ(키읔)	ㅌ(티읕)	ㅍ(피읖)	ㅎ(히읗)	
ㅏ(아)	ㅑ(야)	ㅓ(어)	ㅕ(여)	ㅗ(오)
ㅛ(요)	ㅜ(우)	ㅠ(유)	ㅡ(으)	ㅣ(이)

두음 법칙은 어떻게 적용될까

우리말의 한자어에서는 두음 법칙 때문에 일부 소리가 단어의 첫머리에 발음되는 것을 꺼려 나타나지 않거나 다른 소리로 발음되는 경우가 있다는 사실을 배웠지요? ↷50쪽

'ㅣ, ㅑ, ㅕ, ㅛ, ㅠ' 앞에서는 'ㄹ'과 'ㄴ'이 없어지고, 'ㅏ, ㅓ, ㅗ, ㅜ, ㅡ, ㅐ, ㅔ, ㅚ' 앞의 'ㄹ'은 'ㄴ'으로 변해요.

- 'ㄹ' 소리가 없어져요.: 流(류) + 行(행) → 류행 ^(×) → 유행 ^(O)
- 'ㄴ' 소리가 없어져요.: 女(녀) + 子(자) → 녀자 → 여자

두음 법칙은 'ㄹ'과 'ㄴ'이 '단어의 첫머리'에 발음되는 것을 꺼리는 현상이기 때문에 단어의 첫머리 이외에는 대체로 두음 법칙의 적용을 받지 않아요.

남녀(男女)	하류(下流)	쾌락(快樂)
(비교) 여자(女子)	유행(流行)	낙원(樂園)

그런데 단어의 첫머리에 오지 않아도 두음 법칙이 적용되는 때가 있어요.

- 접두사처럼 쓰이는 한자가 붙어서 된 말이나 합성어일 때

  <u>신(新)</u> + 여성(女性) → 신여성 신녀성(×)
  접두사처럼 쓰이는 한자

  해외(海外) + <u>여행(旅行)</u> → 해외여행 해외려행(×)
  합성어

- 둘 이상의 단어로 이루어진 고유 명사를 붙여 쓸 때

  부산여자대학 한국여관
  녀(女) 려(旅)

- '렬, 률'이 모음이나 'ㄴ' 받침 뒤에 이어질 때

  나열(羅列) 분열(分列) 비율(比率) 운율(韻律)

단어의 첫머리는 싫어.

* 접두사: 어근 앞에 붙어서 그 뜻을 제한하는 접사.

* 합성어: 둘 이상의 어근(실질 형태소)으로 이루어진 단어.

잠깐 퀴즈 ▶▶20쪽

4. 다음 중 한글 맞춤법에 맞게 표기한 것은?

① 쾌락
② 류행
③ 운률
④ 남여
⑤ 신녀성

또 다음의 경우에도 두음 법칙의 적용을 받지 않아요.

- 외자로 된 이름을 성에 붙일 때

  신립(申砬) 최린(崔麟) 채륜(蔡倫)

- 준말에서 본음으로 소리 날 때

  국련(국제 연합) 교련(교육 연합회)

- 의존 명사일 때

  냥(兩):한 냥 년(年): 몇 년 리(里): 몇 리냐? 리(理): 그럴 리가 없다.

제10항 한자음 '녀, 뇨, 뉴, 니'가 단어 첫머리에 올 적에는, 두음 법칙에 따라 '여, 요, 유, 이'로 적는다.

(○)	(×)	(○)	(×)
여자(女子)	녀자	유대(紐帶)	뉴대
연세(年歲)	년세	익명(匿名)	닉명

[붙임 1] 단어의 첫머리 이외의 경우에는 본음대로 적는다.

남녀(男女) 당뇨(糖尿) 결뉴(結紐) 은닉(隱匿)

● 결뉴: 끈을 맴. 또는 얽어 맺음.

● 은닉: 남의 물건이나 범죄인을 감춤.

제11항 한자음 '랴, 려, 례, 료, 류, 리'가 단어의 첫머리에 올 적에는, 두음 법칙에 따라 '야, 여, 예, 요, 유, 이'로 적는다.

(○)	(×)	(○)	(×)
양심(良心)	량심	역사(歷史)	력사
유행(流行)	류행	예의(禮儀)	례의

[붙임 1] 단어의 첫머리 이외의 경우에는 본음대로 적는다.

개량(改良) 수력(水力) 사례(謝禮) 쌍룡(雙龍)
하류(下流) 급류(急流) 도리(道理) 진리(眞理)

● 개량: 나쁜 점을 보완하여 더 좋게 고침.

다만, 모음이나 'ㄴ' 받침 뒤에 이어지는 '렬, 률'은 '열, 율'로 적는다.

나열(羅列) 비율(比率) 분열(分裂) 백분율(百分率)

[붙임 2] 외자로 된 이름을 성에 붙여 쓸 경우에도 본음대로 적을 수 있다.

신립(申砬) 최린(崔麟) 채륜(蔡倫) 하륜(河崙)

[붙임 3] 준말에서 본음으로 소리 나는 것은 본음대로 적는다.

국련(국제 연합) 한시련(한국 시각 장애인 연합회)

🔍 잠깐 퀴즈 ▶▶20쪽

5. 다음 중 두음 법칙이 적용된 것은?
① 개량 ② 역사
③ 몇 년 ④ 한 냥
⑤ 교련

| | 제12항 | 한자음 '라, 래, 로, 뢰, 루, 르'가 단어의 첫머리에 올 적에는, 두음 법칙에 따라 '나, 내, 노, 뇌, 누, 느'로 적는다. |

제12항　한자음 '라, 래, 로, 뢰, 루, 르'가 단어의 첫머리에 올 적에는, 두음 법칙에 따라 '나, 내, 노, 뇌, 누, 느'로 적는다.

(○)	(×)	(○)	(×)
낙원(樂園)	락원	내일(來日)	래일
누각(樓閣)	루각	노인(老人)	로인

[붙임 1] 단어의 첫머리 이외의 경우에는 본음대로 적는다.

쾌락(快樂)　왕래(往來)　연로(年老)　지뢰(地雷)

고루(高樓)　광한루(廣寒樓)　동구릉(東九陵)　가정란(家庭欄)

'오'와 '요'를 구분해 보자

'어서 오십시오.'가 맞을까요, '어서 오십시요.'가 맞을까요? 문장을 종결하는 데 사용되는 어미 '-오'는 '요'로 소리 나지만 그 원형을 밝혀서 '오'로 적어야 해요.

- 어서 오십시오. (○)　　　　어서 오십시요. (×)
- 안녕히 계십시오. (○)　　　안녕히 계십시요. (×)

하지만 연결형에서 사용되는 '이요'는 '이요'로 적어요.

- 이것은 책이오, 저것은 붓이오, 저것은 벼루이다. (○)
- 이것은 책이오, 저것은 붓이오, 저것은 벼루이다. (×)

문장의 종결형에서는 '-오', 연결형에서는 '-요'구나!

이것은 과자요, 이것은 빵이요, 이것은 아이스크림이다.

제15항　[붙임 2] 종결형에서 사용되는 어미 '-오'는 '요'로 소리 나는 경우가 있더라도 그 원형을 밝혀 '오'로 적는다.

(○)	(×)
이것은 책이오.	이것은 책이요.
이리로 오시오.	이리로 오시요.
이것은 책이 아니오.	이것은 책이 아니요.

[붙임 3] 연결형에서 사용되는 '이요'는 '이요'로 적는다.

이것은 책이요, 저것은 붓이요, 또 저것은 먹이다.　(○)

이것은 책이오, 저것은 붓이오, 또 저것은 먹이다.　(×)

잠깐 퀴즈　▶▶20쪽

6. 다음 빈칸에 '오'와 '요' 중 적절한 말을 쓰시오.

(1) 어서 오십시☐.

(2) 이것은 책이☐.

(3) 이것은 연필이☐, 저것은 책이다.

📢)한글 맞춤법 제20항

- 명사 뒤에 '-이'가 붙어서 된 말은 그 명사의 원형을 밝히어 적는다.
  - 부사로 된 것 예 곳곳이, 샅샅이
  - 명사로 된 것 예 바둑이, 삼발이
- '-이' 이외의 모음으로 시작된 접미사가 붙어서 된 말은 그 명사의 원형을 밝히어 적지 아니한다.
  예 바가지, 바깥, 이파리, 지붕

♦ 'ㄹ'로 끝나는 어간에는 '-ㅁ'을, 'ㄹ' 이외의 것으로 끝나는 어간에는 '-음'을 붙여 명사형을 만든다.
특히 '날다', '울다'와 같이 'ㄹ'로 끝나는 어간을 명사형으로 만들 때, '남', '움'과 같이 'ㄹ'를 탈락시켜 잘못 적는 일이 많으니 주의해야 한다.

어간의 원형을 밝히어 적는다

'어간(語幹)'이란, 동사, 형용사, 서술격 조사('이다')에 여러 가지 어미가 붙어 형태를 변화할 때, 변하지 않는 부분을 말해요.

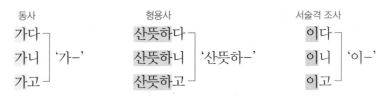

동사	형용사	서술격 조사
가다	산뜻하다	이다
가니 '가-'	산뜻하니 '산뜻하-'	이니 '이-'
가고	산뜻하고	이고

이러한 어간에 '-이'나 '-(으)ㅁ'이 붙어 명사가 되거나, '-이'나 '-히'가 붙어서 부사가 될 때, 그 어간의 원래 모습을 밝히어 적는 게 원칙이에요.

- '-이'가 붙어서 명사로 된 것

  먹다+-이 → 먹이 ・어간 '먹'을 밝히어 적는다. 머기(×)
  어간   명사를 만드는 접미사

- '(으)ㅁ'이 붙어서 명사로 된 것

  알다+-ㅁ → 앎 ・어간 '알'을 밝히어 적는다. 암(×)
  어간   명사를 만드는 접미사

- '-이'가 붙어서 부사로 된 것

  높다+-이 → 높이 ・어간 '높'을 밝히어 적는다. 노피(×)
  어간   부사를 만드는 접미사

- '-히'가 붙어서 부사로 된 것

  익다+-히 → 익히 ・어간 '익'을 밝히어 적는다. 이키(×)
  어간   부사를 만드는 접미사

제19항 어간에 '-이'나 '-음/-ㅁ'이 붙어서 명사로 된 것과 '-이'나 '-히'가 붙어서 부사로 된 것은 그 어간의 원형을 밝히어 적는다.

1. '-이'가 붙어서 명사로 된 것
   길이 깊이 높이 달맞이 먹이 미닫이 벌이 살림살이 쇠붙이

2. '-음/-ㅁ'이 붙어서 명사로 된 것
   걸음 묶음 믿음 얼음 울음 웃음 졸음 죽음 앎

3. '-이'가 붙어서 부사로 된 것
   같이 굳이 길이 높이 많이 실없이 좋이 짓궂이

4. '-히'가 붙어서 부사로 된 것
   밝히 익히 작히

🔍잠깐 퀴즈 ▶▶20쪽

7. 다음 중 한글 맞춤법에 어긋난 것은?

① 알다+-ㅁ → 암
② 먹다+-이 → 먹이
③ 높다+-이 → 높이
④ 익다+-히 → 익히
⑤ 짓궂다+-이 → 짓궂이

'-이'나 '-이다'가 붙을 때 어근의 원형을 밝혀 적는다

'어근'이란, 단어의 의미의 중심이 되는 부분으로 '따뜻하다'의 '따뜻'과 같은 부분이 이에 해당해요. '-하다'나 '-거리다'가 붙는 어근에 '-이'가 붙어서 명사가 된 것은 그 원형을 밝혀 적어요.

• 따뜻하다 　　 따뜻-+-이 → 따뜻이 따뜨시(×)

'-거리다'가 붙을 수 있는 시늉말의 어근에 '-이다'가 붙어서 된 용언은 그 어근을 밝혀 적지요.

• 깜짝거리다 　　 깜짝-+이다 → 깜짝이다 깜짜기다(×)

> ● 시늉말: 흉내말. 소리, 모양, 동작 등을 흉내 내는 말. 의성어와 의태어가 있음.

제23항 '-하다'나 '-거리다'가 붙는 어근에 '-이'가 붙어서 명사가 된 것은 그 원형을 밝히어 적는다.

(○)	(×)	(○)	(×)
꿀꿀이	꿀꾸리	쌕쌕이	쌕쌔기
눈깜짝이	눈깜짜기	오뚝이	오뚜기
배불뚝이	배불뚜기	홀쭉이	홀쭈기

[붙임1] '-하다'나 '-거리다'가 붙을 수 없는 어근에 '-이'나 또는 다른 모음으로 시작되는 접미사가 붙어서 명사가 된 것은 그 원형을 밝히어 적지 아니한다.

개구리	귀뚜라미	기러기	깍두기	꽹과리
날라리	누더기	동그라미	두드러기	딱따구리
매미	부스러기	뻐꾸기	얼루기	

제24항 '거리다'가 붙을 수 있는 시늉말 어근에 '-이다'가 붙어서 된 용언은 그 어근을 밝히어 적는다.

(○)	(×)	(○)	(×)
깜짝이다	깜짜기다	속삭이다	속사기다
꾸벅이다	꾸버기다	숙덕이다	숙더기다
끄덕이다	끄더기다	울먹이다	울머기다
뒤척이다	뒤처기다	움직이다	움지기다
들먹이다	들머기다	지껄이다	지꺼리다
망설이다	망서리다	퍼덕이다	퍼더기다

잠깐 퀴즈　　▶▶20쪽

8. 다음 중 한글 맞춤법에 어긋난 것은?

① 오뚝이　② 깍두기
③ 뻐꾹이　④ 숙덕이다
⑤ 지껄이다

사이시옷은 언제 쓸까

두 말이 합해진 합성어에서 앞말이 모음으로 끝났을 때, 'ㅅ'이 끝소리로 들어가는 경우가 있는데, 이 'ㅅ'을 사이시옷이라고 해요.

- **사이시옷이 들어가는 두 가지 기본 조건**

  ① 순우리말로 된 합성어로서 앞말이 모음으로 끝난 경우

  나루+배 → 나룻배
  순우리말 ╱ 순우리말
  모음(ㅜ)로 끝남.

  ② 순우리말과 한자어로 된 합성어로서 앞말이 모음으로 끝난 경우
  순우리말+한자어 / 한자어+순우리말

  귀+병(病) → 귓병   전세(專貰)+집 → 전셋집
  순우리말   한자어   한자어   순우리말
      모음(ㅟ, ㅔ)으로 끝남.

> 사이시옷이 들어가려면 순우리말은 꼭 있어야 하는 거네!

- **위의 2가지 기본 조건을 가지고 있으면서 다음과 같이 소리 나는 경우에 사이시옷이 들어간다.**

  ① 뒷말 첫소리가 된소리로 나는 것

  나무+가지 → [나무까지] → 나뭇가지

  해+수 → [해쑤] → 햇수
      數

  ② 뒷말 첫소리 'ㄴ, ㅁ' 앞에서 'ㄴ' 소리가 덧나는 것

  아래+니 → [아랜니] → 아랫니

  퇴+마루 → [퇸마루] → 툇마루

  ③ 뒷말 첫소리 모음 앞에서 'ㄴㄴ' 소리가 덧나는 것

  나무+잎 → [나문닙] → 나뭇잎

  예사+일 → [예산닐] → 예삿일
      例事

▶▶20쪽

잠깐 퀴즈

9. 다음 중 두 단어가 합쳐질 때 사이시옷이 들어가지 <u>않는</u> 것은?

① 귀+병
② 퇴+마루
③ 나무+잎
④ 예사+일
⑤ 나무+껍질

- **한자어의 경우는 2음절로 끝나는 6개 단어에만 예외적으로 사이시옷이 붙는다.**
  - 숫자(數字), 횟수(回數), 셋방(貰房)
    곳간(庫間), 툇간(退間), 찻간(車間) ← '장소'의 뜻을 더하는 접미사 '간(間)'이 붙는 세 가지

제30항 사이시옷은 다음과 같은 경우에 받치어 적는다.

1. 순우리말로 된 합성어로서 앞말이 모음으로 끝난 경우

(1) 뒷말의 첫소리가 된소리로 나는 것

고랫재	귓밥	나룻배	나뭇가지	냇가
댓가지	뒷갈망	맷돌	머릿기름	모깃불
못자리	바닷가	뱃길	볏가리	부싯돌
선짓국	쇳조각	아랫집	우렁잇속	잇자국
잿더미	조갯살	찻집	쳇바퀴	킷값
핏대	햇볕	혓바늘		

(2) 뒷말의 첫소리 'ㄴ, ㅁ' 앞에서 'ㄴ' 소리가 덧나는 것

멧나물	아랫니	텃마당	아랫마을	뒷머리
잇몸	깻묵	냇물	빗물	

(3) 뒷말의 첫소리 모음 앞에서 'ㄴㄴ' 소리가 덧나는 것

도리깻열	뒷윷	두렛일	뒷일	뒷입맛
베갯잇	욧잇	깻잎	나뭇잎	댓잎

2. 순우리말과 한자어로 된 합성어로서 앞말이 모음으로 끝난 경우

(1) 뒷말의 첫소리가 된소리로 나는 것

귓병	머릿방	뱃병	봇둑	사잣밥
샛강	아랫방	자릿세	전셋집	찻잔
찻종	촛국	콧병	탯줄	텃세
핏기	햇수	횟가루	횟배	

(2) 뒷말의 첫소리 'ㄴ, ㅁ' 앞에서 'ㄴ' 소리가 덧나는 것

곗날	제삿날	훗날	툇마루	양칫물

(3) 뒷말의 첫소리 모음 앞에서 'ㄴㄴ' 소리가 덧나는 것

가욋일	사삿일	예삿일	훗일

된소리가 나는데 사이시옷이 안 쓰이는 경우는 있어도, 사이시옷이 있는데 된소리나 'ㄴ' 소리가 덧나지 않는 경우는 없다.

3. 두 음절로 된 한자어

곳간(庫間)	셋방(貰房)	숫자(數字)	찻간(車間)
툇간(退間)	횟수(回數)		

사이시옷이 들어가는 두 음절로 된 한자어는 6개밖에 없으니 외워 두어야겠다.

잠깐 퀴즈 ▶▶ 20쪽

10. 다음 중 한글 맞춤법에 어긋난 것은?
① 햇수   ② 수자
③ 쇳조각 ④ 전세방
⑤ 전셋집

　　띄어쓰기에 관한 규정은 다음과 같아요. 항목이 많으니 중요한 항목들 위주로 살펴보아요.

◆ '조사'는 체언이나 부사, 어미 등에 붙어 그 말과 다른 말과의 문법적 관계를 표시하거나 그 말의 뜻을 도와주는 품사이므로 앞말과 반드시 붙여 써야 한다.

■ 조사는 앞말에 붙여 쓴다.◆
  • 조사가 여러 개 겹칠 경우에도 모두 붙여 쓴다. ― 집에서처럼, 학교에서만이라도
  • 어미 뒤에 붙는 경우에도 붙여 쓴다. ― 나가면서까지, 들어가기는커녕

■ 의존 명사는 앞말과 띄어 쓴다.

는데	학교 가는데 비가 왔다.	문장을 이어 주는 연결 어미
데	머리 아픈 데 먹는 약	'경우'의 뜻이 있는 의존 명사
ㄴ바	서류를 검토한바 오류가 발견되었다.	앞말에 대하여 뒷말이 보충 설명의 관계에 있음을 나타내는 어미
바	평소에 느낀 바를 말해라.	'방법' 또는 '일'의 뜻을 나타내는 의존 명사
ㄴ지	왜 집을 떠났는지 모르겠다.	막연한 의문을 나타내는 어미
지	집 떠난 지 3년이 되었다.	어떤 일이 있었던 때로부터 지금까지의 동안을 의미하는 의존 명사
간(접미사)	한 달간, 십 년간	'동안'을 나타내는 접미사
간(의존 명사)	서울 부산 간, 부모 자식 간	'거리'와 '둘의 사이'를 나타내는 의존 명사
만(조사)	하루 종일 잠만 잤다. / 집채만 한 파도	조사
만(의존 명사)	화를 낼 만도 하다.	타당한 이유가 있음을 나타내는 의존 명사
만하다(보조 용언)	가 볼 만한 장소 / 믿을 만한 소식	타당한 이유를 가질 정도로 가치가 있음을 나타내는 보조 용언
ㄹ걸	너보다 키가 더 클걸.	미루어 생각하는 뜻을 나타내는 종결 어미
걸	후회할 걸 왜 그랬니?	'것을'이 줄어 '걸'이 됨. '것'은 의존 명사
것+이 → 거	사랑을 할 거야.	'할 것이야'가 줄어 '할 거야'가 되었음. '것'은 의존 명사
터+이 → 테	비가 와야 할 텐데.	'할 터인데'가 줄어 '할 텐데'가 되었음. '터'는 의존 명사

■ 단위를 나타내는 명사는 앞말과 띄어 쓴다.
　　　　한 개　　차 한 대　　금 서 돈　　소 한 마리

단, 다음과 같은 경우는 붙여 쓸 수 있어요.
- 순서를 나타내는 경우: 두시 삼십분 오초, 제일과, 삼학년, 육층
- 숫자와 어울리어 쓰이는 경우: 1446년 10월 9일, 16동 502호, 80원, 10개

■ 두 말을 이어 주거나 열거할 적에 쓰이는 다음의 말들은 띄어 쓴다.

청군 대 백군　　이사장 및 이사들　　책상, 걸상 등이 있다.
　　　└ 말을 이어 주는 말 ┘　　　　　　　열거할 때 쓰는 말

■ 단음절로 된 단어가 연이어 나타날 때에는 붙여 쓸 수 있다.

좀더 큰것(○)　　　이말 저말(○)　　　한잎 두잎(○)
좀 더 큰 것(○)　　　이 말 저 말(○)　　　한 잎 두 잎(○)

■ 보조 용언은 띄어 쓰는 것이 원칙이지만, 경우에 따라 붙여 쓸 수 있다.

　　　　　(원칙)　　　　　　　　　(허용)

불이 꺼져 간다.　　　　　불이 꺼져간다.
　　용언　보조 용언(보조 동사)

내 힘으로 막아 낸다.　　　내 힘으로 막아낸다.
그릇을 깨뜨려 버렸다.　　　그릇을 깨뜨려버렸다.
비가 올 듯하다.　　　　　　비가 올듯하다.

보조 용언을 붙여 쓸 수도 있구나.

■ 성과 이름, 성과 호는 붙여 쓰고, 호칭어, 관직명은 띄어 쓴다.

이순신, 이율곡, 채영신 씨, 최치원 선생, 이순신 장군
　이름　　　호　　　호칭　　　호칭　　　관직

- 성과 이름을 구분할 필요가 있을 경우에는 띄어 쓸 수 있다.

　(○)　　　(○)　　　(○)　　　(○)

　남궁억 / 남궁 억,　독고준 / 독고 준

■ 고유 명사는 단어별로 띄어 쓰는 것이 원칙이지만, 단위별로 띄어 쓸 수 있다.

　　　　　(원칙)　　　　　　　　　　　(허용)

한국 대학교 사범 대학　　　　한국대학교 사범대학

■ 전문 용어는 단어별로 띄어 씀을 원칙으로 하되, 붙여 쓸 수 있다.

　　　　(원칙)　　　　　　　(허용)

만성 골수성 백혈병　　　　만성골수성백혈병

잠깐 퀴즈　　▶▶ 20쪽

12. 다음 중 띄어쓰기가 잘못된 것은?

① 김세라 씨
② 소 한 마리
③ 눈이 올듯하네.
④ 만성골 수성백혈병
⑤ 접시를 깨뜨려 버렸다.

조사와 의존 명사는 띄어쓰기를 하느냐, 하지 않느냐의 차이가 있구나.

●돈: 귀금속이나 한약재 등의 무게를 재는 단위. 한 돈은 3.75그램에 해당함.

●손: 한 손에 잡을 만한 분량을 세는 단위. 조기, 고등어, 배추 등의 한 손은 큰 것과 작은 것을 합해 세고, 미나리나 파 등의 한 손은 한 줌 분량을 말함.

●죽: 옷, 그릇 등을 열 벌씩 묶어 세는 단위. 버선 한 죽은 버선 열 켤레를 말함.

●쾌: 북어를 묶어 세는 단위. 한 쾌는 북어 스무 마리를 말함.

잠깐 퀴즈 ▶▶20쪽

13. 다음 중 띄어쓰기가 틀린 것은?

① 일이 될 법하다.
② 조기 한 손 주세요.
③ 책상, 걸상 등이 있다.
④ 학교에 가는 데 눈이 왔다.
⑤ 한잎 두잎 꽃이 지고 있다.

제41항 조사는 그 앞말에 붙여 쓴다.

꽃이	꽃마저	꽃밖에	꽃에서부터	꽃으로만
꽃이나마	꽃이다	꽃입니다	꽃처럼	어디까지나
거기도	멀리는	웃고만		

제42항 의존 명사는 띄어 쓴다.

아는 것이 힘이다.   나도 할 수 있다.
먹을 만큼 먹어라.   아는 이를 만났다.
네가 뜻한 바를 알겠다.   그가 떠난 지가 오래다.

제43항 단위를 나타내는 명사는 띄어 쓴다.

한 개	차 한 대	금 서 돈	소 한 마리
옷 한 벌	열 살	조기 한 손	연필 한 자루
버선 한 죽	집 한 채	신 두 켤레	북어 한 쾌

다만, 순서를 나타내는 경우나 숫자와 어울리어 쓰이는 경우에는 붙여 쓸 수 있다.

두시 삼십분 오초	제일과	삼학년
육층	1446년 10월 9일	2대대
16동 502호	제1실습실	80원
10개	7미터	

제45항 두 말을 이어 주거나 열거할 적에 쓰이는 다음의 말들은 띄어 쓴다.

국장 겸 과장	열 내지 스물	청군 대 백군
책상, 걸상 등이 있다	이사장 및 이사들	사과, 배, 귤 등등
사과, 배 등속	부산, 광주 등지	

제46항 단음절로 된 단어가 연이어 나타날 적에는 붙여 쓸 수 있다.

그때 그곳	좀더 큰것	이말 저말	한잎 두잎

제47항 보조 용언은 띄어 씀을 원칙으로 하되, 경우에 따라 붙여 씀도 허용한다.

(원칙)	(허용)
불이 꺼져 간다.	불이 꺼져간다.
내 힘으로 막아 낸다.	내 힘으로 막아낸다.
어머니를 도와 드린다.	어머니를 도와드린다.
그릇을 깨뜨려 버렸다.	그릇을 깨뜨려버렸다.
비가 올 듯하다.	비가 올듯하다.
그 일은 할 만하다.	그 일은 할만하다.
일이 될 법하다.	일이 될법하다.
비가 올 성싶다.	비가 올성싶다.

다만, 앞말에 조사가 붙거나 앞말이 합성 용언인 경우, 그리고 중간에 조사가 들어갈 적에는 그 뒤에 오는 보조 용언은 띄어 쓴다.

잘도 놀아만 나는구나! 책을 읽어도 보고……

네가 덤벼들어 보아라. 이런 기회는 다시없을 듯하다.

그가 올 듯도 하다. 잘난 체를 한다.

제48항 성과 이름, 성과 호 등은 붙여 쓰고, 이에 덧붙는 호칭어, 관직명 등은 띄어 쓴다.

김양수(金良洙) 서화담(徐花潭) 채영신 씨

최치원 선생 박동식 박사 충무공 이순신 장군

다만, 성과 이름, 성과 호를 분명히 구분할 필요가 있을 경우에는 띄어 쓸 수 있다.

남궁억/남궁 억 독고준/독고 준 황보지봉(皇甫芝峰)/황보 지봉

제49항 성명 이외의 고유 명사는 단어별로 띄어 씀을 원칙으로 하되, 단위별로 띄어 쓸 수 있다.

(원칙)	(허용)
대한 중학교	대한중학교
한국 대학교 사범 대학	한국대학교 사범대학

제50항 전문 용어는 단어별로 띄어 씀을 원칙으로 하되, 붙여 쓸 수 있다.

(원칙)	(허용)
만성 골수성 백혈병	만성골수성백혈병
중거리 탄도 유도탄	중거리탄도유도탄

보조 용언은 본용언 뒤에 붙어서 본용언을 보조하는구나.

🔍잠깐 퀴즈 ▶▶ 20쪽

14. 다음 중 띄어쓰기가 올바른 것은?

① 최치원선생
② 중거리탄도유도탄
③ 먹을만큼 먹고 남기렴.
④ 그가 올듯도 하다.
⑤ 청군대백군 중 누가 승리할까?

♦ 맞춤법의 원칙은 이러하지만 소리가 '이'로 나는지, '히'로 나는지를 정확하게 구분하는 것은 쉽지 않다.

'이'와 '히'를 구별하여 쓰자

끝음절의 소리가 '이'로만 나는 경우는 '-이'로 적고, 끝음절의 소리가 '히'로 나거나 '이'나 '히'로 나는 경우에는 '-히'로 적어요.♦

- 깨끗이 → [깨끗+이] → [깨끄시] → 이
  깨끗히(×)   끝음절이 [이]로만 소리 남.

- 족히 → [족+히] → [조키] → 히
  족이(×)   끝음절이 [히]로만 소리 남.

- 솔직히 → [솔직+이] → [솔지기], [솔직+히] → [솔지키] → 히
  솔직이(×)   끝음절이 [이]로도 [히]로도 소리 남.

제51항   부사의 끝음절이 분명히 '이'로만 나는 것은 '-이'로 적고, '히'로만 나거나 '이'나 '히'로 나는 것은 '-히'로 적는다.

1. '-이'로만 나는 것

가붓이	깨끗이	나붓이	느긋이	둥긋이
따뜻이	반듯이	버젓이	산뜻이	의젓이

2. '히'로만 나는 것

극히	급히	딱히	속히	작히
족히	특히	엄격히	정확히	

3. '이, 히'로 나는 것

솔직히	가만히	간편히	나른히	무단히
각별히	소홀히	쓸쓸히	정결히	과감히

📢» 된소리와 예사소리
- 된소리: ㄲ, ㄸ, ㅃ, ㅆ, ㅉ
- 예사소리: ㄱ, ㄷ, ㅂ, ㅅ, ㅈ

🔍 잠깐 퀴즈   ▶▶ 20쪽

15. 다음 중 한글 맞춤법에 어긋난 것은?

① 급히
② 간편히
③ 깨끗히
④ 산뜻이
⑤ 의젓이

된소리가 아닌 예사소리로 적는 어미들

발음은 된소리로 나는데, 표기는 예사소리로 적어야 하는 어미들이 있어요.

- 내가 다시 연락<u>할게</u>. [할께]로 발음되지만, '할게'로 적음.
- 내가 잘못했다고 먼저 사과<u>할걸</u>. [할껄]로 발음되지만, '할걸'로 적음.

하지만, 의문을 나타내는 '-(으)ㄹ까', '-(으)ㄹ꼬', '-(으)ㄹ쏘냐'와 같은 어미들은 된소리로 적어요.

- 날씨가 왜 이리 추<u>울꼬</u>? [울꼬]로 발음됨. 추울고? (×)
- 내가 너에게 질<u>쏘냐</u>? [쏘냐]로 발음됨. 질소냐? (×)

제53항 다음과 같은 어미는 예사소리로 적는다.

(○)	(×)
-(으)ㄹ거나	-(으)ㄹ꺼나
-(으)ㄹ걸	-(으)ㄹ껄
-(으)ㄹ게	-(으)ㄹ께
-(으)ㄹ수록	-(으)ㄹ쑤록
-(으)ㄹ지	-(으)ㄹ찌
-(으)ㄹ지라도	-(으)ㄹ찌라도
-(으)ㄹ지언정	-(으)ㄹ찌언정
-올시다	-올씨다

다만, 의문을 나타내는 다음 어미들은 된소리로 적는다.

-(으)ㄹ까? -(으)ㄹ꼬? -(스)ㅂ니까?

-(으)리까? -(으)ㄹ쏘냐?

'던'과 '든'을 구별하여 쓰자

'-든'은 '-든지'의 준말로 대상 가운데 어느 것이나 선택될 수 있음을 나타내요. '-던'은 과거에 어떤 일(경험)이 있었다는 뜻을 나타내지요.

- 싫<u>든</u> 좋<u>든</u> 이 길로 가는 수밖에 없다.
- 이것은 원시인이 사용하였<u>던</u> 돌칼이다.

'던'은 과거 경험을, '든'은 선택의 상황을 표현할 때 쓰이는구나.

제56항 '-더라, -던'과 '-든지'는 다음과 같이 적는다.

1. 지난 일을 나타내는 어미는 '-더라, -던'으로 적는다.

(○)	(×)
지난겨울은 몹시 춥더라.	지난겨울은 몹시 춥드라.
깊던 물이 얕아졌다.	깊든 물이 얕아졌다.
그렇게 좋던가?	그렇게 좋든가?
그 사람 말 잘하던데!	그 사람 말 잘하든데!

2. 물건이나 일의 내용을 가리지 아니하는 뜻을 나타내는 조사와 어미는 '(-)든지'로 적는다.

(○)	(×)
배든지 사과든지 마음대로 먹어라.	배던지 사과던지 마음대로 먹어라.
가든지 오든지 마음대로 해라.	가던지 오던지 마음대로 해라.

잠깐 퀴즈 ▶▶20쪽

16. 다음 밑줄 친 부분 중 맞춤법에 어긋난 것은?

① 그 옷 참 <u>예쁘든데</u>!
② 내가 <u>봤던</u> 시험지다.
③ 그때 얼마나 <u>놀랐던지</u>!
④ <u>오든지 가든지</u> 마음대로!
⑤ 지난여름은 유달리 무척 <u>덥더라</u>.

2 표준어 규정

표준어 규정은 왜 필요할까

모든 국민은 학교에서 **표준어**를 배워요. 표준어 규정은 왜 필요한 걸까요? 그리고 표준어 규정의 내용은 어떻게 이루어지는 걸까요?

우리 강아지, 국에다가 정구지도 넣어 묶어라.

할머니, 이건 부추잖아요.

똑같은 한국말을 하면서도 할머니와 손자가 사용하는 용어가 서로 다르군요. 같은 나라, 같은 언어라도 지역에 따라 서로 다르게 쓰는 말을 '방언'이라고 해요. 그림에 나와 있는 '부추'만 하더라도 지역에 따라 '정구지', '솔' 등 다양한 말로 불려요.

그런데 만일 각 지역의 말이 심하게 다르다면 어떻게 될까요?

무신 거엔 고랑 신디 풀로푸게?

제주도에 살지 않는 친구들은 할머니가 무슨 말을 하는 건지 잘 모르겠지요? 할머니가 한 말씀의 뜻은 "무슨 말 하는 건지 모르겠지요?"예요.

같은 나라에서 같은 언어를 사용하고 있어도 지역마다 말이 너무 다르다면 서로 말이 잘 통하지 않아 혼란이 생길 거예요. 그래서 어느 지역의 사람이나 알아들을 수 있는 공통어인 '표준어'가 만들어졌어요.

잠깐 퀴즈 ▶▶ 20쪽

17. 다음 설명이 맞으면 O표, 틀리면 ×표 하시오.

(1) 우리나라에서는 표준어를 '교양 있는 사람들이 두루 쓰는 현대 서울말'로 정함을 원칙으로 한다. (   )

(2) 표준어는 규범적인 언어이므로 각 지역의 방언은 되도록 사용하지 말아야 한다. (   )

1988년에 정해진 표준어 규정에서는 표준어를 다음과 같이 정하고 있어요.

> 표준어 – 교양 있는 사람들이 두루 쓰는 현대 서울말

즉 우리나라의 수도인 서울 지역에서 사용하고 있는 말을 중심으로 하고, 오늘날 21세기의 서울말로 하되, 교양 있는 사람들이 공식적인 자리에서 사용하는 품위 있는 말을 표준어로 채택한다는 것이지요.

그런데 표준어를 이해할 때 주의해야 할 것이 하나 있어요. 정확한 표준어를 구사하는 것은 좋지만, 서울말은 무조건 올바르고 훌륭한 말이고, 지방에서 사용하는 사투리는 고쳐야 하는 잘못된 말이라고 여겨서는 안 된다는 것이에요.

서울말을 중심으로 표준어를 만든 이유는 서울이 이 나라의 수도로서 행정, 교통, 문화 면에서 영향력이 크고 보급되기 쉽기 때문이지 결코 다른 방언보다 더 훌륭하기 때문은 아니거든요.

각 지역의 방언은 그 지역 사람들의 역사와 삶 속에서 함께해 온 말일 뿐만 아니라 한국어의 옛날 모습을 간직하고 있는 소중한 보물과도 같아요. 방언을 쓰면 표현을 다양하게 할 수 있고, 같은 방언을 쓰는 사람들에게 친밀감을 주기도 해요. 따라서 어떤 방언이 더 훌륭하고 어떤 방언이 더 좋지 않다고 말할 수는 없어요.

그러면 지금부터 표준어 규정 중에서 기억해 두어야 할 내용들을 함께 살펴보아요.

'강낭콩'과 '사글세', 변화한 형태를 택하다

시간이 지남에 따라 사람들이 단어의 본디 형태, 어원을 잘 모르게 되면 발음이 변화한 형태를 표준어로 삼게 되지요.

'강낭콩'은 원래 중국의 '강남(江南)' 지방에서 들여온 콩이라는 뜻에서 붙여진 이름이고, '삭월세(朔月貰)'는 원래 '달마다 일정한 날(초하루)에 내는 세'를 의미했어요. 그러나 사람들이 나중에 이 어원을 잘 모르게 되자 발음 나는 대로 적었지요.

강낭콩(○) / 강남콩(×)　　사글세(○) / 삭월세(×)

다만, 사람들이 단어의 어원을 알고 있을 때에는 어원적으로 원형에 가까운 것을 표준어로 삼아요.

굴젓(○) / 구젓(×)　　휴지(休紙)(○) / 수지(×)

● 채택: 작품, 의견, 제도 등을 골라서 다루거나 뽑아 씀.

● 구사: 말이나 수사법, 기교, 수단 따위를 능숙하게 마음대로 부려 씀.

● 사투리: 어느 한 지방에서만 쓰는, 표준어가 아닌 말.

잠깐 퀴즈　▶▶ 20쪽

18. 다음 중 서울말을 중심으로 표준어가 정해진 이유로 가장 적절한 것은?

① 다른 지역의 방언보다 훌륭해서
② 사적인 자리에서 편하게 쓸 수 있어서
③ 한국어의 옛날 모습을 간직하고 있어서
④ 다른 지역의 잘못된 방언을 고치기 위해서
⑤ 수도인 서울이 여러 면에서 영향력이 크고 보급이 쉬워서

●고샅: 초가지붕을 일 때 쓰는 새끼.

말의 본디 형태가 만들어진 배경을 알면 표준어를 바르게 쓰는 데 도움이 되겠구나.

●말곁: 남이 말하는 옆에서 덩달아 참견하는 말.

●물수란: 달걀을 깨뜨려 그대로 끓는 물에 넣어 반쯤 익힌 음식.

●수키와: 두 암키와(지붕의 고랑이 되도록 젖혀 놓는 기와. 바닥에 깔 수 있게 크고 넓게 만듦.) 사이를 엎어 잇는 기와. 속이 빈 원기둥을 세로로 반을 쪼갠 모양.

●수톨쩌귀: 문짝에 박아서 문설주에 있는 암톨쩌귀(구멍이 뚫린 돌쩌귀)에 꽂게 되어 있는, 뾰족한 촉이 달린 돌쩌귀.

잠깐 퀴즈   ▶▶20쪽

19. 다음 중 표준어가 아닌 것은?

① 고샅   ② 갈비
③ 강남콩   ④ 물수란
⑤ 사글세

제5항   어원에서 멀어진 형태로 굳어져서 널리 쓰이는 것은, 그것을 표준어로 삼는다.(ㄱ을 표준어로 삼고, ㄴ을 버림.)

ㄱ	ㄴ	비고
강낭-콩	강남-콩	
고샅	고샅	겉~, 속~.
사글-세	삭월-세	'월세'는 표준어임.
울력-성당	위력-성당	떼를 지어서 으르고 협박하는 일.

다만, 어원적으로 원형에 더 가까운 형태가 아직 쓰이고 있는 경우에는, 그것을 표준어로 삼는다.(ㄱ을 표준어로 삼고, ㄴ을 버림.)

ㄱ	ㄴ	비고
갈비	가리	~구이, ~찜, 갈빗-대.
갓모	갈모	1. 사기 만드는 물레 밑 고리. 2. '갈모'는 갓 위에 쓰는, 유지로 만든 우비.
굴-젓	구-젓	
말-곁	말-겻	
물-수란	물-수랄	
밀-뜨리다	미-뜨리다	
적-이	저으기	적이-나, 적이나-하면.
휴지	수지	

'수컷'을 의미하는 접두사는 '수-'이다

접두사 '수-'는 옛날에는 '숳'이라는 명사였어요. 그래서 일부 단어에서 '숳'이었을 때의 흔적이 남아 있어요. 이와 같은 예는 모두 9가지가 있어요.

ㅎ+ㄱ→ㅋ
수캉아지   수키와   수캐   수컷

ㅎ+ㄷ→ㅌ
수톨쩌귀   수탕나귀   수퇘지   수탉

ㅎ+ㅂ→ㅍ
수평아리

'수' 다음에 'ㅋ, ㅌ, ㅍ'가 오는 말은 '암' 다음에도 'ㅋ, ㅌ, ㅍ'이 온다.
예 암캉아지, 암키와, 암캐, 암컷, 암톨쩌귀, 암탕나귀, 암퇘지, 암탉, 암평아리

한편, '숫양, 숫염소, 숫쥐'의 경우에는 '숫-'으로 적어요. 그 외에는 모두 '수-'로 적지요.

- 숫-: 숫양, 숫염소, 숫쥐
- 수-: 수꿩, 수나사, 수놈, 수사돈, 수소, 수은행나무, 수할미꽃, 수개미 등

'숫-'이 붙는 건 우리 셋뿐이야.

제7항 수컷을 이르는 접두사는 '수-'로 통일한다.(ㄱ을 표준어로 삼고, ㄴ을 버림.)

ㄱ	ㄴ	비고
수-꿩	수-퀑/숫-꿩	'장끼'도 표준어임.
수-나사	숫-나사	
수-놈	숫-놈	
수-사돈	숫-사돈	
수-소	숫-소	'황소'도 표준어임.
수-은행나무	숫-은행나무	

다만 1. 다음 단어에서는 접두사 다음에서 나는 거센소리를 인정한다. 접두사 '암-'이 결합되는 경우에도 이에 준한다.(ㄱ을 표준어로 삼고, ㄴ을 버림.)

ㄱ	ㄴ
수-캉아지	숫-강아지
수-캐	숫-개
수-컷	숫-것
수-키와	숫-기와
수-탉	숫-닭
수-탕나귀	숫-당나귀
수-톨쩌귀	숫-돌쩌귀
수-퇘지	숫-돼지
수-평아리	숫-병아리

다만 2. 다음 단어의 접두사는 '숫-'으로 한다.(ㄱ을 표준어로 삼고, ㄴ을 버림.)

ㄱ	ㄴ
숫-양	수-양
숫-염소	수-염소
숫-쥐	수-쥐

잠깐 퀴즈 ▶▶20쪽

20. 다음 중 표준어가 아닌 것은?

① 장끼
② 숫놈
③ 수퇘지
④ 숫염소
⑤ 밀뜨리다

'ㅣ' 모음 역행 동화에도 예외는 둔다

'ㅣ' 모음 역행 동화는 'ㅣ' 모음이 앞의 모음 'ㅏ, ㅓ, ㅗ, ㅜ'에 영향을 주어 'ㅐ, ㅔ, ㅚ, ㅟ'로 변하게 하는 현상이에요. 그러나 이 현상에 해당하는 것은 표준 발음으로 인정하지 않아요.

아기 → 애기   어미 → 에미

ㅏ + ㅣ = ㅐ   ㅓ + ㅣ = ㅔ

다만, 'ㅣ' 모음 역행 동화를 인정하는 표준어가 있기도 해요.

· 서울내기, 시골내기, 신출내기, 풋내기, 냄비, 동댕이치다

한편, '-장이'와 '-쟁이'는 의미에 따라 구분해요.

· 미장이, 유기장이   · 멋쟁이, 거짓말쟁이, 소금쟁이

기술을 가진 사람을 가리키는 경우   기술자가 아닌 경우

제9항   'ㅣ' 역행 동화 현상에 의한 발음은 원칙적으로 표준 발음으로 인정하지 아니하되, 다만 다음 단어들은 그러한 동화가 적용된 형태를 표준어로 삼는다.(ㄱ을 표준어로 삼고, ㄴ을 버림.)

ㄱ	ㄴ	비고
-내기	-나기	서울-, 시골-, 신출-, 풋-.
냄비	남비	
동댕이-치다	동당이-치다	

[붙임 1] 다음 단어는 'ㅣ' 역행 동화가 일어나지 아니한 형태를 표준어로 삼는다.(ㄱ을 표준어로 삼고, ㄴ을 버림.)

ㄱ	ㄴ
아지랑이	아지랭이

[붙임 2] 기술자에게는 '-장이', 그 외에는 '-쟁이'가 붙는 형태를 표준어로 삼는다.(ㄱ을 표준어로 삼고, ㄴ을 버림.)

ㄱ	ㄴ
미장이	미쟁이
유기장이	유기쟁이
멋쟁이	멋장이
소금쟁이	소금장이
담쟁이-덩굴	담장이-덩굴
골목쟁이	골목장이
발목쟁이	발목장이

● 미장이: 건축 공사에서 벽이나 천장, 바닥 따위에 흙, 회, 시멘트 따위를 바르는 일을 직업으로 하는 사람.

● 유기장이: 버드나무로 고리짝이나 키 등을 만들어 파는 일을 직업으로 하는 사람.

잠깐 퀴즈   ▶▶ 20쪽

21. 다음 중 표준어인 것은?

① 애기
② 남비
③ 시골내기
④ 소금장이
⑤ 아지랭이

'위쪽'을 의미하는 접두사는 '윗-'으로 통일한다

　'위쪽'을 의미하는 접두사는 모두 '윗-'으로 통일했어요. '웃-'은 '아래, 위'의 대립이 없을 때만 사용되지요.

- 윗니 : 아랫니(○)　• 윗도리 : 아랫도리(○)　• 윗바람 : 아랫바람(○)
- 웃돈 : 아랫돈(×)　• 웃어른 : 아랫어른(×)

　다만, 된소리나 거센소리 앞에서는 사이시옷을 쓰지 않으므로 '윗-'은 '위-'가 되지요.

- 위짝, 위쪽, 위채, 위층, 위치마, 위턱, 위팔

제12항　'웃-' 및 '윗-'은 명사 '위'에 맞추어 '윗-'으로 통일한다.(ㄱ을 표준어로 삼고, ㄴ을 버림.)

ㄱ	ㄴ	ㄱ	ㄴ
윗-넓이	웃-넓이	윗-바람	웃-바람
윗-눈썹	웃-눈썹	윗-배	웃-배
윗-니	웃-니	윗-벌	웃-벌
윗-당줄	웃-당줄	윗-변	웃-변
윗-덧줄	웃-덧줄	윗-사랑	웃-사랑
윗-도리	웃-도리	윗-세장	웃-세장
윗-동아리	웃-동아리	윗-수염	웃-수염
윗-막이	웃-막이	윗-입술	웃-입술
윗-머리	웃-머리	윗-잇몸	웃-잇몸
윗-목	웃-목	윗-자리	웃-자리
윗-몸	웃-몸	윗-중방	웃-중방

다만 1. 된소리나 거센소리 앞에서는 '위'로 한다.(ㄱ을 표준어로 삼고, ㄴ을 버림.)

ㄱ	ㄴ	ㄱ	ㄴ
위-짝	웃-짝	위-치마	웃-치마
위-쪽	웃-쪽	위-턱	웃-턱
위-채	웃-채	위-팔	웃-팔
위-층	웃-층		

'웃쪽', '웃층'이라고 잘못 적는 경우가 많으니 주의해야겠어!

잠깐 퀴즈　▶▶20쪽

22. 다음 중 표준어가 **아닌** 것은?

① 윗니
② 윗층
③ 위짝
④ 웃돈
⑤ 웃어른

다만 2. '아래, 위'의 대립이 없는 단어는 '웃-'으로 발음되는 형태를 표준어로 삼는다.(ㄱ을 표준어로 삼고, ㄴ을 버림.)

ㄱ	ㄴ	ㄱ	ㄴ
웃-국	윗-국	웃-비	윗-비
웃-기	윗-기	웃-어른	윗-어른
웃-돈	윗-돈	웃-옷	윗-옷

- 웃국: 간장이나 술 등을 담가서 익힌 뒤에 맨 처음에 떠낸 진한 국.

- 웃기: 떡, 포, 과일 등을 괸 위에 모양을 내기 위하여 얹는 재료.

- 웃비: 아직 비가 올 듯한 기운은 있으나 좍좍 내리다가 그친 비.

준말과 본말 중 어느 것이 표준어일까

준말은 단어의 일부분이 줄어든 말이에요. 본말은 줄어들지 않는 말을 의미하지요. 표준어 선정은 준말만 인정하는 경우, 본말만 인정하는 경우, 둘 다 인정하는 경우로 나눌 수 있어요.

제14항 준말이 널리 쓰이고 본말이 잘 쓰이지 않는 경우에는, 준말만을 표준어로 삼는다.(ㄱ을 표준어로 삼고, ㄴ을 버림.)

ㄱ	ㄴ	ㄱ	ㄴ
귀찮다	귀치 않다	샘	새암
똬리	또아리	생-쥐	새앙-쥐
무	무우	솔개	소리개
뱀	배암	온-갖	온-가지

제15항 준말이 쓰이고 있더라도, 본말이 널리 쓰이고 있으면 본말을 표준어로 삼는다.(ㄱ을 표준어로 삼고, ㄴ을 버림.)

ㄱ	ㄴ	ㄱ	ㄴ
경황-없다	경-없다	모이	모
궁상-떨다	궁-떨다	벽-돌	벽
귀이-개	귀-개	살얼음-판	살-판
낌새	낌	수두룩-하다	수둑-하다
돗-자리	돗	어음	엄
뒤웅-박	뒝-박	일구다	일다

잠깐 퀴즈 ▶▶20쪽

23. 다음 설명이 맞으면 ○표, 틀리면 ×표 하시오.

(1) 준말은 표준어로 인정하지 않는다. (   )

(2) 준말과 본말은 모두 다 표준어로 인정한다. (   )

제16항	준말과 본말이 다 같이 널리 쓰이면서 준말의 효용이 뚜렷이 인정되는 것은, 두 가지를 다 표준어로 삼는다.(ㄱ은 본말이며, ㄴ은 준말임.)		

ㄱ	ㄴ	ㄱ	ㄴ
노을	놀	시-누이	시-뉘/시-누
막대기	막대	오-누이	오-뉘/오-누
머무르다	머물다	외우다	외다
서두르다	서둘다	이기죽-거리다	이죽-거리다
서투르다	서툴다	찌꺼기	찌끼

표준어도 변화한다

옛날에 사용되던 단어가 더 이상 쓰이지 않게 되면 새로운 단어를 표준어로 삼아요.

- 설거지(○) / 설겆이(×)
  현재는 '설겆다'를 사용하지 않음.

또한, 고유어 계열의 단어와 한자어 계열의 단어 중 어느 것 하나가 더 널리 쓰이면, 그것을 표준어로 삼아요.

- 가루약(○) / 말약(×) 　• 총각무(○) / 알타리무(×)
  고유어 계열이 널리 쓰인 경우　한자어 계열이 널리 쓰인 경우

또한, 방언이던 단어가 널리 쓰이면 표준어가 되는 경우도 있어요.

- 멍게(○) / 우렁쉥이(○): 방언과 표준어이던 단어 모두 표준어가 됨.
- 귀밑머리(○) / 귓머리(×): 방언이던 단어만 표준어가 됨.

● 귀밑머리: 이마 한가운데를 중심으로 좌우로 갈라 귀 뒤로 넘겨 땋은 머리. 또는 뺨에서 귀의 가까이에 난 머리털.

제20항	사어(死語)가 되어 쓰이지 않게 된 단어는 고어로 처리하고, 현재 널리 사용되는 단어를 표준어로 삼는다.(ㄱ을 표준어로 삼고, ㄴ을 버림.)		

ㄱ	ㄴ	ㄱ	ㄴ
난봉	봉	애달프다	애닯다
낭떠러지	낭	오동-나무	머귀-나무
설거지-하다	설겆다	자두	오얏

🔍 잠깐 퀴즈　▶▶ 20쪽

24. 다음 중 표준어가 아닌 것을 고르시오.

> 말약 노을 오얏
> 솔개 머물다
> 경황없다

제21항	고유어 계열의 단어가 널리 쓰이고 그에 대응되는 한자어 계열의 단어가 용도를 잃게 된 것은, 고유어 계열의 단어만을 표준어로 삼는다. (ㄱ을 표준어로 삼고, ㄴ을 버림.)		

ㄱ	ㄴ	ㄱ	ㄴ
가루-약	말-약	솟을-무늬	솟을-문(~紋)
구들-장	방-돌	외-지다	벽-지다
까막-눈	맹-눈	잔-돈	잔-전
박달-나무	배달-나무	짐-꾼	부지-군(負持-)
성냥	화곽	푼-돈	분-전/푼-전

제22항 고유어 계열의 단어가 생명력을 잃고 그에 대응되는 한자어 계열의 단어가 널리 쓰이면, 한자어 계열의 단어를 표준어로 삼는다.(ㄱ을 표준어로 삼고, ㄴ을 버림.)

ㄱ	ㄴ	ㄱ	ㄴ
단-벌	홑-벌	어질-병	어질-머리
민망-스럽다/ 면구-스럽다	민주-스럽다	윤-달	군-달
		총각-무	알-무/알타리-무
산-줄기	멧-줄기/멧-발	칫-솔	잇-솔
양-파	둥근-파	포수	총-댕이

제23항 방언이던 단어가 표준어보다 더 널리 쓰이게 된 것은, 그것을 표준어로 삼는다. 이 경우, 원래의 표준어는 그대로 표준어로 남겨 두는 것을 원칙으로 한다.(ㄱ을 표준어로 삼고, ㄴ도 표준어로 남겨 둠.)

ㄱ	ㄴ	ㄱ	ㄴ
멍게	우렁쉥이	애-순	어린-순
물-방개	선두리		

제24항 방언이던 단어가 널리 쓰이게 됨에 따라 표준어이던 단어가 안 쓰이게 된 것은, 방언이던 단어를 표준어로 삼는다.(ㄱ을 표준어로 삼고, ㄴ을 버림.)

ㄱ	ㄴ	ㄱ	ㄴ
귀밑-머리	귓-머리	빈대-떡	빈자-떡
까-뭉개다	까-무느다	역-겹다	역-스럽다
막상	마기	코-주부	코-보

한자어나 방언은 무조건 표준어가 아닐 것이라고 오해하지 않도록 주의해야 해.

잠깐 퀴즈　▶▶ 20쪽

25. 다음 중 표준어인 것은?

① 화곽
② 맹눈
③ 잇솔
④ 물방개
⑤ 귓머리

복수로 인정되는 표준어도 있다

표준어가 반드시 하나로만 정해져야 하는 것은 아니에요. 표준어로 정해진 단어 중에는 둘 이상의 단어를 모두 표준어로 삼는 경우도 있어요.

제18항 다음 단어는 ㄱ을 원칙으로 하고, ㄴ도 허용한다.

ㄱ	ㄴ	비고
네	예	
쇠-	소-	-가죽, -고기, -기름, -머리, -뼈.
괴다	고이다	물이 ~, 밑을 ~.
꾀다	꼬이다	어린애를 ~, 벌레가 ~.
쐬다	쏘이다	바람을 ~.
죄다	조이다	나사를 ~.
쬐다	쪼이다	볕을 ~.

제19항 어감의 차이를 나타내는 단어 또는 발음이 비슷한 단어들이 다 같이 널리 쓰이는 경우에는, 그 모두를 표준어로 삼는다.(ㄱ, ㄴ을 모두 표준어로 삼음.)

ㄱ	ㄴ	ㄱ	ㄴ
거슴츠레-하다	게슴츠레-하다	구린-내	쿠린-내
고까	꼬까	꺼림-하다	께름-하다
고린-내	코린-내	나부랭이	너부렁이

제26항 한 가지 의미를 나타내는 형태 몇 가지가 널리 쓰이며 표준어 규정에 맞으면, 그 모두를 표준어로 삼는다.

복수 표준어	복수 표준어
가는-허리/잔-허리	만큼/만치
가뭄/가물	밑-층/아래-층
가엾다/가엽다	보-조개/볼-우물
-거리다/-대다	성글다/성기다
게을러-빠지다/게을러-터지다	신/신발
넝쿨/덩굴	어이-없다/어처구니-없다
녘/쪽	옥수수/강냉이
눈-대중/눈-어림/눈-짐작	-이에요/-이어요
느리-광이/느림-보/늘-보	재롱-떨다/재롱-부리다
뒷-말/뒷-소리	한턱-내다/한턱-하다

📢» 새로 추가되는 표준어

국립국어원은 1988년 표준어 규정을 고시한 이후, 2011년에 처음으로 '먹거리, 손주, 짜장면' 등 39항목을 복수 표준어로 추가한 바 있고, 2014년부터는 매년 복수 표준어를 선정하여 발표하고 있다. 그동안은 비표준어였지만 일상생활에서 많이 쓰이고 있는 단어들을 언어 현실을 생각하여 표준어로 인정한 것이다.

잠깐 퀴즈 ▶▶20쪽

26. 다음 중 두 단어 모두 표준어로 인정하는 것을 바르게 짝 지은 것은?

① 똬리 – 또아리
② 양파 – 둥근파
③ 가엾다 – 가엽다
④ 역겹다 – 역스럽다
⑤ 총각무 – 알타리무

표준 발음법

이번에는 '표준 발음법'을 알아보도록 해요. 표준 발음법은 표준어의 공식적인 발음이에요. 표준 발음법의 원칙은 다음과 같아요.

● 공식적: 국가적으로 규정되었거나 사회적으로 인정된.

> **표준 발음법 총칙 제1항**
> 표준 발음법은 표준어의 실제 발음을 따르되, 국어의 전통성과 합리성을 고려하여 정함을 원칙으로 한다.

표준 발음이 필요한 이유 역시 표준어가 필요한 이유와 같아 보이네요. 출신 지역이나 나이에 따라 사람들은 같은 말도 조금씩 다르게 발음하는 경우가 있거든요.

누군가는 '의사'를 [으사]라고 하기도 하고, [이사]라고 하기도 하지요. '승희'라는 친구 이름을 [승이]로 발음하는 사람도 있고, [승히]로 발음하는 사람도 있고, [성히]라고 하는 사람도 있어요. '빛이 아름답다.'라는 말을 [비시 아름답다]라고 잘못 발음하는 일은 아주 흔하지요. 'ㅐ'와 'ㅔ'를 구분하는 일도 쉽지가 않아요. ⤷35쪽

이러한 혼란을 막기 위해 발음의 표준을 정한 것이 바로 '표준 발음법'이에요. 그럼 지금부터 표준 발음법의 중요한 항목들을 살펴보도록 해요.

잠깐 퀴즈 ▶▶20쪽

27. 발음의 표준을 정해야 하는 이유는 무엇인지 쓰시오.

'의'는 어떻게 발음할까

'의' 발음은 사람마다 다 달라서 어떤 게 맞는 발음인지 정말 아리송하지요. '의'는 '의'로 시작하는 단어일 때는 '의'로 발음해요. '늬, 띄, 희'와 같이 자음이 있으면 [ㅣ]로 발음하고요. 단어의 제일 앞이 아닌 '의'는 [ㅣ]로 발음할 수도 있어요.

- 의사 [의사] [이사](×)
- 희망 [히망] [희망](×)
- 주의 [주의] 혹은 [주이]

조사 '의'는 [의]로 발음하는 것이 원칙이지만 [ㅔ]로 발음할 수도 있어요.

- 우리의[우리의](○)   [우리에](○)   [우리이](×)   [우리의](×)

제5항	'ㅑ ㅒ ㅕ ㅖ ㅘ ㅙ ㅛ ㅝ ㅞ ㅠ ㅢ'는 이중 모음으로 발음한다.

다만 1. 용언의 활용형에 나타나는 '져, 쪄, 쳐'는 [저, 쩌, 처]로 발음한다.

　가지어 → 가져[가저]　찌어 → 쪄[쩌]　다치어 → 다쳐[다처]

다만 2. '예, 례' 이외의 'ㅖ'는 [ㅔ]로도 발음한다.

　계집[계ː집/게ː집]　　　계시다[계ː시다/게ː시다]

　시계[시계/시게](時計)　　연계[연계/연게](連繫)

　메별[메별/메별](袂別)　　개폐[개폐/개폐](開閉)

　혜택[혜ː택/헤ː택](惠澤)　지혜[지혜/지혜](智慧)

다만 3. 자음을 첫소리로 가지고 있는 음절의 'ㅢ'는 [ㅣ]로 발음한다.

　늴리리　닁큼　무늬　띄어쓰기　씌어

　틔어　희어　희떱다　희망　유희

다만 4. 단어의 첫음절 이외의 '의'는 [ㅣ]로, 조사 '의'는 [ㅔ]로 발음함도 허용한다.

　주의[주의/주이]　　　　협의[혀븨/혀비]

　우리의[우리의/우리에]　강의의[강ː의의/강ː이에]

'의'는 다양하게 발음되므로 특히 주의해야 해.

🔍 **잠깐 퀴즈**　　▶▶20쪽

28. 다음 단어들의 'ㅢ'를 발음한 것으로 올바르지 <u>않은</u> 것은?

① 의사[의사]
② 무늬[무니]
③ 희망[희망]
④ 우리의[우리에]
⑤ 강의의[강ː의의]

'ㅎ'은 어떻게 발음할까

받침 'ㅎ'은 단독으로 발음되지 않지만 주변의 음들과 결합하여 소리가 변해요.

- 'ㅎ' + 'ㄱ, ㄷ, ㅈ' = [ㅋ, ㅌ, ㅊ] ↺60쪽

좋고[조코]　　좋던[조ː턴]　　좋지[조치]
ㅎ+ㄱ=ㅋ　　　ㅎ+ㄷ=ㅌ　　　　ㅎ+ㅈ=ㅊ

- 'ㅎ' + 'ㅅ' = [ㅆ]

좋소[조쏘]　　싫소[실쏘]
ㅎ+ㅅ=ㅆ

'ㅎ'은 주위의 영향을 많이 받는구나.

- 'ㅎ' + 'ㄴ' = [ㄴㄴ]

좋네[존네]　　쌓는[싼는]
ㅎ+ㄴ=ㄴㄴ

다만, 'ㅎ' 뒤에 모음으로 시작된 어미나 접미사가 결합되는 경우에는, 'ㅎ'을 발음하지 않아요.

- 좋은[조은]　・좋아[조아]　・않은[아는]　・싫어도[시러도]

제12항　받침 'ㅎ'의 발음은 다음과 같다.

1. 'ㅎ(ㄶ, ㅀ)' 뒤에 'ㄱ, ㄷ, ㅈ'이 결합되는 경우에는, 뒤 음절 첫소리와 합쳐서 [ㅋ, ㅌ, ㅊ]으로 발음한다.

놓고[노코]　　좋던[조ː턴]　　쌓지[싸치]　　많고[만ː코]
않던[안턴]　　닳지[달치]

[붙임 1] 받침 'ㄱ(ㄺ), ㄷ, ㅂ(ㄼ), ㅈ(ㄵ)'이 뒤 음절 첫소리 'ㅎ'과 결합되는 경우에도, 역시 두 음을 합쳐서 [ㅋ, ㅌ, ㅍ, ㅊ]으로 발음한다.

각하[가카]　　　먹히다[머키다]　　밝히다[발키다]
맏형[마텽]　　　좁히다[조피다]　　넓히다[널피다]
꽂히다[꼬치다]　앉히다[안치다]

[붙임 2] 규정에 따라 'ㄷ'으로 발음되는 'ㅅ, ㅈ, ㅊ, ㅌ'의 경우에도 이에 준한다.

옷 한 벌[오탄벌]　　　　　낮 한때[나탄때]
꽃 한 송이[꼬탄송이]　　　숱하다[수타다]

2. 'ㅎ(ㄶ, ㅀ)' 뒤에 'ㅅ'이 결합되는 경우에는, 'ㅅ'을 [ㅆ]으로 발음한다.

닿소[다ː쏘]　　많소[만ː쏘]　　　싫소[실쏘]

3. 'ㅎ' 뒤에 'ㄴ'이 결합되는 경우에는, [ㄴ]으로 발음한다.

놓는[논는]　　쌓네[싼네]

잠깐 퀴즈　▶▶20쪽

29. 다음 설명이 맞으면 O표, 틀리면 ×표 하시오.

(1) 'ㅎ'은 'ㄱ, ㄷ, ㅈ'과 만나면 각각 [ㅋ, ㅌ, ㅊ]으로 발음된다.
(　　　)

(2) '낮 한때'의 바른 발음은 [나단때]이다.
(　　　)

[붙임] 'ㄶ, ㅀ' 뒤에 'ㄴ'이 결합되는 경우에는, 'ㅎ'을 발음하지 않는다.

앓네[안네] 않는[안는] 뚫네[뚫네 → 뚤레] 뚫는[뚫는 → 뚤른]

· '뚫네[뚫네 → 뚤레], 뚫는[뚫는 → 뚤른]'에 대해서는 제20항 참
조. ○220쪽

4. 'ㅎ(ㄶ, ㅀ)' 뒤에 모음으로 시작된 어미나 접미사가 결합되는 경우에
는, 'ㅎ'을 발음하지 않는다.

낳은[나은] 놓아[노아] 쌓이다[싸이다] 많아[마:나]

않은[아는] 닳아[다라] 싫어도[시러도]

[마딛따]와 [마싣따] – 어떤 것이 맞을까

받침으로 끝나는 단어의 뒤에 모음으로 시작하는 조사나 어미가 오면
받침이 뒤의 음절로 옮겨져 발음된다고 배웠어요. 그리고 조사나 어미가
아니라 구체적인 의미를 가진 실질 형태소가 오면, 받침이 대표음으로 바
뀌어 소리 나지요. ○47쪽

· 옷이[오시]   · 옷 안[온안 → 오단] [오산](×)
  조사   실질 형태소

'맛있다', '멋있다'를 생각해 보면 '있다'는 실질적인 의미를 가지고 있는
단어이기 때문에 '맛', '멋'의 'ㅅ'이 대표음 [ㄷ]으로 바뀌어 [마딛따], [머
딛따]가 돼요. 하지만 많은 사람들이 [마싣따], [머싣따]라고 발음하고 있
기 때문에 둘 다 표준 발음으로 인정하고 있어요.

· 맛있다[마딛따/마싣따](○)   · 멋있다[머딛따/머싣따](○)

제15항	받침 뒤에 모음 'ㅏ, ㅓ, ㅗ, ㅜ, ㅟ'들로 시작되는 실질 형태소가 연결되는 경우에는, 대표음으로 바꾸어서 뒤 음절 첫소리로 옮겨 발음한다.

밭 아래[바다래]   늪 앞[느밥]   젖어미[저더미]

맛없다[마덥따]   겉옷[거돋]   헛웃음[허두슴]

꽃 위[꼬뒤]

다만, '맛있다, 멋있다'는 [마싣따], [머싣따]로도 발음할 수 있다.

[붙임] 겹받침의 경우에는, 그중 하나만을 옮겨 발음한다.

넋 없다[너겁따]   닭 앞에[다가페]   값어치[가버치]

값있는[가빈는]

◆표준 발음법 제13항과 제14항

· 제13항: 홑받침이나 쌍받침
  이 모음으로 시작된 조사나
  어미, 접미사와 결합되는 경
  우에는, 제 음가대로 뒤 음절
  첫소리로 옮겨 발음한다.
  예 낮이[나지], 섞여[서껴]

· 제14항: 겹받침이 모음으로
  시작된 조사나 어미, 접미사
  와 결합되는 경우에는, 뒤엣
  것만을 뒤 음절 첫소리로 옮
  겨 발음한다(이 경우, 'ㅅ'은
  된소리로 발음함.).
  예 넋이[넉씨], 닭을[달글]

표준 발음법도 표준어
규정처럼 실제 언어 현실을
반영하고 있구나.

잠깐 퀴즈   ▶▶20쪽

30. 다음 문장의 표준 발음을 쓰
시오.

(1) 의심이 많은 말형
[   ]

(2) 무늬가 같은 옷 한 벌
[   ]

'ㄴ', [ㄴ]과 [ㄹ]을 오가다

'ㄴ'은 보통 'ㄹ'의 앞이나 뒤에서 [ㄹ]로 발음한다고 배웠어요. ⟳53쪽

- 난로[날:로] · 신라[실라] · 칼날[칼랄] · 물난리[물랄리]

하지만 다음과 같은 경우에는 'ㄹ'을 [ㄴ]으로 발음해요.

의견란[의:견난]	임진란[임:진난]	생산량[생산냥]
결단력[결딴녁]	공권력[공꿘녁]	동원령[동:원녕]
상견례[상견녜]	횡단로[횡단노]	이원론[이:원논]
입원료[이붠뇨]	구근류[구근뉴]	

'ㄹ'과 만난 'ㄴ'이 항상 [ㄹ]로 발음되는 건 아니니 주의해야 해.

제20항 'ㄴ'은 'ㄹ'의 앞이나 뒤에서 [ㄹ]로 발음한다.

  (1) 난로[날:로] 신라[실라] 천리[철리]

      광한루[광:할루] 대관령[대:괄령]

  (2) 칼날[칼랄] 물난리[물랄리]

      줄넘기[줄럼끼] 할는지[할른지]

[붙임] 첫소리 'ㄴ'이 'ㅀ', 'ㄾ' 뒤에 연결되는 경우에도 이에 준한다.

닳는[달른] 뚫는[뚤른] 핥네[할레]

다만, 다음과 같은 단어들은 'ㄹ'을 [ㄴ]으로 발음한다.

의견란[의:견난]	임진란[임:진난]	생산량[생산냥]
결단력[결딴녁]	공권력[공꿘녁]	동원령[동:원녕]
상견례[상견녜]	횡단로[횡단노]	이원론[이:원논]
입원료[이붠뇨]	구근류[구근뉴]	

잠깐 퀴즈 ▶▶20쪽

31. 다음 중 표준 발음이 <u>아닌</u> 것은?

① 천리[철리]
② 뚫는[뚤른]
③ 값어치[가버치]
④ 맛없다[마섭따]
⑤ 입원료[이붠뇨]

'ㄴ' 소리는 언제 덧날까

합성어 및 파생어에서, 앞 단어나 접두사의 끝이 자음이고 뒤 단어나 접미사의 첫음절이 '이, 야, 여, 요, 유'인 경우에는, 'ㄴ' 음을 첨가하여 [니, 냐, 녀, 뇨, 뉴]로 발음해요. ⟳59쪽

- 솜-이불[솜:니불] · 홑-이불[혼니불] · 막-일[망닐]

다만, 다음과 같은 단어에서는 'ㄴ(ㄹ)' 음을 첨가하여 발음하지 않아요.

- 6·25[유기오] ·3·1절[사밀쩔] ·등-용문[등용문]

그리고 다음과 같은 말들은 'ㄴ' 음을 첨가하여 발음할 수도 있고, 표기한 대로 발음할 수 있어요.

- 이죽-이죽[이중니죽/이주기죽] ·야금-야금[야금냐금/야그먀금]
- 검열[검:녈/거:멸] ·금융[금늉/그뮹]

제29항 합성어 및 파생어에서, 앞 단어나 접두사의 끝이 자음이고 뒤 단어나 접미사의 첫음절이 '이, 야, 여, 요, 유'인 경우에는, 'ㄴ' 음을 첨가하여 [니, 냐, 녀, 뇨, 뉴]로 발음한다.

솜-이불[솜:니불]	홑-이불[혼니불]	막-일[망닐]
삯-일[상닐]	맨-입[맨닙]	꽃-잎[꼰닙]
내복-약[내:봉냑]	한-여름[한녀름]	남존-여비[남존녀비]
신-여성[신녀성]	색-연필[생년필]	직행-열차[지캥녈차]
늑막-염[능망념]	콩-엿[콩녇]	담-요[담:뇨]
눈-요기[눈뇨기]	영업-용[영엄뇽]	식용-유[시굥뉴]
백분-율[백뿐뉼]	밤-윷[밤:뉻]	

다만, 다음과 같은 말들은 'ㄴ' 음을 첨가하여 발음하되, 표기대로 발음할 수 있다.

이죽-이죽[이중니죽/이주기죽]   야금-야금[야금냐금/야그먀금]
검열[검:녈/거:멸]   욜랑-욜랑[욜랑놀랑/욜랑욜랑]
금융[금늉/그뮹]

[붙임 1] 'ㄹ' 받침 뒤에 첨가되는 'ㄴ' 음은 [ㄹ]로 발음한다.

들-일[들:릴]	솔-잎[솔립]	설-익다[설릭따]
물-약[물략]	불-여우[불려우]	서울-역[서울력]
물-엿[물렫]	휘발-유[휘발류]	유들-유들[유들류들]

[붙임 2] 두 단어를 이어서 한 마디로 발음하는 경우에도 이에 준한다.

한 일[한닐]	옷 입다[온닙따]	서른여섯[서른녀섣]
3 연대[삼년대]	먹은 엿[머근녇]	
할 일[할릴]	잘 입다[잘립따]	스물여섯[스물려섣]
1 연대[일련대]	먹을 엿[머글렫]	

다만, 다음과 같은 단어에서는 'ㄴ(ㄹ)' 음을 첨가하여 발음하지 않는다.
6·25[유기오] 3·1절[사밀쩔] 송별-연[송:벼련] 등-용문[등용문]

표준 발음법에 예외가 많은 이유는 표준어의 실제 발음, 국어의 전통성과 합리성을 모두 고려하기 때문이구나.

잠깐 **퀴즈** ▶▶20쪽

32. 다음 중 표준 발음으로 옳은 것은?

① 1 연대[일년대]
② 등용문[등농문]
③ 물난리[물난니]
④ 색연필[새견필]
⑤ 의견란[의:견난]

3 외래어 표기법과 로마자 표기법

외래어 표기법은 왜 필요할까

외래어란 다른 나라의 언어를 뜻하는 '외국어'와 달리, 외국에서 생겨 전해진 말이지만 이미 우리말의 소리와 형태에 적응하고 변화한 한국어의 일부예요. '빵, 담배, 고무' 등은 외래어라는 인식이 거의 없을 정도로 익숙한 단어들이죠.

그런데 외래어를 사람마다 제각각 적는다면 어떻게 될까요? "카메라, 캐머러", "버스, 뻐스, 뻐쓰" 등 여러 가지 표기가 나타나 혼란스러울 거예요. 따라서 외래어를 적을 때의 규범인 외래어 표기법이 필요해요.

외래어는 어떤 원칙에 의해 표기할까요?

> **외래어 표기법 총칙**
> **제1항** 외래어는 국어의 현용 24 자모만으로 적는다.
> **제2항** 외래어의 1 음운은 원칙적으로 1 기호로 적는다.

제1항에서는 외래어는 국어의 일부로 쓰이고 있기 때문에 국어의 24개의 자모만으로 적는다고 밝히고 있어요. 이 말은 영어의 [f]와 같이 한국어에는 없는 발음을 표기하기 위해 새로운 문자를 만들지 않는다는 의미예요.

제2항에서는 외래어의 한 음운은 하나의 글자로 적는다고 했어요. 이 말은 외국어 소리 하나에 대해서 국어 소리 하나로 나타낸다는 의미예요.

- film[필름](○)   - fighting[파이팅](○)
                                [화이팅](×)

이처럼 'f'를 'film'에서는 '필름'과 같이 'ㅍ'으로, 'fighting'에서는 '화이팅'과 같이 'ㅎ'으로 표기하지 않고, 항상 'ㅍ'으로만 적게 한다는 뜻이에요.

외래어도 우리말의 일부이니까 올바르게 적어야 해.

잠깐 퀴즈 ▶▶ 20쪽

33. 다음 중 외래어를 올바르게 적은 것에 밑줄을 치시오.

(1) file (파일 / 화일)
(2) bus (뻐쓰 / 버스)

국어의 로마자 표기법은 왜 필요할까

우리는 '종로'라는 글자를 자연스럽게 [종노]라고 발음해요. 그러나 외국인들은 '종로'를 글자 그대로 적은 'Jongro'를 보고 [Jongno]라고 자연스럽게 발음하지 못해요. 외국인이 모국어로서가 아닌 외국어로서 한국어를 배웠기 때문이에요. 외국인이 '종로'를 [종노]로 소리 내도록 하기 위해서는 한국인의 발음대로 'Jongno'라고 적어야 해요. 이처럼 외국인들이 한국어를 발음할 수 있도록 하려고 만든 규범이 로마자 표기법이에요. 국어의 로마자 표기법은 한국인보다 외국인에게 꼭 필요한 규범이에요.

국어의 로마자 표기법 중에서 중요한 항목에는 다음과 같은 것들이 있어요.

■ **표준 발음에 맞추어 표기하기**
- 음운 변화가 없는 경우: 남산 ⇨ [남산] Namsan
- 음운 변화가 있는 경우: 신라 ⇨ [실라] Silla
  - 종로 ⇨ [종노] Jongno
  - 알약 ⇨ [알략] allyak
  - 해돋이 ⇨ [해도지] haedoji

글자 그대로 로마자를 표기하면 외국인들이 발음하기도, 이해하기도 어렵겠어.

신라 =Silla

종로 =Jongno

■ **음운 변화에 의한 된소리는 표기에 반영하지 않기**
- 거북선 ⇨ [거북썬] Geobukseon (○) Geobuksseon (×)
- 낙동강 ⇨ [낙똥강] Nakdonggang (○) Nakttonggang (×)

■ **고유 명사의 첫 글자는 대문자로 적기**
- 대구 ⇨ [대구] Daegu

잠깐 퀴즈 ▶▶ 20쪽

34. 다음 단어를 로마자로 쓰시오.
(1) 설악산 (   )
(2) 대관령 (   )

● **우리말 규범의 필요성**: ☐☐☐☐ 과정에서 불필요한 오해와 혼란을 줄이고 효과적이고 효율적인 언어생활을 하기 위하여 필요함.

● **우리말 규범의 종류**

명칭	내용
☐☐ ☐☐☐	한글로써 우리말을 표기하는 규칙의 전반을 이르는 말
표준어 규정	• 표준어 사정의 원칙과 표준 발음법을 체계화한 규정 • 표준 발음법: 한 나라에서 공용으로 쓰는 규범으로서의 언어인 표준어에 대한 발음상의 규칙과 규범.
☐☐☐ 표기법	외래어의 한글 표기를 규정한 언어 규범
국어의 로마자 표기법	외국인이 한국어를 발음할 수 있도록 국어를 로마자로 표기하는 방법을 규정한 언어 규범

● **한글 맞춤법의 기본 원칙**

• 표준어를 ☐☐대로 적되, ☐☐에 맞도록 함을 원칙으로 함.
• 문장의 각 단어는 ☐☐ 씀을 원칙으로 함.
• ☐☐는 앞말에 붙여 씀.

● **한글 맞춤법의 주요 규정**

두음 법칙	• 한자음 '녀, 뇨, 뉴, 니', '랴, 려, 례, 료, 류, 리'가 단어 첫머리에 올 때에는, '여, 요, 유, 이', '야, 여, 예, 요, 유, 이'로 적음. 例 여자(女子) (○) 녀자 (×) 예의(禮儀) (○) 례의 (×) 단어의 첫머리 이외의 경우에는 본음대로 적음. 例 남녀(男女) (○) 사례(謝禮) (○) • 한자음 '라, 래, 로, 뢰, 루, 르'가 단어의 첫머리에 올 때에는 '나, 내, 노, 뇌, 누, 느'로 적음. 例 낙원(樂園) (○) 락원 (×) 내일(來日) (○) 래일 (×) 단어의 첫머리 이외에는 본음대로 적음. 例 쾌락(快樂) (○) 왕래(往來) (○)

어근 원형 밝혀 적기	• 어간에 '-이'나 '-음'이 붙어서 명사로 된 것 　**예** 길이(←길-+-이), ☐☐(←걷-[步]+-음) 　'-이'나 '-음' 외의 접미사는 원형을 밝히지 않고 소리 나는 대로 적음. 　**예** 나머지(←남-+-어지), 지팡이(←짚-+-앙이) • 어간에 '-이'나 '-히'가 붙어서 부사로 된 것 　**예** ☐☐(←굳-+-이), 익히(←익-+-히) • '-하다'나 '-거리다'가 붙는 어근에 '-이'가 붙어서 명사가 된 것 　**예** 꿀꿀이(←꿀꿀하다+-이), 오뚝이(←오뚝하다+-이) 　개구리(× 개굴하다, × 개굴거리다), 기러기(× 기럭하다 × 기럭거리다) • '-하다'가 붙는 어근에 '-히'나 '-이'가 붙어서 부사로 된 것 　**예** 나란히(←나란하다+-히), 깨끗이(←깨끗하다+-이)
☐☐☐☐	• 순우리말, 혹은 순우리말과 한자어로 된 합성어로서 앞말이 모음으로 끝난 경우 　(1) 뒷말의 첫소리가 된소리로 나는 것 　　**예** 나무+가지 → 나뭇가지[나무까지], 해+수(數) → 햇수[해쑤] 　(2) 뒷말의 첫소리 'ㄴ, ㅁ' 앞에서 'ㄴ' 소리가 덧나는 것 　　**예** 아래+니 → 아랫니[아랜니], 제사(祭祀)+날 → 제삿날[제산날] 　(3) 뒷말의 첫소리 모음 앞에서 'ㄴ ㄴ' 소리가 덧나는 것 　　**예** 깨+잎 → 깻잎[깬닙], 예사(例事)+일 → 예삿일[예산닐] • 두 음절로 된 한자어 중 다음의 6개의 단어는 사이시옷을 표기함. 　**예** 곳간(庫間), 셋방(貰房), 숫자(數字), 찻간(車間), 툇간(退間), 횟수(回數)

● 표준어와 표준 발음법의 기본 원칙

• 표준어: ☐☐ 있는 사람들이 두루 쓰는 ☐☐☐☐☐로 정함.
• 표준 발음법: 표준어의 실제 발음을 따르되, 국어의 전통성과 합리성을 고려하여 정함.

● 외래어 표기법의 기본 원칙

• 외래어는 현재 사용하는 국어의 ☐☐ 자모만으로 적음.
• 외래어의 1 음운은 원칙적으로 1 기호로 적음.

● 국어의 로마자 표기법의 기본 원칙: 국어의 로마자 표기는 국어의 표준 발음법에 따라 적는 것을 원칙으로 함.

📋 의사소통, 한글 맞춤법, 외래어, 소리, 어법, 띄어, 조사, 걸음, 굳이, 사이시옷, 교양, 현대, 서울말, 24

기본 익히기

 잘 모르겠다면 해당 쪽에서 다시 확인해 보세요.

01 다음 설명이 맞으면 ○표, 틀리면 ×표를 하시오.

[전체]

(1) 한글 맞춤법의 기본 원칙은 표준어를 소리 나는 대로만 적는 것이다. ( )

(2) 문장의 각 단어는 띄어 쓰는 것이 원칙이다. ( )

(3) 표준어는 교양 있는 사람들이 두루 쓰는 말로 정함을 원칙으로 한다. ( )

(4) 표준 발음법은 표준어의 실제 발음을 따르되, 국어의 전통성과 합리성을 고려하여 정한다. ( )

(5) 외래어를 표기할 때는 원어의 본래 발음에 가깝게 적어야 한다. ( )

(6) 국어의 로마자 표기는 국어의 표준 발음법에 따라 적는 것을 원칙으로 한다. ( )

02 📝 주관식

다음 ㉠, ㉡의 표기 방식의 차이를 쓰시오.

[191쪽]

㉠	㉡
꼬치, 꼬츨, 꼬체 꼳나무, 꼳망울 꼳꽈, 꼳따발	꽃이, 꽃을, 꽃에 꽃나무, 꽃망울 꽃과, 꽃다발

03 다음 중 한글 맞춤법에 맞게 표기한 것은?

[193~204쪽]

① 남여 ② 횟수 ③ 나무잎
④ 뻐꾹이 ⑤ 따뜨시

04 다음 중 한글 맞춤법에 맞는 것을 고르시오.

[193~205쪽]

(1) 책을 (일꼬 / 읽고) 독후감을 쓰세요.

(2) 이리로 (오시오 / 오시요).

(3) 우리는 형제가 (아니오 / 아니요), 친구랍니다.

(4) 너에게 (솔직이 / 솔직히) 고백하겠다.

(5) 내가 먼저 (사과할걸 / 사과할껄).

(6) 어제 날씨가 참 (덥던데 / 덥든데)!

(7) 그러면 안 (되요 / 돼요).

(8) 감미로운 (선율 / 선률)이 흐르는 찻집

05 다음 중 한글 맞춤법에 어긋난 것은?

[197쪽]

① 꿀꿀이 ② 삐주기 ③ 쟁과리
④ 배불뚝이 ⑤ 딱따구리

06 다음 중 두 단어가 합쳐질 때 사이시옷이 들어가지 <u>않는</u> 것은?

[198쪽]

① 내+가
② 아래+니
③ 전세+집
④ 제사+날
⑤ 나루+터

07 ✏️ 서술형

다음 문장에서 띄어쓰기가 잘못된 부분에 밑줄을 치고 바르게 고쳐 쓴 후, 잘못된 이유를 서술하시오.

[200쪽]

(1) 일기는 그날 하루에 느낀바를 적는 글이다.

(2) 그 사람이 왜 집을 떠났는 지 모르겠다.

08 다음 중 표준어를 고르시오.

207~
212쪽

(1) 강남콩 / 강낭콩

(2) 숫꿩 / 수퀑 / 수꿩

(3) 숫쥐 / 수쥐

(4) 멋장이 / 멋쟁이

(5) 웃어른 / 윗어른

09 다음 중 표준어가 <u>아닌</u> 것은?

212쪽

① 노을　　② 솔개　　③ 돗자리

④ 새앙쥐　　⑤ 살얼음판

10 주관식

다음 빈칸에 들어갈 알맞은 말을 쓰시오.

224쪽

우리말 규범은 (　　　) 과정에서 불필요한
오해와 (　　　)을 줄이고 효과적이고 효율적
인 (　　　)을 하기 위하여 필요하다.

11 주관식

다음 단어의 발음이 표준 발음법에 맞으면 O표,
틀리면 ×표를 하시오.

217~
220쪽

(1) 지혜 [지혜] (　　　) [지헤] (　　　)

(2) 주의 [주이] (　　　) [주의] (　　　)

(3) 넋을 [넉쓸] (　　　) [너글] (　　　)

(4) 닭이 [다기] (　　　) [달기] (　　　)

(5) 옷 위에 [오뒤에] (　　　) [오쉬에] (　　　)

(6) 놓고 [노꼬] (　　　) [노코] (　　　)

(7) 닳는 [달른] (　　　) [다는] (　　　)

12 다음 중 표준 발음법에 <u>어긋난</u> 것은?

217~
220쪽

① 끓는[끌른]　② 앓던[안턴]　③ 맏형[마텽]

④ 유희[유이]　⑤ 협의[혀비]

13 주관식

다음 표현의 발음을 표준 발음법에 맞게 쓰시오.

217~
219쪽

(1) 우리의 희망 [　　　　　　　]

(2) 그것이 좋습니다. [　　　　　　　]

(3) 겉옷을 벗어 놓았다. [　　　　　　　]

14 다음 중 외래어 표기법에 <u>어긋난</u> 것은?

222쪽

① film – 휠름

② buffet – 뷔페

③ battery – 배터리

④ chocolate – 초콜릿

⑤ accessory – 액세서리

15 다음 중 로마자 표기법에 <u>어긋난</u> 것은?

223쪽

① 남산 – Namsan

② 종로 – Jongro

③ 속리산 – Songnisan

④ 낙동강 – Nakdonggang

⑤ 광화문 – Gwanghwamun

실력 키우기

01 다음 밑줄 친 부분이 한글 맞춤법에 맞게 쓰인 것은?

① <u>엇저녁</u>부터 아이가 밥을 먹지 않는다.
② 사람들이 <u>넓직한</u> 바위에 둘러앉았다.
③ <u>생각컨대</u> 이 문제를 빨리 해결해야 한다.
④ 가을이 되니 <u>이파리</u>가 하나둘씩 떨어지고 있다.
⑤ 내일 여행을 떠난다는 생각에 마음이 <u>설레인다</u>.

02 〈보기〉를 참고하여 받침 'ㅎ'의 발음에 대한 설명으로 적절하지 <u>않은</u> 것은?

┤보기├
• 좋고[조코]   • 좋은[조은]
• 좋소[조쏘]   • 좋아[조아]
• 좋네[존네]

① 받침 'ㅎ' 뒤에 'ㄱ'이 오면 합쳐서 [ㅋ]으로 발음한다.
② 받침 'ㅎ' 뒤에 'ㅅ'이 결합되면 'ㅅ'을 [ㅆ]으로 발음한다.
③ 받침 'ㅎ' 뒤에 'ㄴ'이 결합되면 'ㅎ'은 [ㄴ]으로 발음한다.
④ 받침 'ㅎ' 뒤에 모음으로 시작되는 어미가 결합되면 'ㅎ'은 [ㅎ]으로 발음한다.
⑤ 받침 'ㅎ'은 뒤에 어떤 소리가 오느냐에 따라 발음되는 소리가 다르다.

03 다음 밑줄 친 단어 중 표준 발음법에 <u>어긋난</u> 것은?

① <u>빛이[비시]</u> 아름답다.
② <u>밭을[바틀]</u> 갈고 있다.
③ 쌀에 돌이 <u>섞여[서껴]</u> 있다.
④ <u>맛있는[마딘는]</u> 음식을 먹었다.
⑤ 어렸을 때 <u>닭을[달글]</u> 키운 적이 있다.

04 〈보기〉를 참고하여 사이시옷을 적는 예로 적절하지 <u>않은</u> 것은?

┤보기├
[사이시옷을 적는 환경]
⑴ 순우리말로 된 합성어로서 앞말이 모음으로 끝난 경우에 뒷말의 첫소리가 된소리로 나는 경우
  • 나루+배 → 나룻배
  • 내+가 → 냇가
⑵ 순우리말로 된 합성어로서 앞말이 모음으로 끝난 경우에 뒷말의 첫소리 'ㄴ, ㅁ' 앞에서 'ㄴ' 소리가 덧나는 경우
  • 메+나물 → 멧나물
  • 아래+니 → 아랫니
⑶ 순우리말로 된 합성어로서 앞말이 모음으로 끝난 경우에 뒷말의 첫소리 모음 앞에서 'ㄴㄴ' 소리가 덧나는 경우
  • 도리깨+열 → 도리깻열
  • 베개+잇 → 베갯잇

① 잇몸   ② 허릿띠   ③ 뒷마당
④ 뱃놀이   ⑤ 허드렛일

05 다음 중 표준 발음법에 <u>어긋난</u> 것은?

① 넓다[넙따]   ② 쌓는[싼는]
③ 맑다[막따]   ④ 값어치[가버치]
⑤ 닭 요리[당뇨리]

06 〈보기〉를 참고하여 바르지 <u>않은</u> 표기는?

┃보기┃
- 모음 'ㅗ, ㅜ'로 끝난 어간에 '-아/-어', '-았-/-었-'이 어울려 'ㅘ/ㅝ, 왔/웠'으로 될 적에는 준 대로 적는다.
- '놓아'가 '놔'로 줄 적에는 준 대로 적는다.
- 'ㅚ' 뒤에 '-어, -었-'이 어울려 'ㅙ, 괬'으로 될 적에도 준 대로 적는다.

① 꼬+아 → 꽈
② 추+어야 → 춰야
③ 놓+아라 → 놔라
④ 쬐+어라 → 쬐라
⑤ 뵈+었다 → 뵀다

07 〈보기〉의 외래어 표기법에 대한 설명으로 적절한 것은?

┃보기┃
제1항 외래어는 국어의 현용 24 자모만으로 적는다.
제2항 외래어의 1 음운은 원칙적으로 1 기호로 적는다.
제3항 받침에는 'ㄱ, ㄴ, ㄹ, ㅁ, ㅂ, ㅅ, ㅇ'만을 쓴다.
제4항 파열음 표기에는 된소리를 쓰지 않는 것을 원칙으로 한다.
제5항 이미 굳어진 외래어는 관용을 존중하되, 그 범위와 용례는 따로 정한다.

① 제1항에 따라 [f], [v]처럼 국어에 없는 외국어 소리 표기를 위해 'ㆄ', 'ㅸ'과 같은 자모를 추가한다.
② 제2항에 따라 'fashion'은 '패션'으로, 'fried chicken'은 '후라이드치킨'으로 적는다.
③ 제3항에 따라 'rocket'은 '로켓'으로 적는다.
④ 제4항에 따라 'bus'는 '뻐스'로 적는다.
⑤ 제5항에 따라 'camera'는 '카메라'가 아닌 '캐머러'라고 적는다.

08 〈보기〉를 참고하여 다음 단어의 바른 표기를 고르시오.

┃보기┃
[한글 맞춤법]
- 제7항 'ㄷ' 소리로 나는 받침 중에서 'ㄷ'으로 적을 근거가 없는 것은 'ㅅ'으로 적는다.
- 제29항 끝소리가 'ㄹ'인 말과 딴 말이 어울릴 적에 'ㄹ' 소리가 'ㄷ' 소리로 나는 것은 'ㄷ'으로 적는다.

[사례]
(가) 덧저고리(덧-저고리), 웃어른(웃-어른)
(나) 걷-잡다(거두어 붙잡다), 낟-가리(낟알이 붙은 곡식을 쌓은 더미)
(다) 숟가락(술-가락), 섣달(설-달)

(1) 사묻 / 사뭇
(2) 사흗날 / 사흘날
(3) 반짇고리 / 반짓고리

🔎기출

09 〈보기〉의 ㉠, ㉡의 예로 적절한 것은?

┃보기┃
'한글 맞춤법 제4장(형태에 관한 것)'의 파생어와 합성어에 대한 표기 규정은 다음과 같이 네 가지로 정리해 볼 수 있다.
- 파생어이면서 어근의 원형을 밝히어 적는 경우
- 파생어이면서 어근의 원형을 밝히어 적지 않는 경우 ⋯⋯⋯⋯⋯⋯⋯⋯⋯⋯⋯ ㉠
- 합성어이면서 어근의 원형을 밝히어 적는 경우 ⋯⋯⋯⋯⋯⋯⋯⋯⋯⋯⋯⋯⋯⋯ ㉡
- 합성어이면서 어근의 원형을 밝히어 적지 않는 경우

	㉠	㉡
①	길이, 마중	무덤, 지붕
②	무덤, 지붕	뒤뜰, 쌀알
③	뒤뜰, 쌀알	무덤, 지붕
④	길이, 무덤	뒤뜰, 쌀알
⑤	마중, 지붕	길이, 쌀알

한글

이 장에서는 한글이 왜 만들어졌는지, 어떤 원리로 만들어졌는지, 한글이 만들어진 후 어떤 자취를 남겨 왔는지 알아보도록 합시다. 또 한글이 어떤 점에서 우수하며, 우리 생활을 어떻게 바꾸어 놓았는지 함께 생각해 봅시다.

한눈에 쏙!

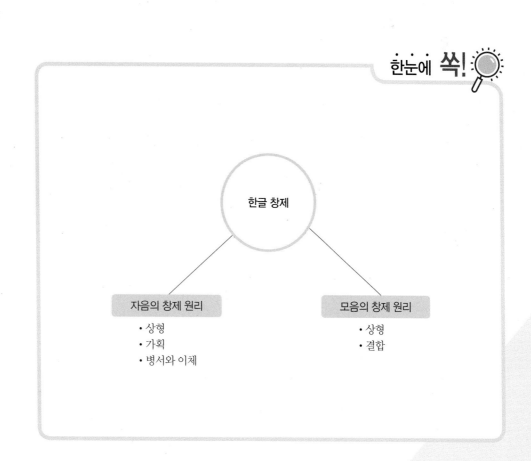

한글 창제

자음의 창제 원리
- 상형
- 가획
- 병서와 이체

모음의 창제 원리
- 상형
- 결합

1 한글의 창제 원리

오로지 백성을 위해 한글을 만들다

● 창제: 전에 없던 것을 처음으로 만듦.

훈민정음은 세종이 1443년에 창제한 문자예요. 이전까지는 한자를 이용해서 글을 썼는데 백성들은 한자를 배울 기회를 거의 갖지 못했지요. 세종은 당시 우리말을 표현할 수 있는 문자가 없어서 백성들이 어려움을 겪는다는 사실을 잘 알고 있었어요. 이들은 살아가면서 알아야 할 중요한 지식도 배울 수 없었고 자신의 생각도 제대로 표현하지 못했지요. 그래서 글자를 모르는 백성들을 불쌍히 여긴 세종이 직접 글자를 만들게 된 거예요. 이러한 창제 동기가 세종이 직접 쓴 《훈민정음》 서문에 잘 드러나 있답니다.

● 서문: 머리말.

《훈민정음》 서문

[1]우리나라 말이 [2]중국과 달라 [3]한자와는 서로 통하지 않아서, [4]이런 까닭에 어리석은 백성이 말하고자 하는 바가 있어도 [5]마침내 제 뜻을 말하지 못하는 사람이 많다. [6]내가 이를 가엾게 여겨 [7]새로 스물여덟 글자를 만드니, [8]모든 사람이 쉽게 익혀서 날마다 쓰는 데 편하게 하고자 할 따름이다.

구구절절 백성에 대한 사랑이 넘쳐나는구나!

🔍 **잠깐 퀴즈** ▶▶ 23쪽

1. 처음 한글이 만들어졌을 때의 이름은?

훈민정음 창제는 백성들에게 큰 도움이 됐어요. 그렇지만 훈민정음 창제가 당시의 모든 사람들에게 환영받은 것은 아니었어요. 집현전 부제학이었던 최만리는 훈민정음 창제를 반대하는 상소를 올렸어요. 한자를 버리고 우리 문자를 만드는 것이 중국을 섬기는 도리에 어긋난다고 생각했기 때문이었어요. 또 배우기 쉬운 한글로 공부를 하면 어려운 한문은 배우지 않게 되어, 결국 공부를 게을리하게 된다고 생각했지요. 하지만 세종은 최만리를 비롯하여 훈민정음 창제를 반대하는 이들에게 강경하게 대처했답니다. 이러한 사실을 통해 우리는 세종의 문자 창제에 대한 강한 의지는 물론, 백성을 사랑하는 마음도 함께 엿볼 수 있지요.

●부제학: 조선 시대에 둔 홍문관의 벼슬.

자음 창제의 원리를 알아보자

세종은 전부 17개의 자음자와 11개의 모음자를 만들었어요. 과연 어떤 원리에 의해 글자를 만들었을까요? 먼저 자음을 만든 원리부터 살펴볼게요.

다음 글자들은 세종이 글자를 만들 당시에 있던 자음 17자예요. 현재는 14자니까 지금보다 많지요?

훈민정음 창제에 대한 세종의 의지가 대단했구나

> ㄱ ㄴ ㄷ ㄹ ㅁ ㅂ ㅅ ㅇ ㅈ ㅊ ㅋ ㅌ ㅍ ㆆ ㅎ ㅿ

이 자음들을 비슷한 모양끼리 묶어 볼게요.

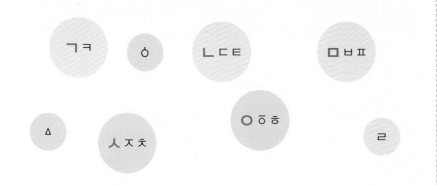

각각의 원에 써 있는 글자들 중 큰 글자 'ㄱ, ㄴ, ㅁ, ㅅ, ㅇ'은 다른 글자를 만드는 기본이 되는 글자이며, 이것을 **기본자**라고 해요. 함께 묶인 다른 글자들은 바로 이 기본자에 획을 하나씩 더해 만들어졌어요.

◆ 세종 대왕이 만든 자음 17자 가운데, 'ㆁ(옛이응), ㆆ(여린히읗), ㅿ(반치음)'은 현재 사용되지 않는다.

잠깐 퀴즈 ▶▶23쪽

2. 다음 빈칸에 알맞은 말을 쓰시오.

자음의 기본자는 ☐, ☐, ☐, ☐, ☐이다.

♦〈훈민정음〉에서 'ㄱ'은 어금
니 옆에서 소리가 난다 하여
'엄쏘리'라고 하였다. 'ㄴ'은 혀
옆에서 소리가 난다 하여 '혀
쏘리', 'ㅁ'은 '입시울쏘리', 'ㅅ'
은 '니쏘리', 'ㅇ'은 '목소리'라
고 하였다.

그러면 'ㄱ', 'ㄴ', 'ㅁ', 'ㅅ', 'ㅇ'이라는 기본자는 어떻게 만들어졌을까
요?

바로 발음 기관의 모양을 본떠서 만들어졌답니다.♦ 다음 그림을 보세요.

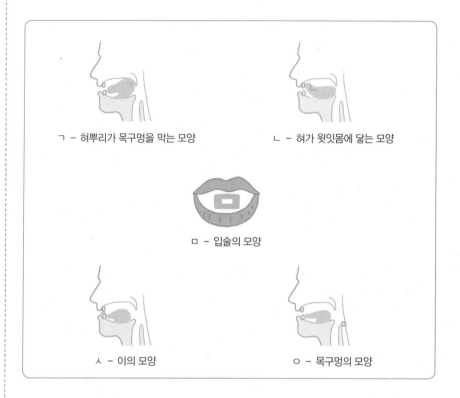

ㄱ - 혀뿌리가 목구멍을 막는 모양   ㄴ - 혀가 윗잇몸에 닿는 모양

ㅁ - 입술의 모양

ㅅ - 이의 모양   ㅇ - 목구멍의 모양

♦ 기본자에 획을 더해서 만든
'ㅋ, ㄷ, ㅌ, ㅂ, ㅍ, ㅈ, ㅊ, ㆆ,
ㅎ' 등을 '가획자'라고 한다.

♦ 'ㄷ'은 'ㄴ'보다 소리가 세진
것은 아니지만 'ㄴ'과 똑같이
혀끝에서 소리가 나기 때문에
'ㄴ'에 획을 더해 'ㄷ'을 만든
것이다.

자음의 기본 글자는 말소리를 내는 데 필요한 중요 발음 기관을 **상형(象
形)**하여 만들어졌어요. 그러면 나머지 자음의 글자들은 어떻게 만들어졌
을까요?

ㄱ ⇨ ㅋ

보다시피 'ㅋ'은 'ㄱ'보다 획이 하나 더 많아요. 그리고 'ㅋ'은 'ㄱ'보다 소
리가 더 세답니다. 이것으로 보아 기본자 'ㄱ'에 획을 하나 더하면 소리가
세어진다는 것을 알 수 있어요. 이렇게 획을 더하는 것을 **가획(加劃)**이라
해요.♦

그러면 가획의 원리는 'ㄴ'에도 적용할 수 있겠네요. 'ㄴ'에 획을 하나 더
하면 'ㄷ'이 되고, 또 여기에 획을 하나 더하면 'ㅌ'이 됩니다. 이것은 다음
과 같이 나타낼 수 있어요.

ㄴ ⇨ ㄷ ⇨ ㅌ

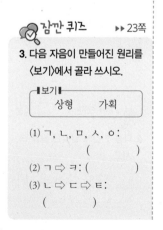

잠깐 퀴즈 ▶▶ 23쪽

3. 다음 자음이 만들어진 원리를
〈보기〉에서 골라 쓰시오.

┃┃보기┃┃
상형   가획

(1) ㄱ, ㄴ, ㅁ, ㅅ, ㅇ:
(   )
(2) ㄱ ⇨ ㅋ: (   )
(3) ㄴ ⇨ ㄷ ⇨ ㅌ:
(   )

물론 'ㅁ'과 'ㅅ', 'ㅇ'도 마찬가지예요.

ㅁ ⇨ ㅂ ⇨ ㅍ   ㅅ ⇨ ㅈ ⇨ ㅊ   ㅇ ⇨ ㆆ ⇨ ㅎ

이렇게 해서 자음의 기본자 'ㄱ, ㄴ, ㅁ, ㅅ, ㅇ'은 발음 기관의 모양을 본 따 만들어졌고, 나머지 글자들은 가획(加劃)의 원리에 의해서 만들어졌다는 사실을 알 수 있어요.

그런데 당시에 만들어졌던 글자들 중에 여기에 해당되지 않는 글자도 있어요. 'ㄹ, ㅿ, ㆁ'은 모양을 본뜨거나 획을 더해서 만든 글자가 아니라, 모양을 달리하여 만든 글자랍니다. 모양이 다르다고 '다를 이(異)'에 '몸체(體)' 자를 써서 **이체자(異體字)**라고 해요.

된소리를 나타내는 'ㄲ, ㄸ, ㅃ, ㅆ, ㅉ' 등은 'ㄱ, ㄷ, ㅂ, ㅅ, ㅈ'를 나란히 두 번씩 썼다고 해서 **병서자(竝書字)**라고 하지요.

지금까지 살펴본 훈민정음 자음의 창제 원리를 표로 정리하면 다음과 같아요.

● 이체: 모양이 다른 것.

● 병서: 훈민정음에서, 초성자 두 글자 또는 세 글자를 가로로 나란히 붙여 쓰는 일.

기본자	상형	가획자		병서자	이체자
ㄱ	혀뿌리가 목구멍을 막는 모양		ㅋ	ㄲ	ㆁ
ㄴ	혀가 윗잇몸에 닿는 모양	ㄷ	ㅌ	ㄸ	ㄹ
ㅁ	입술의 모양	ㅂ	ㅍ	ㅃ	
ㅅ	이의 모양	ㅈ	ㅊ	ㅆ, ㅉ	ㅿ
ㅇ	목구멍의 모양	ㆆ	ㅎ		

알아 두자! '한글'의 명칭과 유래

한글은 세종 28년(1446년)에 '훈민정음(訓民正音)'이라는 이름으로 반포된 후 낮추어서 '언문(諺文)', '반절(半切)' 등의 이름으로 불렸어요. 그 뒤 갑오개혁(1894) 이후로는 '국문(國文)'이라고 불렸으나 특정 언어에 대한 명칭이라기보다는 그저 우리나라 글이라는 뜻으로 쓰인 것에 지나지 않았지요.

우리글을 '한글'이라고 처음 이름 붙인 분은 국어학자 주시경 선생인데, 1913년에 어린이 잡지 《아이들 보이》에 집필한 글에서 가로 글씨의 제목으로 한글이라고 표기한 것이 처음이에요.

한글의 뜻은 '글 중에 가장 큰[大] 글, 글 중에 오직 하나[一]인 좋은 글, 온 겨레가 한결[一致]같이 쓴 글, 글 중에서 가장 바른[正] 글(똑바른 가운데를 '한 가운데'라 함과 같음.), 결함이 없이 원만(圓滿)한 글'이란 뜻들을 겸한 것이에요.

잠깐 퀴즈   ▶▶ 23쪽

4. '한글'이라는 이름을 처음으로 붙인 사람은?

모음 창제의 원리를 알아보자

이번에는 모음을 만든 원리를 공부해 볼까요? 훈민정음 창제 당시의 모음은 다음과 같이 11자가 있었어요.

> ㅏ ㅑ ㅓ ㅕ ㅗ ㅛ ㅜ ㅠ ㅡ ㅣ ·

모음에도 자음처럼 모음을 만들기 위한 기본자가 있어요. 모음의 기본자는 우리가 쓰는 휴대 전화 자판에서도 찾을 수 있지요. 한번 찾아볼까요? 네, 그래요. 'ㅣ, ·, ㅡ' 세 글자가 바로 모음의 **기본자**예요.

◆ 옛날 사람들은 하늘은 둥글다고 생각했다. 그래서 그 둥근 모양을 본떠 '· (아래아)' 자를 만들었다. 그리고 땅의 평평한 모습을 본떠 'ㅡ' 자를, 마지막으로 서 있는 사람의 모습을 본떠 'ㅣ' 자를 만들었다.

모음의 자판이 이와 같이 생긴 것을 '천지인(天地人)' 방식의 자판이라고 부르는데, 왜 그렇게 부르는지 아세요? '천지인'은 각각 '·, ㅡ, ㅣ'를 가리켜요. '·'는 '하늘[天]', 'ㅡ'는 '땅[地]', 'ㅣ'는 '사람[人]'을 뜻하지요. 《훈민정음》에서는 '천지인'의 모습을 본떠 다음과 같은 글자를 만들었어요.

하늘, 땅, 사람!
한마디로 모음은
'세상'을 본떠 만들었구나!

◉ **모음의 상형**

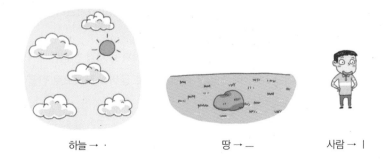

하늘 → ·   땅 → ㅡ   사람 → ㅣ

잠깐 퀴즈 ▶▶ 23쪽

5. 모음의 기본자를 만든 원리는?

하늘과 땅과 사람의 모습을 본떠 모음의 기본자를 만든 후에는 이들을 서로 결합하여 다른 모음을 만들었어요.

ㅣ + ﹒ ⇨ ㅏ		ㅏ + ﹒ ⇨ ㅑ
﹒ + ㅣ ⇨ ㅓ		﹒ + ㅓ ⇨ ㅕ
﹒ + ㅡ ⇨ ㅗ		﹒ + ㅗ ⇨ ㅛ
ㅡ + ﹒ ⇨ ㅜ		ㅜ + ﹒ ⇨ ㅠ

이와 같이 'ㅣ'에 '﹒'를 더하면 'ㅏ'가 되고, 'ㅏ'에 '﹒'를 더하면 'ㅑ'가 되지요. 또 '﹒'에 'ㅣ'를 더하면 'ㅓ'가 되고, '﹒'를 더한 후 'ㅣ'를 더하면 'ㅕ'가 돼요. 'ㅗ'와 'ㅛ', 'ㅜ'와 'ㅠ' 역시 같은 원리로 설명할 수 있어요. 이때, 기본이 되는 세 모음을 결합하여 만든 'ㅏ, ㅓ, ㅗ, ㅜ'를 **초출자**라고 하고, 초출자에 다시 기본 모음을 더해 만든 'ㅑ, ㅕ, ㅛ, ㅠ'를 **재출자**라고 해요.

이렇게 만들어진 모음의 원리를 정리하면 다음과 같아요.

기본자	상형	초출자	재출자
﹒	하늘	ㅗ	ㅛ
ㅡ	땅	ㅜ	ㅠ
ㅣ	사람	ㅏ	ㅑ
		ㅓ	ㅕ

◆ '﹒'(아래아)는 현재 사용되지 않는다. '﹒'는 'ㅏ'와 'ㅗ'의 중간 소리로 추정이 되는데, 18세기 이후 'ㅡ'나 'ㅏ' 등으로 변하였다.
◎ ᄒᆞᄂᆞᆯ → 하늘[天]

● 초출: 처음 나옴.

● 재출: 두 번째 나옴.

한자였다면 최소 1000자는 알아야 하는데, 한글은 24자면 다 되는구나!

잠깐 퀴즈   ▶▶ 23쪽

6. 다음 빈칸에 알맞은 말을 쓰시오.

기본이 되는 세 모음을 결합하여 만든 모음을 ☐☐☐라고 하고, 이에 다시 기본 모음을 더해 만든 모음을 ☐☐☐라고 한다.

알아 두자! 한글의 글자 수 변화

훈민정음 창제 당시 한글은 모두 28글자였어요.
- 자음(17개): ㄱ, ㄴ, ㄷ, ㄹ, ㅁ, ㅂ, ㅅ, ㅇ, ㅈ, ㅊ, ㅋ, ㅌ, ㅍ, ㅎ, ㆁ, ㆆ, ㅿ
- 모음(11개): ﹒, ㅏ, ㅑ, ㅓ, ㅕ, ㅗ, ㅛ, ㅜ, ㅠ, ㅡ, ㅣ

그러나 세월이 흐름에 따라서 자음인 'ㆁ, ㆆ, ㅿ'가 없어지고 모음인 '﹒'가 사라지면서 오늘날과 같은 24글자가 되었지요.
- 자음(14개): ㄱ, ㄴ, ㄷ, ㄹ, ㅁ, ㅂ, ㅅ, ㅇ, ㅈ, ㅊ, ㅋ, ㅌ, ㅍ, ㅎ
- 모음(10개): ㅏ, ㅑ, ㅓ, ㅕ, ㅗ, ㅛ, ㅜ, ㅠ, ㅡ, ㅣ

2 한글의 우수성과 가치

한글이 없던 시절에는 어떻게 살았을까

　불과 오백여 년 전만 해도 우리 민족에게는 아직 우리의 글자가 없었어요. 하지만 우리말을 전혀 표기할 수 없었던 것은 아니에요. 우리의 문자는 없었지만 이웃 나라 중국의 문자인 '한자'가 있었거든요.

　우리 조상들은 '한자'를 그냥 쓰기도 했고, 아니면 한자의 음과 뜻을 빌려와 우리말을 표기하기도 했어요. 한자의 음과 뜻을 빌려 우리말을 적는 것을 '차자 표기'라고 하는데 대표적인 차자 표기로 신라 시대에 썼던 '향찰(鄕札)'을 들 수 있어요.

　《삼국유사》에 기록된 〈서동요〉에는 "선화 공주님은 남 몰래 결혼하고 맛둥서방을 밤에 몰래 안고 가다."라는 내용이 향찰로 쓰여 있답니다.

〈서동요〉

원문	현대어
善化公主主隱	선화 공주님은
他密只嫁良置古	남 몰래 결혼하고
薯童房乙	맛둥서방을
夜矣卯乙抱遺去如	밤에 몰래 안고 가다.

– 《삼국유사》 권 제2에서

　책에 적힌 한자들이 어떻게 저런 우리말이 되느냐고요?
　'공주님은'에 해당하는 글자들의 음과 뜻을 살펴보면 다음과 같아요.

公	主	主	隱
공평하다 **공**	님 **주**	님 **주**	숨다 **은**

　이때, '공주'는 '公主'라는 한자의 소리를 그대로 빌려 왔고, '님'에 해당하는 한자는 '主' 자의 뜻만 빌려 와 '님'을 표현했어요. '은'이라는 조사는 '隱'이라는 한자의 소리를 빌려 와 표현했지요. '향찰'은 이러한 방법으로 우리말을 표기하였답니다.

- '公主'라는 한자의 소리를 빌려 '공주'
- '主' 자의 뜻을 빌려 '님'
- '隱' 자의 소리를 빌려 '은'

◆ 한자는 기원전 4~3세기경 우리나라에 들어와서 1894년 갑오개혁 때까지 우리나라의 공용 문자로 사용되었다.

● 차자: 글자를 빌림.

● 《삼국유사》: 고려 시대 (1285)에 승려 일연이 쓴 역사책으로 단군부터 신라, 고구려, 백제의 역사를 기록하고, 불교에 관한 신화·전설·노래 등을 풍부하게 수록함.

● 〈서동요〉: 백제 무왕의 이야기. 무왕의 어릴 적 이름은 서동. 서동과 선화 공주가 비밀스러운 사랑을 한다는 내용으로 지었다는 노래. 신라 서동이 선화 공주가 아름답다는 말을 듣고 사모하는 마음이 생겨, 신라의 수도인 경주로 가 이러한 내용의 노래를 거리의 아이들에게 부르게 하여 결국 선화 공주와 결혼하게 되었함.

잠깐 퀴즈 ▶▶23쪽

7. 다음 향찰 표기를 우리말로 읽고 쓰시오.

> 公主主隱

자, 어때세요? 한글이 없던 시절에 우리 민족이 어떻게 문자 생활을 했을지 조금은 알 수 있을 것 같지요?

그런데 이렇게 한자의 음과 뜻을 활용해서 우리말을 기록하는 방식이 누구에게나 가능했을까요? 만약 친구에게 "오늘 낮에 같이 밥 먹자."라는 내용을 글로 쓴다고 생각해 보세요. 한자로 쓰든 향찰로 쓰든 일단 알고 있는 한자가 많아야 하겠지요. 그런데 당시 평범한 백성들은 문자를 배울 기회가 거의 없었기 때문에 이런 방식으로 자신의 생각을 표현하기는 어려운 일이었어요. 그러니 백성들에게는 향찰 표기도 문자 생활에 별로 도움이 안 되었을 거예요.

이후로도 아주 오랫동안 우리 민족은 한자를 이용해서 자신의 생각을 나타내는 방법을 이용하거나 아니면 글쓰기를 포기하면서 살아야 했어요.

그러다가 조선 시대에 이르러 4대 임금인 세종이 한글을 창제한 것이지요.

한자를 모르는 평범한 백성들은 글을 쓰지 못해서 아주 불편했겠어.

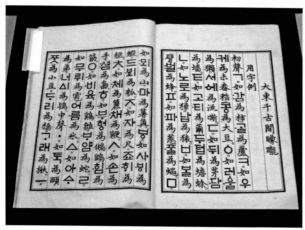

《훈민정음》 – 국립중앙박물관 소장

알아 두자! 차자 표기

우리 민족이 썼던 차자 표기에는 향찰 외에도 이두(吏讀), 구결(口訣) 등이 있어요.

• 향찰: 한자의 음과 뜻을 빌려 우리말의 어순에 맞게 표기한 방식
• 이두
 – 우리말 어순에 맞게 한자를 배열함. (향찰과 같은 점)
 – 실질적인 의미를 가진 말은 한자어를 그대로 사용하고 문법적인 의미를 지닌 말(조사나 어미)은 한자의 음을 빌려 사용함. (향찰과 다른 점)
• 구결: 한문으로 된 원문에 한자를 빌려 토를 달아 놓은 것. 한문 자료를 쉽게 읽기 위해 사용됨.

잠깐 퀴즈 ▶▶23쪽

8. 다음 빈칸에 알맞은 말을 쓰시오.

한글이 창제되기 전에는 ☐☐, ☐☐, ☐ 등의 차자 표기가 사용되었다.

한글이 걸어온 길

훈민정음이 창제된 이후 한글은 우리의 일상생활에서 어떻게 쓰였을까요? 훈민정음이 창제된 후에도 한문은 여전히 문자 생활의 중심에 있었어요. 국가의 관리가 되기 위한 과거 시험은 한문으로 답안을 작성해야 했고, 국가의 공문서도 역시 한문으로 기록되었지요. 심지어 한글로 된 문서는 법적인 효력을 인정받지 못하기까지 했어요.

한글이 공식적인 글자로 인정된 것은 갑오개혁(1894년) 때부터예요. 그러니까 지금으로부터 약 120년 전의 일이지요. 그렇다고 한글이 1894년 이전까지 아예 쓰이지 않았던 것은 아니에요. 시대마다 한글은 다양한 용도로 사용되면서 우리 민족의 삶 속에 그 뿌리를 깊게 내려왔어요.

15세기 – 건국을 찬양하고 백성을 가르치다

훈민정음이 창제된 후, 한글로 쓰인 첫 문학 작품은 바로 1445년에 편찬된 《용비어천가》예요. 《용비어천가》는 조선 왕조의 건국을 찬양하는 125장의 노래와 그에 대한 주석을 실어 놓은 책이에요.

> **《용비어천가》**
>
> **원문**
> 海東六龍이 ᄂᆞ르샤 일마다 天福이시니
> 古聖이 同符ᄒᆞ시니
>
> 〈제1장〉
>
> 불휘 기픈 남ᄀᆞᆫ ᄇᆞᄅᆞ매 아니 뮐씨 곶 됴코 여름 하ᄂᆞ니
> ᄉᆡ미 기픈 므른 ᄀᆞ므래 아니 그츨씨 내히 이러 바ᄅᆞ래 가ᄂᆞ니
>
> 〈제2장〉
>
> **현대어**
> 우리나라의 여섯 용이 나시어 하는 일마다 모두 하늘이 내리신 복이십니다. 중국 고대 성군들이 하신 일과 일치합니다.
>
> 뿌리가 깊은 나무는 바람에 흔들리지 않으므로, 꽃이 좋게 피고 열매가 많습니다.
> 샘이 깊은 물은 가뭄에도 끊어지지 않으므로, 냇물이 되어 바다로 흘러갑니다.
>
> – 《용비어천가》에서

● 갑오개혁: 1894년에 추진되었던 개혁 운동. 인신 매매 행위의 금지, 조혼 금지, 과부의 개가 허용, 고문과 연좌법 폐지 등을 추진함.

● 주석: 낱말이나 문장의 뜻을 쉽게 풀이함.

《용비어천가》 1권 1장 앞면

잠깐 퀴즈 ▶▶ 23쪽

9. 다음 설명이 맞으면 ○표, 틀리면 X표 하시오.

(1) 훈민정음이 창제된 후에는 공식적인 문서에 한글이 사용되었다.
( )

(2) 한글은 갑오개혁 이전까지 아예 사용되지 않았다. ( )

《용비어천가》의 내용은 '조선'이라는 나라를 세우게 된 것이 하늘의 명령에 따른 것임을 밝히고, 후대 임금들이 앞으로 나라를 잘 다스릴 것을 당부하는 내용으로 이루어져 있어요. 형식적으로는 각 장마다 앞부분에 중국의 역사적인 사건을 먼저 적고, 뒷부분에는 태조와 세종의 아버지인 태종을 비롯한 여섯 명의 조상들이 조선을 세우기까지의 사적을 대구의 방식으로 배열했어요.

또한 세종은 우리나라와 중국의 기록물에서 효자와 충신, 열녀 중 모범이 될 만한 사람을 뽑아, 그 업적을 그림과 글로 전한 《삼강행실도》라는 책도 편찬했어요.

《삼강행실도》는 원래 한문으로 된 책이었는데, 그 당시 일반 백성들은 한문을 읽을 수 없었기 때문에 세종이 한글로 번역하게 했어요. 세종은 백성들이 《삼강행실도》를 읽고, 효자와 충신, 열녀의 행동에 감동받아 그들처럼 행동하길 바랐던 것이지요. 즉 《삼강행실도》는 일종의 도덕 교과서라고 생각하면 돼요.

16세기 – 한글로 글을 짓고 한자를 배우다

16세기에 들어서는 윤선도의 〈어부사시사〉, 정철의 〈관동별곡〉, 이황의 〈도산십이곡〉 등 우리 문학 고유의 장르인 시조와 가사에 한글이 부분적으로 활용되기도 했어요.

당시의 문학 작품은 대부분 한자와 한문으로 이루어졌지만, 그것으로는 애틋한 우리 내면의 정서를 잘 표현하기 힘들었을 거예요. 그래서 표현에 민감한 문인들은 한문으로는 나타내기 힘든 마음의 세계를 드러내기 위해 한글로 글을 지었지요.

또 한글은 한문을 배우는 도구로도 활용되었어요. 조선 시대의 아이들은 대부분 서당에서 글을 배웠어요. 한문은 그 뜻과 음을 일일이 외우기가 힘들었기 때문에 아이들이 배우는 한자 책에다 한글로 한자의 뜻과 음을 달아 주었어요.

조선 성종 때 서거정은 한문 학습서인 《유합》을 지었어요. 우리가 한문을 배울 때처럼 각 글자마다 한글로 음과 뜻을 달아 놓았죠. 조선 중종 때는 최세진이 어린이 한자 학습서인 《훈몽자회》를 편찬했어요. 이 책은 《천자문》이나 《유합》과는 달리 새·짐승·풀·나무의 이름과 같은 실질적인 글자 위주로 가르치는 책이에요. 3,360자의 한자를 33항목으로 나누어 한글로 음과 뜻을 달아 놓았죠.

◆《삼강행실도(三綱行實圖)》는 한문으로 된 《삼강행실도》의 내용을 일부 뽑아 한글로 번역한 책으로 백성을 가르치기 위해 만든 책이다. 정확한 간행 시기는 알 수 없으나 세종 대에 편찬된 것으로 추정되며 세종 임금 당시의 언어 생활을 보여 주는 매우 귀한 자료이다.

조선 시대 문인들이 한문으로만 글을 남긴 게 아니구나!

잠깐 **퀴즈** ▶▶23쪽

10. 다음 설명이 맞으면 ○표, 틀리면 X표 하시오.

(1) 훈민정음 창제 후 한글로 쓰인 첫 문학 작품은 《삼강행실도》이다. (   )

(2) 한글은 16세기에 이르러 시조와 가사에 사용되고, 학습의 도구로 쓰였다. (   )

17~18세기 – 삶 속에 깊이 들어오다

다음은 조선의 17대 임금이었던 정조가 어린 시절 자신의 숙모님께 보낸 편지예요. 아이의 삐뚤삐뚤한 글씨며 쓰다가 틀려서 대충 먹으로 지운 부분이며, 정말 귀엽고 정겹게 느껴지는 편지글이지요?

편지를 보니 엄격한 임금이 아니라 귀여운 아이 같아!

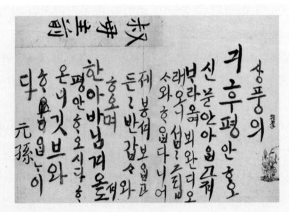

정조의 편지

숙모님께

가을바람에 기후 평안하오신지 문안을 알기를 바라오며 뵌 지 오래되어 섭섭하고도 그리워하였사온데 어제 봉한 편지를 보고 든든하고도 반가워하였사오며 할아버님께옵서도 평안하시다 하오니 기쁘옵니다.

– 원손

17세기에 이르자 개인적으로 주고받는 편지에도 한글이 많이 사용되었어요. 한글로 쓰인 편지 속에는 당시의 언어는 물론 다양한 생활 풍속도 생생하게 찾아볼 수 있어요.

또 당시의 조선은 중국과의 교류가 특히 많았는데, 국가가 서로 사절을 보낼 때나, 상인들끼리 물건을 사고팔 때 중국어를 많이 썼어요. 그래서 중국어를 배우기 위한 회화 교재가 나오게 되는데, 《노걸대언해》가 바로 그러한 회화 교재예요.

《노걸대언해》

◆《노걸대언해》는 조선 후기의 중국어 학습서로, 고려 시대부터 전해 온 중국어 학습서인 《노걸대》를 우리말로 번역한 책이다. 1670년에 간행되었으며, 제목의 '노걸대'는 '토박이 중국인'이라는 뜻이다.

잠깐 퀴즈 ▶▶23쪽

11. 개인적으로 주고받는 편지에 한글이 많이 사용되기 시작한 시기는?

19~20세기 – 한글이 문자의 주역이 되다

19세기에 들어서 한글에 닥친 가장 커다란 변화는 한글이 드디어 공식적인 문자로 인정을 받았다는 거예요. 고종 31년인 1894년에 한글이 공식 문자가 되면서 한글을 배우기 위한 많은 교재들이 출간되었어요. 한글이 이제 우리나라 문자의 주역이 된 것이지요.

또한 한글로 된 최초의 신문도 발간되었어요. 1896년 4월 7일, 서재필이 중심이 되어 《독립신문》◆을 발간했지요. 《독립신문》의 창간사에는 "(이 신문을) 모두 언문으로 쓰기는 남녀 상하 귀천이 모두 보게 함이요, 또 귀절을 떼어 쓰기는 알아보기 쉽도록 함이라."라고 되어 있어요. 즉, 남녀와 상하 귀천을 불문하고 모든 사람이 읽을 수 있도록 한글 신문을 만든 것이지요. 특히 띄어쓰기를 사용함으로써 독자들이 쉽게 읽을 수 있게 되었고, 오로지 한글만 썼기 때문에 한글을 전파하는 데 큰 기여를 했어요.

한글의 우수성과 가치

훈민정음이 창제될 때 만들어진 28자, 그리고 지금 사용되는 24자를 조합하여 우리는 수많은 소리를 한글로 표현할 수 있어요. 우리의 한글은 한자를 모방하지 않고 독창적으로 만들어진 새로운 글자죠. 한글은 우리가 어떻게 소리를 내는지 연구한 결과를 바탕으로 글자의 모양을 만들었다는 걸 배웠어요. 글자와 소리의 관계를 따져 보면 쉽게 익힐 수 있죠.

지금까지 우리는 한글이 우리 민족의 역사 속에서 어떻게 사용되었는지 살펴보았어요. 한글이 없었다면 우리는 어떻게 언어생활을 하고 살았을까요? 요즘처럼 과학 기술이 발달하기 전까지 문자 언어는, 말하자마자 사라져 버리는 음성 언어와 달리 문명과 지식을 전수하는 중요한 수단이었어요. 문자는 문화를 발전하게 하고, 문명을 발전시키는 효과적인 도구라는 말이죠. 다시 한번 우리글 한글의 소중함에 대해 생각하게 되는군요.

◆ 《독립신문》은 1896년에 독립 협회의 서재필, 윤치호가 창간한 우리나라 최초의 민간 신문이다. 순 한글 신문으로 영자판과 함께 발간하였고, 처음에는 하루 걸러 펴내던 것을 1898년 7월부터 매일 발간하다가 1899년에 폐간하였다.

🔍 **잠깐 퀴즈**　▶▶ 23쪽

12. 순 한글로 쓰인 우리나라 최초의 민간 신문은?

핵심만 쏙!

● 한글의 창제

- 1443년 조선의 4대 임금인 세종에 의해 □□□□이 창제됨.
- 창제 이유: 우리말을 표현할 문자가 없어서 자신의 마음을 글로 표현할 수 없었던 백성들을 불쌍히 여겼기 때문임.
- 창제 당시의 글자 수: 28자

자음 17자	ㄱ, ㅋ, ㄴ, ㄷ, ㅌ, ㅁ, ㅂ, ㅍ, ㅅ, ㅈ, ㅊ, ㅇ, ㆆ, ㅎ, ㄹ, ㅿ, ㆁ
모음 11자	ㅏ, ㅑ, ㅓ ㅕ, ㅗ, ㅛ, ㅜ, ㅠ, ㅡ, ㅣ, ㆍ

- 'ㆆ', 'ㅿ', 'ㆁ', 'ㆍ'는 사라짐. → 오늘날은 24자

● 자음의 창제 원리 – 상형과 가획

- 상형: 기본자 'ㄱ', 'ㄴ', 'ㅁ', 'ㅅ', 'ㅇ'은 □□ □□의 모습을 본떠 만듦.

ㄱ		혀뿌리가 목구멍을 막는 모양	ㅅ		이의 모양
ㄴ		혀가 윗잇몸에 닿는 모양	ㅇ		목구멍의 모양
ㅁ		입술의 모양			

- 가획: 기본자에 획을 더하여 만듦.

```
ㄱ ⇨ ㅋ            ㄴ ⇨ ㄷ ⇨ ㅌ        ㅁ ⇨ ㅂ ⇨ ㅍ
ㅅ ⇨ ㅈ ⇨ ㅊ       ㅇ ⇨ ㆆ ⇨ ㅎ
```

- 이외에 □□□(ㄹ, ㅿ, ㆁ)가 있음.

● 모음의 창제 원리 – 상형과 결합

- ☐☐ : ' ﹒ ', ' ㅡ ', ' ㅣ '는 하늘, 땅, 사람의 모습을 본떠 만듦.
- 결합: 기본자를 서로 결합하여 다른 모음을 만듦.

초출자	☐☐☐	
ㅣ + ﹒ ⇨ ㅏ		ㅏ + ﹒ ⇨ ㅑ
﹒ + ㅣ ⇨ ㅓ		﹒ + ㅕ ⇨ ㅕ
﹒ + ㅡ ⇨ ㅗ		﹒ + ㅗ ⇨ ㅛ
ㅡ + ﹒ ⇨ ㅜ		ㅜ + ﹒ ⇨ ㅠ

● 한글이 걸어온 길

한글이 없던 시절	• 한국어의 표기를 위해 ☐☐의 음과 뜻을 활용하였음. 예 향찰 • 일반 백성들은 한자를 배우기가 어려웠기 때문에, 한자의 차자 표기도 큰 도움이 되지 못함.	
한글 창제 이후		
15세기	건국을 찬양하거나 교훈을 주는 책에 사용됨. 예 《용비어천가》, 《삼강행실도》 등	
16세기	시조와 가사에 사용되고, 학습의 도구로도 쓰임. 예 〈어부사시사〉(시조), 〈관동별곡〉(가사), 《유합》(한문 학습서), 《훈몽자회》 (한자 학습서) 등	
17~18세기	편지나 외국어 학습서 등 실생활에 활용되기 시작함. 예 각종 편지글, 《노걸대언해》 등	
19~20세기	문자의 주역으로 자리 잡기 시작함.	

🔑 훈민정음, 발음 기관, 이체자, 상형, 재출자, 한자

기본 익히기

📑 잘 모르겠다면 해당 쪽 에서 다시 확인해 보세요.

01 다음 설명이 맞으면 O표, 틀리면 X표를 하시오.

전체

(1) 한글이 없었을 때 우리 민족은 중국의 한자를 빌려 와서 우리말을 표기하였다. (　　)

(2) 한자로 우리말을 표기할 때에는 한자의 음만을 가져와서 사용하였다. (　　)

(3) 차자 표기에는 향찰, 이두, 구결 등이 존재한다. (　　)

(4) 자음과 모음의 기본자는 모두 발음 기관의 모양을 본떠 만들었다. (　　)

(5) 19세기 이전까지 한글로 된 문서는 법적인 효력을 인정받지 못하였다. (　　)

🖉 주관식

02 다음 빈칸에 알맞은 말을 쓰시오.

232쪽

세종은 (　　　　)년에, 말하고자 하는 바가 있어도 글로 표현할 수 없는 백성을 불쌍히 여겨 (　　　　)을 창제하였다. 세종은 전부 (　　　　)개의 자음자와 (　　　　)개의 모음자를 만들었다.

🖉 주관식

03 다음 글자를 창제하는 데 사용된 원리는 무엇인지 쓰시오.

234~
236쪽

• ㄱ, ㄴ, ㅁ, ㅅ, ㅇ
• ㆍ, ㅡ, ㅣ

🖉 주관식

04 훈민정음 창제 당시 다음의 자음자와 모음자는 무엇의 모습을 본뜬 것인지 빈칸에 쓰시오.

234~
236쪽

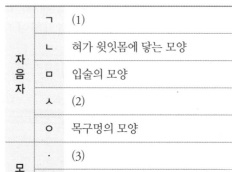

자음자	ㄱ	(1)
	ㄴ	혀가 윗잇몸에 닿는 모양
	ㅁ	입술의 모양
	ㅅ	(2)
	ㅇ	목구멍의 모양
모음자	ㆍ	(3)
	ㅡ	(4)
	ㅣ	사람

🖉 주관식

05 다음 글자를 창제하는 데 사용된 원리는 무엇인지 쓰시오.

234쪽

ㅋ, ㄷ, ㅌ, ㅂ, ㅍ, ㅈ, ㅊ, ㆆ, ㅎ

06 다음 중 기본자에 획을 더해 글자를 만든 모양으로 적절하지 않은 것은?

235쪽

	기본자	
①	ㄱ	ㄱ → ㄲ → ㅋ
②	ㄴ	ㄴ → ㄷ → ㅌ
③	ㅁ	ㅁ → ㅂ → ㅍ
④	ㅅ	ㅅ → ㅈ → ㅊ
⑤	ㅇ	ㅇ → ㆆ → ㅎ

07
232~237쪽

다음 중 한글에 대한 설명으로 적절하지 <u>않은</u> 것은?

① 자음의 기본자는 5개, 모음의 기본자는 3개이다.
② 한글은 세종 대왕이 백성들을 불쌍히 여겨 만든 것이다.
③ 세종의 한글 창제는 모든 사람에게 환영받은 것은 아니었다.
④ 자음의 창제 원리는 상형 및 가획의 원리로 모두 설명될 수 있다.
⑤ 한글 창제 시 만들어진 글자 중에 지금은 사용되지 않는 글자도 있다.

08 240쪽

다음 중 우리 조상들이 일상생활에서 한글을 어떻게 사용하였는지에 대한 설명으로 적절하지 <u>않은</u> 것은?

① 일반 서민은 물론 왕도 한글로 쓴 편지를 남겼다.
② 조선 시대의 문인들은 한문으로만 글을 남겼으며 한글로 문학 작품을 짓지는 않았다.
③ 한글은 한문을 배우는 도구로 활용되거나 중국어 발음을 표기하는 데에도 사용되었다.
④ 《삼강행실도》의 간행에서 알 수 있듯, 한글은 백성을 교화하는 도구로 사용되기도 하였다.
⑤ 한글 창제 이후 한글로 쓰인 첫 문학 작품은 조선 왕조의 건국을 찬양하는 《용비어천가》이다.

09 240쪽

한글 창제 후, 시대별로 한글이 어떻게 사용되었는지 보여 주는 사례를 쓰시오.

시기	특징	사례
15세기	건국을 찬양하거나 교훈을 주는 책에 사용됨.	((1)), 《삼강행실도》
16세기	문학 작품에 사용되고, 학습의 도구로도 쓰임.	시조나 가사, 《유합》, 《훈몽자회》
17~18세기	편지나 외국어 학습서 등에 사용됨.	각종 편지글, ((2))

10 238쪽

한글이 없던 시절에 한자의 음과 뜻을 빌려 우리말을 적는 '차자 표기'의 하나로, 《삼국유사》의 〈서동요〉에서 찾아볼 수 있는 표기 방법은 무엇인지 쓰시오.

11 243쪽

우리가 한글과 한국어의 위상을 높이기 위해 할 수 있는 일로 적절하지 <u>않은</u> 것은?

① 우리글의 가치를 안다.
② 비속어 사용을 자제한다.
③ 아름다운 우리말을 찾아내어 살려 쓴다.
④ 우리말의 규범을 올바로 알고 지키도록 노력한다.
⑤ 모든 사람이 전문어와 은어를 자유롭게 사용할 수 있도록 한다.

실력 키우기

01 다음 ⊙~⑩에 들어갈 자음으로 적절한 것은?

기본자	상형	가획자	이체자
ㄱ	혀뿌리가 목구멍을 막는 모양	ㅋ	⊙
ㄴ	혀가 윗잇몸에 닿는 모양	ㄷ, ㅌ	ⓒ
㉢	입술의 모양	ㅂ, ㅍ	
ㅅ	이의 모양	ㅈ, ㅊ	㉣
ㅇ	목구멍의 모양	⑩, ㅎ	

	⊙	ⓒ	㉢	㉣	⑩
①	ㆁ	ㅿ	ㅁ	ㄹ	ㅎ
②	ㆁ	ㄹ	ㅁ	ㅿ	ㅎ
③	ㅿ	ㅁ	ㄹ	ㅎ	ㆁ
④	ㅿ	ㅎ	ㄹ	ㅁ	ㆁ
⑤	ㅎ	ㄹ	ㅁ	ㅿ	ㆁ

02 다음 ⊙, ⓒ이 모두 사용된 단어는?

> 훈민정음을 창제할 때 모음은 기본자를 만든 후에 이들을 결합하여 ⊙초출자와 ⓒ재출자를 만들었다.

① 음식　　② 일출　　③ 야영
④ 음료수　　⑤ 함지박

03 다음은 신라 시대에 사용된 '향찰'의 한 예이다. 한자의 음과 뜻 중 어떠한 부분을 활용하였는지 ○표를 하고, 이를 우리말로 읽고 쓰시오.

善	化	公	主	主	隱
음	음	음	음	음	음
뜻	뜻	뜻	뜻	뜻	뜻

우리말 독법:

04 〈보기 1〉의 학생 의견과 관련된 한글의 제자 원리를 〈보기 2〉에서 찾아 바르게 짝 지은 것은?

┤보기 1├

학생 1: 'ㄱ'의 글자 모양이 그 소리를 낼 때 혀뿌리가 목구멍을 막는 모양과 관련된다니 한글은 정말 대단해요.

학생 2: 휴대 전화 자판 중에는 'ㆍ, ㅡ, ㅣ'를 나타내는 3개의 자판만으로 모든 모음자를 입력하는 것도 있어서 참 편리해요.

학생 3: 〈예사소리〉–〈거센소리〉–〈된소리〉의 관계가 〈A〉–〈A에 획 추가〉–〈AA〉로 글자 모양에 나타나 있어서 참 체계적인 문자인 것 같아요.

학생 4: 'ㅁ'과 'ㅁ'에 획을 추가해서 만든 자음자들은 'ㅁ' 모양을 공통으로 포함하고 있는데, 이때 포함된 'ㅁ' 모양은 이들 자음자들의 공통된 소리 특징을 반영한 것이에요.

학생 5: 한글은 음절 단위로 모아쓰기를 하면서도 받침 글자를 따로 만들지 않았어요. 만약 그렇지 않았다면 지금보다 글자 수가 훨씬 많아졌을 거예요.

┤보기 2├

한글의 제자 원리

(가) 초성자와 중성자의 기본자는 상형의 원리로 만들었다.

(나) 기본자에 가획하여 새로운 초성자를 만들었다.

(다) 초성자를 나란히 써서 또 다른 초성자로 사용하였다.

(라) 기본자 외의 8개 중성자는 기본자를 합하여 만들었다.

① 학생 1 – (가), (나)　② 학생 2 – (다), (라)
③ 학생 3 – (나), (다)　④ 학생 4 – (나), (라)
⑤ 학생 5 – (가), (라)

재미있는 국어 문법

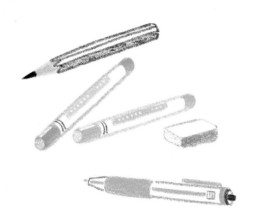

- 설날을 맞아 (해돋이 / 해도지)를 보기 위해 많은 사람이 모였다.

- 감미로운 (선율 / 선률)이 흐르는 찻집.

- 오늘 수업 시간엔 (백분율 / 백분률)에 대해 알아보도록 하겠습니다.
  → 모음이나 'ㄴ' 받침 뒤에 이어지는 '렬, 률'은 '열, 율'로 적는다.

- 다음 빈칸에 (알맞는 / 알맞은) 말을 쓰시오.

- 분위기에 (걸맞는 / 걸맞은) 옷차림이다.

- 식성에 (맞는 / 맞은) 음식을 선택해라.
  → 형용사일 경우에는 '-은'이 되고, 동사일 경우에는 '-는'이 된다.

- 우리의 제안을 어떻게 (생각할는지 / 생각할런지) 모르겠어.

- 나는 지금까지 접수를 (하려고 / 할려고) 기다리고 있다.

- (내노라 / 내로라)하는 사람들이 모두 실패했다.
  → '내로라하는'이 옳은 표현이다.

- 나는 (나룻배 / 나루배), 당신은 행인.

- 마른 (나뭇가지 / 나무가지)에서 떨어지는 작은 잎새 하나
  → 순우리말로 된 합성어 중에서 앞말이 모음으로 끝난 경우, 뒷말의 첫소리가 된소리로 날 때에는 사이시옷을 넣는다.

- 상미네 집은 저 산 너머 (아랫마을 / 아래마을)에 있다.
  → 순우리말로 된 합성어 중에서 앞말이 모음으로 끝난 경우, 뒷말의 첫소리 'ㄴ, ㅁ' 앞에서 'ㄴ' 소리가 덧날 때에는 사이시옷을 넣는다.

- 이번 달에 네가 지각한 (횟수 / 회수)를 알기나 하니?
  → 두 음절로 이루어진 한자어의 경우 첫음절이 모음으로 끝나는 6개의 특별한 단어만 사이시옷을 넣는다.
    예 곳간(庫間), 셋방(貰房), 숫자(數字), 찻간(車間), 툇간(退間)

- 돌의 (개수 / 갯수)를 헤아려 보아라.

- 이것은 책(이오 / 이요).
  → 종결형에서 사용되는 어미 '-오'는 '요'로 소리 나는 경우가 있더라도 그 원형을 밝혀 '오'로 적는다.
    ※ 다만, 높임 표현의 해요체에서는 '요'를 쓴다.
    예 "어디 가요?" "집에 가요."

- 이것은 책(이오 / 이요), 저것은 붓(이오 / 이요), 또 저것은 먹이다.
  → 연결형에서 사용되는 '이요'는 '이요'로 적는다.

- 내일 다시 (올게 / 올께).
  → 관형형 'ㄹ' 뒤의 어미는 예사소리로 적는다.
    예 -(으)ㄹ거나, -(으)ㄹ걸, -(으)ㄹ게, -(으)ㄹ세, -(으)ㄹ세라, -(으)ㄹ지, -(으)ㄹ지라도, -(으)ㄹ올시다
    ※ 다만, 의문을 나타내는 다음 어미들은 된소리로 적는다.
    예 -(으)ㄹ까?, -(으)ㄹ꼬?, -(스)ㅂ니까?, -(으)리까?, -(으)ㄹ쏘냐?

- 그는 어지럽혀 있던 방을 (깨끗이 / 깨끗히) 청소하였다.

- 어머니는 (틈틈이 / 틈틈히) 공부하여 대학에 합격할 수 있었다.

- 정원은 아침 이슬로 (촉촉이 / 촉촉히) 젖어 있었다.
  → '-이'로 적는 다른 부사 어휘들
    예 느긋이, 따뜻이, 반듯이, 고이, 적이, 겹겹이, 땀땀이, 샅샅이, 누누이, 다달이
    ※ '반듯이'는 '반듯하다'의 의미를 지닌 부사어이고, '반드시'는 '꼭'의 의미이다.

- 나는 (솔직이 / 솔직히) 그 일에 대해서는 관심이 없다.

- 너라면 (능이 / 능히) 할 수 있을 게다.

- 그녀는 그에 대한 정이 (각별이 / 각별히) 많다.

- 이번 명절 상은 (간소이 / **간소히**) 차리도록 해라.
  - → '-히'로 적는 다른 부사들
    - 예 가만히, 간편히, 나른히, 무단히, 소홀히, 쓸쓸히, 정결히, 과감히, 꼼꼼히, 심히, 열심히, 급급히, 섭섭히, 공평히, 분명히, 상당히, 조용히, 고요히

- 그는 아침에 (**일찌기** / 일찍이) 나섰지만 길이 막혀 지각하고 말았다.

- 그렇게까지 해 주신다면야 (더우기 / **더욱이**) 고맙지요.
  - → 부사에 '-이'가 붙어 역시 부사가 되는 경우는 '이'로 적는다.
    - 예 곰곰+'-이' → 곰곰이, 생긋+'-이' → 생긋이, 해죽+'-이' → 해죽이, 오뚝+'-이' → 오뚝이(명사)

- 지난겨울은 몹시 (**춥더라** / 춥드라).

- 지난해까지 (**깊던** / 깊든) 물이 얕아졌다.
  - → 지난 일(과거)을 나타낼 경우에는 '-던(지)', '-더라'로 적는다.

- 배(던지 / **든지**) 사과(던지 / **든지**) 마음대로 먹어라.
  - → 물건이나 일의 내용을 가리지 아니하는 뜻(선택)을 나타낼 경우에는 '-든(지)'로 적는다.

- 그러면 안 (되요 / **돼요**).

- 그의 처지가 참 안(됐다 / **됐다**).
  - → '돼'는 '되어'의 준말이다.

- 그 말을 듣고 나서 여간 (거북지 / **거북치**) 않았다.

- 그녀의 집은 살림이 (**넉넉지** / 넉넉치) 않다.

- 내가 (**생각건대** / 생각컨대) 그 일처리는 옳지 못하다.

- 그 일에 대해 나는 전혀 (**섭섭지** / 섭섭치) 않다.

- 처음 하는 일이라 손에 (**익숙지** / 익숙치) 않다.

• 네 일이 아니라고 너무 (무심지 / **무심치**)는 말아라.

• 이 병아리는 (**수놈** / 숫놈)이다.

• 저 (**수사자** / 숫사자)가 제일 사납다.
　→ 수컷을 이르는 접두사는 '수-'로 통일한다.
　　예 수나사, 수사돈, 수소, 수은행나무
　　※ 단, 다음 단어의 접두사는 '숫-'으로 한다.
　　예 (수양 / **숫양**), (수염소 / **숫염소**), (수쥐 / **숫쥐**)

• 장끼는 (**수꿩** / 수퀑)을 이르는 말이다.
　→ 일반적으로 수컷을 이르는 접두사 '수-' 뒤에 오는 거센소리를 인정하지 않는다.
　　※ 단, 다음 단어에서는 거센소리를 인정한다.
　　예 (**수캉아지** / 수강아지), (**수캐** / 수개), (**수키와** / 수기와), (**수탉** / 수닭), (**수탕나귀** / 수당나귀), (**수톨쩌귀** / 수돌쩌귀),
　　　(**수퇘지** / 수돼지), (**수평아리** / 수병아리)

• 그녀는 (위눈썹 / **윗눈썹**)이 매혹적이다.

• 그는 아랫목을 놔두고 (위목 / **윗목**)에 누워 있다.
　→ 위와 아래의 대립이 있을 경우 '웃-' 및 '윗-'은 '윗-'으로 통일한다.
　　예 윗넓이, 윗도리, 윗변(수학 용어), 윗입술, 윗자리
　　※ 단, 된소리나 거센소리 앞에서는 '위-'로 한다.
　　예 (**위쪽** / 윗쪽), (**위층** / 윗층), (**위채** / 윗채), (**위치마** / 윗치마), (**위턱** / 윗턱), (**위팔** / 윗팔)
　　또한, '아래, 위'의 대립이 없는 단어는 '웃-'으로 발음되는 형태를 표준어로 삼는다.
　　예 (**웃어른** / 윗어른), (**웃옷** / 윗옷), (**웃돈** / 윗돈)

• 완연한 봄이 되었는지 (**아지랑이** / 아지랭이)가 피어오르고 있었다.
　→ 역행 동화 현상에 의한 발음은 원칙적으로 표준 발음으로 인정하지 않는다.
　　예 (**나무라다** / 나무래다)
　　※ 단, 다음의 단어들은 역행 동화가 적용된 형태를 표준어로 삼는다.
　　예 (**서울내기** / 서울나기), (**시골내기** / 시골나기), (**신출내기** / 신출나기), (**풋내기** / 풋나기), (**냄비** / 남비)

• 그 (**미장이** / 미쟁이)는 솜씨가 좋다.

• 그는 (멋장이 / **멋쟁이**)라 불릴 만하다.
　→ 기술자에게는 '-장이', 그 외에는 '-쟁이'가 붙는 형태를 표준어로 삼는다.
　　예 (**유기장이** / 유기쟁이), (소금장이 / **소금쟁이**), (담장이 / **담쟁이**), (골목장이 / **골목쟁이**)

잘못 적기 쉬운 말

O	X	O	X
가까워	가까와	굽이굽이	구비구비
가랑이	가랭이	금세	금새
가르마	가리마	급랭(急冷)	급냉
가만히	가만이	깔때기	깔대기
가벼이	가벼히	꼭두각시	꼭둑각시
갈치	칼치	끄나풀	끄나불
강낭콩	강남콩	끔찍이	끔찍히/끔찌기
개구쟁이	개구장이	나무라다	나무래다
개다(날씨)	개이다	낭떠러지	낭떨어지
객쩍다	객적다	냄비	남비
거꾸로	꺼꾸로	널찍하다	넓찍하다
거친	거칠은	넙죽	넓죽
겁쟁이	겁장이	눈살	눈쌀
-게 마련이다	-기 마련이다	닦달하다	닥달하다
게재	게제	달이다(간장을~)	다리다
겨레	겨례	-더라도	-드라도/-드래도/-더래도
겸연쩍다	겸연적다/계면적다	더욱이	더우기
고깔	꼬깔	덮이다	덮히다
고이	고히	돌	돐
-고자 하다	-고저 하다	두루마리	두루말이
고집통이	고집퉁이	딱따구리	딱다구리
곤란	곤난	뚜렷이	뚜렷히
곰곰/곰곰이	곰곰히	-(으)ㄹ걸	-(으)ㄹ껄
곱빼기	곱배기	-(으)ㄹ게	-(으)ㄹ께
괴로워	괴로와	-(으)ㄹ는지	-(으)ㄹ런지
구렁텅이	구렁텡이	맞춤옷	마춤옷
구절	귀절	머리말	머릿말
구태여	구태어		
굳이	구지		

O	X	O	X
메밀	모밀	아지랑이	아지랭이
목돈	몫돈	안사돈	안사둔
무	무우	애달프다	애닯다
미닫이	미다지	예부터/예로부터	옛부터
미루나무	미류나무	예삿일	예사일
미숫가루	미싯가루	오뚝이	오뚜기
바람[所望]	바램	오라비	오래비/올아비
반짇고리	반짓고리	오랜만	오랫만
발자국	발자욱	왠지	웬지
번번이	번번히	외톨이	외토리
법석	법썩	요컨대	요컨데
부조금	부주금	우레	우뢰
불문율	불문률	웬일이니	왠일이니
비계(돼지~)	비게	으레	의례/으례
비비다	부비다	이파리	잎파리
뻐꾸기	뻐꾹이	익숙지	익숙치
사글세	삭월세	일꾼	일군
산 너머	산 넘어	일찍이	일찌기
삼가다	삼가하다	잔디	잔듸
상추	상치	재떨이	재털이
생각건대	생각컨대	조그마하다	조그만하다
서슴지	서슴치	주책	주착
설거지	설걷이/설겆이	즐거이	즐거히
설레다	설레이다	지루하다	지리하다
셋째	세째	집게손가락	검지손가락
소박이(~김치)	소배기	짜깁기	짜집기
솔직히	솔직이	찌개	찌게
수꿩	수퀑	촉촉이	촉촉히
승낙	승락	추스르다	추스리다
시골내기	시골나기	추어올리다	추켜올리다
아무튼	아뭏든	치다꺼리	치닥거리

O	X
케케묵다	케케묵다
통째로	통채로
통틀어	통털어
풋내기	풋나기
하마터면	하마트면
해코지	해꼬지

헷갈리기 쉬운 말

가르치다   일깨워서 알게 하다. **예** 교사는 학생들에게 많은 지식을 가르친다.

가리키다   집어서 이르다. **예** 마을 어귀의 초가집을 손가락으로 가리켰다.

가름   따로따로 갈라놓는 일. **예** 둘로 가름. / 편을 가름.

갈음   본래의 것 대신에 다른 것으로 바꾸는 일. **예** 낡은 책상을 새 책상으로 갈음하였다.

가진   손에 쥔 **예** 가진 것이 많다.

갖은   고루 다 갖춘 **예** 갖은 고생을 하다.

갑절   수량의 2배 **예** 갑절 많다.

곱절   일정한 수나 양이 그 수만큼 거듭됨을 이르는 말 **예** 세 곱절, 네 곱절

거름   식물이 잘 자라게 하기 위하여 땅에 뿌리거나 흙에 섞거나 하는 영양 물질

        예 밭에 거름을 주다.

걸음   두 발을 떼어 번갈아 옮기는 동작 **예** 두어 걸음 앞서서 가다.

거치다   오가는 도중에 어디를 지나거나 들르다. **예** 우체국을 거쳐 학교로 갔다.

걷히다   없어지다. **예** 안개가 걷히다.

        물건, 돈 따위가 모이다. **예** 외상값이 잘 걷힌다.

걷잡다   (잘못 치닫거나 기우는 형세 따위를) 붙들어 바로잡다. **예** 걷잡을 수 없는 상태

겉잡다   대강 어림잡다. **예** 겉잡아 두 말은 되겠다.

그러므로   앞의 내용이 뒤에 오는 내용의 원인·전제·조건이 됨을 나타내는 접속 부사

        예 그는 부지런하다. 그러므로 잘 산다.

그럼으로(써)   그렇게 하는 것으로

        예 그는 열심히 공부한다. 그럼으로(써) 은혜에 보답한다.

깍듯이	예절 바르고 극진히 **예** 어른께 인사를 깍듯이 드리다.
깎듯이	(칼등으로) 베어서 얇게 하듯이 **예** 연필을 깎듯이 깎았다.

끼어(끼다)	(연기 같은 것이) 서리어 가리다. **예** 안개가 끼다.
끼여(끼이다)	여럿 속에 섞여 들다. **예** 친구들 틈에 끼여 앉다.
끼우다	꿰거나 꽂다. **예** 단추를 끼우다.

나가다	안에서 밖으로 이동하다. **예** 나가서 놀아라.
나아가다	앞을 향하여 가다. **예** 한 걸음 더 나아가 왼쪽으로 돌아라.

낫다	병이 낫다. **예** 감기가 낫더니 식욕이 돌아와 배가 고프다.
	다른 것보다 좋거나 앞서다. **예** 배부른 돼지보다 배고픈 소크라테스가 낫다.
낮다	높이의 정도가 작다. **예** 산이 낮다.
	지위나 수준 따위가 떨어지다. **예** 소득이 낮다.

너머	산, 고개 같은 높은 곳의 저쪽 **예** 산 너머 남촌에는 누가 살기에
넘다	수량이나 정도가 한계를 지나다. **예** 가격이 만 원이 넘는다.
	일정한 데 가득 차고 나머지가 밖으로 벗어나다. **예** 물이 둑을 넘다.
	시간이 지나다. **예** 여기 온 지 한 달이 넘어 두 달이 되어 간다.
	경계를 지나다. **예** 국경을 넘다.
	어려움을 겪어 지나다. **예** 고비를 넘다.

너비	평면이나 넓은 물체의 가로로 건너지른 거리 **예** 도로의 너비를 재다.
넓이	일정하게 차지하는 평면이나 구면의 크기 **예** 운동장의 넓이를 재다.

노름	금품을 걸고 주사위·화투·투전·트럼프 따위로 서로 따먹기를 내기하는 일 **예** 노름판이 벌어졌다.
놀음(놀이)	모여서 즐겁게 노는 일 **예** 즐거운 놀음

늘이다	본디보다 더 길게 하다. **예** 고무줄을 늘인다.
늘리다	늘게 하다. **예** 수출량을 늘리다.

다르다	같지 않다. 📵 제 생각은 다릅니다.
틀리다	어긋나거나 맞지 않다. 📵 계산이 틀리다.

다리다	(옷이나 피륙의 구김살을 펴려고) 다리미로 문지르다. 📵 옷을 다린다.
달이다	끓여서 우러나게 하다. 📵 약을 달이다.

다치다	부딪치거나 맞거나 하여 상하다. 📵 넘어져 발목을 다치다.
닫히다	'닫다'의 피동 📵 바람에 문이 닫히다.
닫치다	문이나 창 따위를 힘주어 닫다. 📵 그는 화가 나서 문을 탁 닫치고 나갔다.

담다	물건을 그릇 따위에 넣다. 📵 과일을 접시에 담아라.
	말 따위를 입에 올리다. 📵 입에 담지 못할 욕
	글이나 그림 같은 데 나타내다. 📵 경치를 화폭에 담고 있었어.
담그다	액체 속에 집어넣다. 📵 물에 손을 담그다.
	(술, 김치 따위를) 익거나 삭게 하려고 버무려 그릇에 넣다. 📵 된장을 담그다.

-던지	막연한 의심, 추측, 가정의 뜻을 나타냄. 📵 어찌나 재미있었던지 시간 가는 줄 몰랐다.
-든지	무엇이나 가리지 아니함을 나타냄. 📵 사과든지 배든지 다 좋다.

'-데'	과거에 경험한 내용임을 표시함. 📵 철수가 착하데.
'-대'	'-다(고) 해'의 준말 📵 철수가 착하대.
	→ '-ㄴ데'와 '-ㄴ대': 앞말이 형용사이면 '-ㄴ데', 동사이면 '-ㄴ대'임.
	📵 참신한데(형용사 '참신하-'+'-ㄴ데'). / 뛰어온대(동사 '뛰어오-'+'-ㄴ대').

두껍다	두께가 보통의 정도보다 크다. 📵 책이 두껍다.
	뻔뻔하다. 📵 얼굴이 두껍다.
두텁다	(인정이나 정의가) 깊다. 📵 친분이 두텁다.

드리다	집에 문, 마루 등을 만들거나 구조를 바꾸다. 📵 아이들 방에 벽장을 드리다.
	(인사를) 드리다.
	윗사람에게 물건 등을 주다. 📵 부모님께 선물을 드렸다.

들이다	안으로 들게 하다. ㉠ 손님을 집으로 들이다.
	(물자나 자금을) 쓰다. ㉠ 공을 들이다.
	물감을 옮겨 배게 하다. ㉠ 손톱에 봉숭아 물을 들이다.
띠다	감정이나 표정이 겉으로 드러나다. ㉠ 미소를 띠다. / 역사적 사명을 띠다.
띄다	'뜨이다'의 준말 ㉠ 눈에 띄는 행동
떼다	붙어 있는 것을 떨어지게 하다. 문서를 만들어 받다. ㉠ 벽보를 떼다. / 영수증을 떼다.
(으)러	직접적인 목적을 나타냄. '가다, 오다, 다니다' 앞에 쓰임. ㉠ 영화를 보러 가다.
(으)려	'-려고'의 준말 ㉠ 지금 떠나려 한다.
-(으)로서	지위, 신분, 자격을 나타냄. ㉠ 학생으로서 해야 할 일
-(으)로써	~을 가지고 ㉠ 닭으로써 꿩을 대신했다.
마는	앞의 사실을 인정하면서도 그에 대한 의문이나 그와 어긋나는 상황을 나타냄.
	㉠ 하기는 하지마는 될는지
만은	화자가 기대하는 마지막 선 ㉠ 너만은 알아야 한다.
만	사물을 한정하여 이르는 보조사 ㉠ 너만 빼고 모두 가 버렸다.
마치다	(하던 일을) 끝내다. 마무리하다. ㉠ 회의를 마치다.
맞히다	물음에 옳은 답을 대다. ㉠ 여러 문제를 더 맞혔다.
맞추다	어긋남이 없게 하다. ㉠ 부속을 맞추다.
목거리	목이 붓고 아픈 병 ㉠ 목거리가 덧났다.
목걸이	목에 거는 물건 ㉠ 금 목걸이, 은 목걸이
바람	'바라다'의 어간 '바라-'+'-ㅁ' ㉠ 우리의 바람은 가족 모두의 건강이다.
바램	'바래다'의 어간 '바래-'+'-ㅁ' ㉠ 저고리의 색이 바램.
바치다	자기의 정성이나 힘·목숨 등을 남을 위해서 아낌없이 다하다.
	㉠ 나라를 위해 목숨을 바치다.

받치다	우산이나 양산 따위를 펴서 들다. 예 우산을 받치다.
	밑에서 다른 물건으로 괴다. 예 책받침으로 받치다.
	잘할 수 있도록 뒷받침해 주다. 예 배경 음악이 그 장면을 잘 받쳐 주었다.
받히다	떠받음을 당하다. 예 쇠뿔에 받혔다.
밭치다	'밭다'의 힘줌말. 건더기가 섞인 액체를 체 따위로 걸러 국물만 걸러내다.
	예 술을 체로 밭치다.
반드시	꼭. 틀림없이 예 약속은 반드시 지켜라.
반듯이	기울거나 굽거나 찌그러지지 않고 바르게 예 고개를 반듯이 들어라.
벌이다	일을 베풀어 놓다. 예 사업을 벌이다.
벌리다	두 사이를 떼어서 넓히다. 예 입을 벌리다. / 밤송이를 벌리고 알밤을 꺼내다.
부닥치다	몸에 부딪힐 정도로 닥치다. 예 난관에 부닥치다.
부딪치다	'부딪다'의 힘줌말. 예 몸을 벽에 부딪치다.
부딪히다	'부딪다'의 피동사. '부딪음'을 당하다. 예 달려가다가 자전거에 부딪혔다.
부치다	힘(실력)이 미치지(감당하지) 못하다. 예 그 일은 힘에 부친다.
	(편지나 물건 따위를) 보내다. 예 편지를 부치다.
	논밭을 다루어서 농사를 짓다. 예 논밭을 부친다.
	(어떤 행사나 특별한 날에 즈음하여) 어떤 의견을 나타내다. 예 식목일에 부치는 글
	어떤 문제를 다른 곳이나 다른 기회로 넘기어 맡기다. 예 회의에 부치는 안건
	먹고 자는 일 따위를 남에게 신세지다. 예 삼촌 집에 숙식을 부친다.
붙이다	꼭 달라붙어 떨어지지 않게 하다. 예 우표를 붙이다.
	가까이 닿게 하다. 예 책상을 벽 쪽으로 붙여 놓아라.
	(둘 사이를) 어울리게 하다. 예 흥정을 붙이다.
	불이 붙게 하다. 예 불을 붙이다.
	딸리게 하다. 배속시키다. 예 감시원을 붙이다.
	조건을 달다. 다른 의견을 보태다. 예 조건을 붙이다.
	(마음, 취미 따위를) 몸에 붙게 하다. 예 취미를 붙이다.
	이름을 달다. 예 별명을 붙이다.

붇다	젖어서 부피가 커지다. 예 살이 붇다.
	부피가 늘어나거나 수효가 늘다. 예 재산이 붇다.
붙다	떨어지지 않은 상태가 되다.

빌다	소원이 이루어지도록 바라며 청하다. 예 행복을 빌다.
	잘못을 용서해 달라고 간곡히 청하다. 예 잘못했다고 빌다.
	거저 달라고 사정하다. 예 동냥을 빌다.
빌리다	(나중에 돌려주기로 하고) 남의 물건을 얻어다가 쓰다. 예 빌린 연필을 잃어버렸다.
	남의 도움을 받거나 사람이나 물건 따위를 믿고 기대다. 예 남의 손을 빌려 일을 처리했다.
	어떤 일을 하기 위해 기회를 얻다. 예 이 자리를 빌려 한 말씀드리겠습니다.

살지다	몸에 살이 많다. 기름지다.
살찌다	살이 많아지게 되다.

싸이다	'싸다'의 피동사. 예 보자기에 싸인 음식
쌓이다	겹쳐지다. 예 낙엽이 쌓이다.

썩이다	'속을 썩이다'의 경우에만 쓰임. 예 왜 이렇게 속을 썩이니?
썩히다	'속을 썩이다' 이외에 쓰임. 예 재주를 썩히다. / 음식을 썩히다.

시키다	(무엇을) 하게 하다. 예 일을 시킨다.
식히다	'식다'의 사동사. 식게 하다. 예 끓인 물을 식힌다.

아름	둘레의 길이를 나타내는 단위 예 세 아름되는 둘레
알음	서로 아는 안면 예 서로 알음이 있는 사이
앎	아는 일. 지식 예 앎이 힘이다.

안치다	삶거나 찌거나 끓일 물건을 솥이나 시루에 넣다. 예 밥솥에 쌀을 안치다.
앉히다	앉게 하다. 예 자리에 앉히다.

어떡해	'어떻게 해'의 준말 예 나 어떡해, 그대 다시 떠나가면.
어떻게	성질, 형편, 상태 따위가 어찌 되다. 예 너 어떻게 된 거냐.
어름	두 물건이 맞닿은 자리 예 두 물건의 어름에서 일어난 현상
얼음	물이 얼어서 굳어진 것 예 얼음이 얼었다.
얽히다	얽음을 당하다. 예 사건에 얽힌 인물
엉기다	한데 뭉쳐 굳어지다. 예 기름이 엉기다.
엉키다	엉클어지다. 예 실이 엉키다.
여위다	몸에 살이 빠져 마르다. 예 여윈 손
여의다	죽어서 이별하다. 예 아버지를 여의다.
	시집을 보내다. 예 딸을 여의다.
이따가	조금 뒤에 예 이따가 말해 줄게.
있다가	'있(다)'+'-다가(이어지던 동작이 일단 그치고 다른 동작으로 옮길 때, 그친 시작을 나타냄.)' 예 돈은 있다가도 없다.
이오	종결형 서술격 조사 예 이것이 돈이오.
이요	연결형 서술격 조사 예 이것은 책이요, 저것은 붓이다.
저리다	몸의 일부가 너무 오래 눌려 있어서 신경이 마비된 듯한 느낌이 있다. 예 너무 오래 꿇어앉아 있었더니 발이 저리다.
절이다	'절다'의 사동사. 소금이나 식초 따위를 써서 절게 하다. 예 배추를 절이다.
좇다	뒤를 따르다. 예 스승의 교훈을 좇아 훌륭한 인물이 되었다.
쫓다	몰아내다. 예 참새 떼를 쫓았다.
조리다	어육이나 채소 따위를 양념하여 바특하게 끓이다. 예 생선을 조리다.
졸이다	'졸다'의 사동사. 졸아들게 하다. 예 국물을 졸이다.
	몹시 조마조마하여 애를 쓰다. 예 마음을 졸이다.

주리다	먹을 만큼 먹지 못해 배를 곯다. 예 주린 배를 움켜쥐다.
줄이다	'줄다'의 사동사. 예 비용을 줄이다.
지그시	힘을 스르르 은근히 들이는 모양. 예 눈을 지그시 감다.
지긋이	듬직하게. 예 그는 나이가 지긋이 들어 보인다.
–째 번	차례 예 열째 번 사람
–번 째	횟수 예 두 번째의 일
체	'척하다', '듯하다'와 같은 보조 용언 예 그는 나를 보고도 못 본 체했다.
채	'이미 있는 상태 그대로'를 뜻함. 예 불을 켠 채로 잠을 잤다.
푼푼이	한 푼씩 한 푼씩 예 푼푼이 모은 돈.
푼푼히	여유가 있고 넉넉하게 예 여행할 때에는 여비를 푼푼히 준비해야 한다.
하노라고	'하(다)'+'–노라고(말하는 이가 자기 또는 남의 동작이나 의사의 어떠함을 나타냄.)' 예 하노라고 한 것이 이 모양이다.
하느라고	'하(다)'+'–느라고(앞말이 뒷말의 원인이나 이유가 됨을 나타내는 종속적 연결 어미)' 예 공부하느라고 밤을 새웠다.
하므로	…때문에 예 공부를 잘 하므로 상을 준다.
함으로	…하는 것으로 예 일함으로써 본분을 삼는다.
한참	시간이 꽤 지나는 동안의 한차례 예 한참 만에 그는 입을 열었다.
한창	가장 성한 때 예 고향에는 지금 수박이 한창이다.

정답과
해설

I 언어의 본질과 음운

🔍 **잠깐 퀴즈** 본문 | 12~35쪽

1 내용, 형식	**2** ②	**3** 사회성	**4** 역사성	**5** ②
6 규칙성	**7** ④	**8** 정보적, 정서적	**9** 표출적	
10 친분, 유대감	**11** 명령적 기능	**12** 정보적 기능		
13 지시적	**14** ②	**15** ①	**16** 음운, 자음, 모음	
17 (1) 6 (2) 5 (3) 4		**18** ③	**19** ㅎ	**20** 19, 4	**21** ③
22 ④	**23** ⑤	**24** ①		

🗼 **기본 익히기** 본문 | 40~41쪽

01 (1) ◯ (2) ✕ (3) ◯ (4) ✕ (5) ✕ (6) ✕ (7) ◯ (8) ✕ **02** ②
03 ⑤ **04** (1) ㄴ, ㅋ (2) ㅣ, ㅏ (3) ㄱ, ㅇ (4) ㄴ, ㅁ, ㅇ (5) ㅏ,
ㅓ, ㅗ **05** (1) 병(病) (2) 말[言] (3) 무력(武力) (4) 가정(假定)
06 ④ **07** **08** (1) 샘물, 에메랄드, 함초롬, 살랑살랑 (2) 뒤
쪽, 사회, 개화, 식탁 **09** ④ **10** ① **11** ⑤

01 (2) 어떤 사실이나 상황, 지식을 듣는 이에게 알려 주는
것은 언어의 정보적 기능을 나타낸다.
(4) 음운은 의미를 변별하는 최소의 단위이다.
(5) 자음 'ㅂ, ㅍ, ㅁ'은 조음 위치상 모두 입술소리에 속
한다.
(6) 'ㄹ'은 잇몸소리이면서 유음이다.
(8) 모음은 소리를 낼 때 장애를 받지 않고 소리가 나고,
모두 울림소리에 해당한다.

02 제시된 상황은 손자가 할머니에게 솜사탕을 건네주며
'솜사탕'을 '구름'이라고 말해서 상대방이 이해에 어려
움을 겪고 있는 장면이다. 개인이 말소리와 의미의 관
계를 임의로 바꾸어서 의사소통에 장애가 생긴 것이다.
언어에서 말소리와 의미의 관계는 그 언어를 사용하는
사람들 사이의 사회적 약속이기 때문에, 이를 어기면
의사소통이 되지 않는다. 이러한 특성을 언어의 사회성
이라고 한다.

03 제시된 대화의 "안녕하세요. 어디 가세요?", "학교 다녀
오니?"는 상대방에게 궁금해서 물어볼 수도 있는 것이
지만, 대부분의 경우 서로 간의 친교를 확인하기 위해
건네는 말이다. 사람들은 언어를 통해 서로 안부를 묻
는 행동을 하면서 원만한 사회생활을 유지하고자 한다.
이 경우에는 서로 주고받는 말의 내용보다는 말하는 행
위 자체가 더 중요한 역할을 한다. 이렇듯 언어를 통해

사람들 간의 친밀한 관계를 확인하거나 유지하는 기능
을 언어의 친교적 기능이라고 한다.

04 (1) '날'과 '칼'에서 첫소리의 자음 'ㄴ'과 'ㅋ'의 차이로 뜻
이 구별된다.
(2) '님'과 '남'에서 가운뎃소리의 모음 'ㅣ'와 'ㅏ'의 차이
로 뜻이 구별된다.
(3) '학'과 '항'에서 끝소리의 자음 'ㄱ'과 'ㅇ'의 차이로 뜻
이 구별된다.
(4) '반', '밤', '방'에서 끝소리의 자음 'ㄴ', 'ㅁ', 'ㅇ'의 차
이로 뜻이 구별된다.
(5) '탈', '털', '톨'에서 가운뎃소리의 모음 'ㅏ', 'ㅓ', 'ㅗ'의
차이로 뜻이 구별된다.

05 국어에는 단어의 음성이 같지만, 소리의 길이가 길고
짧음에 따라 뜻이 달라지는 단어들이 있다.
(1) 질병인 '병(病)'은 길게, 주로 액체나 가루를 담는 데
에 쓰는 그릇인 '병(瓶)'은 짧게 발음한다.
(2) 사람의 생각을 표현하는 '말[言]'은 길게, 부피의 단
위인 '말[斗]'은 짧게 발음한다.
(3) 군사상의 힘을 뜻하는 '무력(武力)'은 길게, 힘이 없
음을 뜻하는 '무력(無力)'은 짧게 발음한다.
(4) 임시로 정함을 의미하는 '가정(假定)'은 길게, 가족
이 함께 생활하는 집 또는 공동체인 '가정(家庭)'은 짧
게 발음한다.

06 밤나무의 열매인 '밤[栗]'은 긴소리로 발음한다.
오답 피하기 ① 굴과의 연체동물인 '굴[石花]'은 짧은소
리로 발음한다.
② 물건을 보는 감각 기관인 '눈[眼]'은 짧은소리로 발음
한다.
③ 말과의 포유동물인 '말[馬]'은 짧은소리로 발음한다.
⑤ 멀리 떨어져 있는 사람의 사정을 알리는 말이나 글
인 '소식(消息)'은 짧은소리로 발음한다.

07 파열음은 조음 위치에 따라 'ㅂ, ㅃ, ㅍ', 'ㄷ, ㄸ, ㅌ', 'ㄱ,
ㄲ, ㅋ'이 있다. '냉면'에 사용된 자음 'ㄴ, ㅁ, ㅇ'은 모두
비음으로 파열음이 포함되지 않았다.
오답 피하기 ② '까치'의 'ㄲ', ③ '비밀'의 'ㅂ', ④ '파도'
의 'ㅍ, ㄷ', ⑤ '바람개비'의 'ㅂ, ㄱ'은 모두 파열음이다.

08 비음은 'ㄴ, ㅁ, ㅇ', 유음은 'ㄹ'이다. 따라서 'ㄴ, ㅁ, ㅇ,
ㄹ'이 모두 포함된 단어와 모두 포함되지 않은 단어를

찾으면 된다.

오답 피하기 '문장, 담소, 천사, 동행, 분석, 냉이'는 유음 없이 비음만 포함된 단어들이고, '보라색, 기술, 파리'는 비음 없이 유음만 포함된 단어들이다.

09 안울림소리, 입술소리(두 입술 사이에서 나는 소리), 된소리(강하고 단단한 느낌의 소리)에 해당하는 자음은 'ㅃ'이다. '아빠'에 자음 'ㅃ'이 포함되어 있다.

10 소리를 낼 때 공기의 흐름이 장애를 받지 않고 순조롭게 나오는 소리는 모음이다. 모음만으로 이루어진 것은 '아'이다.

오답 피하기 ② 응: 모음(ㅡ)+자음(ㅇ)

③ 자: 자음(ㅈ)+모음(ㅏ)

④ 각: 자음(ㄱ)+모음(ㅏ)+자음(ㄱ)

⑤ 남: 자음(ㄴ)+모음(ㅏ)+자음(ㅁ)

11 국어에서 단모음에 해당하는 모음은 'ㅏ, ㅐ, ㅓ, ㅔ, ㅗ, ㅚ, ㅜ, ㅟ, ㅡ, ㅣ'로 총 10개이다. '궤도'의 'ㅞ'는 단모음 'ㅜ'와 'ㅔ'가 결합한 이중 모음이다.

실력 키우기

본문 | 42~43쪽

01 ③	02 해설 참조	03 사회성	04 ④
05 ⑤	06 우리말은 소리의 길이를 통해 단어의 뜻을 구별할 수
있다.	07 ②	08 ⑤

01 언어의 자의성은 언어의 의미와 기호가 마음대로 결합되는 특성이기는 하지만, 개인이 마음대로 언어를 바꿀 수 있는 것은 아니다. 국어에서 '신발'이라고 부르는 것을 영어로는 'shoes[ʃuːz]', 일본어로는 'くつ[kutsu]', 중국어로는 '鞋[xié]'라고 부르는 것 등이 언어의 자의성에 해당한다.

02 예시 답안 언어의 명령적 기능 / 제시된 상황에서 할아버지는 소년에게 소금을 달라고 말하고 있는데, 이러한 말은 듣는 이가 자신에게 소금을 건네주기를 요구하는 의도를 지니고 있다고 볼 수 있다. 따라서 언어의 명령적 기능에 해당한다.

03 제시문 속 주인공은 언어의 사회성을 무시하는 행동을

하고 있다. 본문의 내용처럼 개인이 임의로 말을 바꾸어 사용한다면 다른 사람과 의사소통을 하는 데 큰 불편을 겪을 수 있다.

04 (1)은 첫소리의 자음 'ㄱ, ㄴ, ㅂ', (2)는 가운뎃소리의 모음 'ㅏ, ㅓ, ㅗ', (3)은 끝소리의 자음 'ㅁ, ㄴ, ㄱ'의 차이로 뜻이 달라지는 것을 보여 준다. 이를 통해 음운이 말의 의미를 구별해 주는 특성을 가지고 있음을 알 수 있다.

오답 피하기 ①은 형태소, ②는 음성, ③은 품사, ⑤는 문장 성분에 대한 설명이다.

05 자음은 조음 방법에 따라 파열음, 파찰음, 마찰음, 비음, 유음으로 나뉜다.

오답 피하기 ②, ③ 국어에서 음절의 수는 모음의 수와 일치한다. 따라서 '파란 하늘에 구름 한 점 없네.'에서 모음의 개수는 11개(ㅏ, ㅏ, ㅏ, ㅡ, ㅔ, ㅜ, ㅡ, ㅏ, ㅓ, ㅓ, ㅔ)이므로 11음절로 이루어져 있다.

06 '밤'의 의미는 소리의 길이에 따라 달라진다. 낮과 대비되는 밤은 짧게 발음하고, 먹는 밤은 길게 발음한다.

07 <보기>에서 입술을 둥글게 하지 않고 소리를 내는 것은 평순 모음, 혀의 최고점이 뒤쪽에 있을 때 소리가 나는 것은 후설 모음, 입이 크게 열려서 혀의 위치가 낮은 모음은 저모음에 해당된다. <보기>의 설명에 해당하는 모음은 'ㅏ'로, '아빠'가 이에 해당하는 단어이다.

오답 피하기 ① '애인'의 'ㅐ'는 평순·전설·저모음이고 'ㅣ'는 평순·전설·고모음이다.

③ '언니'의 'ㅓ'는 평순·후설·중모음이고 'ㅣ'는 평순·전설·고모음이다.

④ '우위'의 'ㅜ'는 원순·후설·고모음이고 'ㅟ'는 원순·전설·고모음이다.

⑤ '오이'의 'ㅗ'는 원순·후설·중모음이고 'ㅣ'는 평순·전설·고모음이다.

08 소리의 세기에 따라 말의 느낌이 달라지는 것이지, 의미가 달라지는 것이 아니다. ⑤에서 '좇다'는 '남의 말이나 뜻을 따르다.'라는 의미이고, '쫓다'는 '어떤 대상을 잡거나 만나기 위하여 뒤를 급히 따르다.'라는 의미이다. 따라서 두 단어는 의미 자체가 서로 다르므로 <보기>의 밑줄 친 부분의 예로 적절하지 않다.

오답 피하기 ①, ②, ③, ④ 의미는 유지되면서 말의 느낌만 달라진 경우이다.

Ⅱ | 음운의 변동

1 ③   **2** (1) 나제 (2) 부어간   **3** ③   **4** ③
5 (1) 낙원 (2) 유학   **6** ④   **7** (1) 암날 (2) 꼰망울
8 (1) 국닙, 궁닙 (2) 협녁, 혐녁   **9** (1) 알른 (2) 질리 (3) 공
꿘녁   **10** (1) 고지듣따 (2) 느티나무   **11** (1) 목짱 (2) 뻗
때다 (3) 읍쪼리다   **12** ③   **13** (1) 봄삐 (2) 콩닙 (3) 기
와집   **14** ②   **15** (1) 버팍 (2) 마텽   **16** ⑤

기본 익히기

01 (1) ✗ (2) ○ (3) ○ (4) ✗ (5) ○ (6) ✗ (7) ○ (8) ✗ (9) ✗
02 ④   **03** ⑤   **04** (1) 믿쭐 (2) 한낟 (3) 부어케   **05** ③
06 ④   **07** ④   **08** 유음화   **09** ③   **10** ③   **11** 구개
음화   **12** ③   **13** ③   **14** ⑤   **15** ⑤   **16** ③   **17** 구콰,
빨가케, 조타   **18** ④   **19** ②

01 (1) 국어에서는 'ㄱ, ㄴ, ㄷ, ㄹ, ㅁ, ㅂ, ㅇ'의 7개 자음만
이 음절의 끝소리로 발음된다.
(2) 국어의 두음 법칙은 단어의 첫소리에 'ㄹ'이 오는 것
을 꺼려 'ㄴ, ㅇ'으로 바꾸어 쓰는 것이다.
(3) 비음이 아닌 자음이 음운 변동의 결과로 'ㄴ, ㅁ, ㅇ'
이 되는 동화 현상은 비음화이다.
(4) 구개음화는 혀끝소리인 'ㄷ, ㅌ'이 모음 'ㅣ'나 반모음
'ㅣ' 앞에서 구개음인 'ㅈ, ㅊ'으로 바뀌는 현상이다.
(5) 된소리되기란 'ㄱ, ㄷ, ㅂ'으로 소리 나는 받침 뒤에
오는 'ㄱ, ㄷ, ㅂ, ㅅ, ㅈ'이 된소리로 발음되는 현상이다.
(6) 두 형태소나 단어가 만나 합성어가 될 때, 사잇소리
가 첨가되어 뒤의 예사소리가 된소리로 발음된다.
(8) 거센소리되기는 음운 축약의 결과로 예사소리 'ㄱ,
ㄷ, ㅂ, ㅈ'이 'ㅎ'과 결합할 때 자음이 축약되어 거센소
리 'ㅋ, ㅌ, ㅍ, ㅊ'으로 바뀌는 현상이다.
(9) 모음 탈락은 두 모음이 결합할 때 하나의 모음이 탈
락되는 현상이다.

02 음절의 끝소리 규칙은 'ㄱ, ㄴ, ㄷ, ㄹ, ㅁ, ㅂ, ㅇ'의 7개
자음만이 음절의 끝에서 발음되고 그 이외의 받침은 이
7개의 자음 중에서 하나로 바뀌어 발음되는 현상이다.
'창[창]'은 'ㅇ'이 그대로 발음되며 소리가 바뀌지 않는
다.
오답 피하기 ① '갓[간]'은 'ㅅ → ㄷ'으로 바뀐다.

② '밭[받]'은 'ㅌ → ㄷ'으로 바뀐다.
③ '잎[입]'은 'ㅍ → ㅂ'으로 바뀐다.
⑤ '낯[낟]'은 'ㅊ → ㄷ'으로 바뀐다.

03 'ㄱ, ㄲ, ㅋ, ㄳ, ㄺ'의 음절 끝소리의 발음은 [ㄱ]이다. 하
지만 'ㄺ'은 상황에 따라 앞소리가 나기도 하고 뒷소리
가 나기도 한다. 'ㄺ'은 'ㄱ' 앞에서 'ㄹ'로 발음하는데,
이때 'ㄹ' 뒤에 오는 'ㄱ'은 된소리로 발음한다. '밝고'는
뒤 음절의 첫소리가 'ㄱ'이므로 음절의 끝소리는 'ㄹ'이
되어 [발꼬]로 발음된다.
오답 피하기 ① 넋[넉], ② 닭[닥], ③ 밖[박], ④ 늙지[늑
찌]는 모두 'ㄱ'으로 발음된다.

04 (1) '밑줄'은 'ㅌ → ㄷ'으로 음절의 끝소리 규칙이 적용되
는 받침 뒤에 자음이 위치하기 때문에 끝소리가 살아나
서 [믿쭐]로 발음된다.
(2) '한낮'은 'ㅈ → ㄷ'으로 음절의 끝소리 규칙이 적용되
어 [한낟]으로 발음된다.
(3) '부엌에'는 '부엌' 뒤에 형식 형태소 '에'가 오기 때문
에 앞 단어의 받침에 있던 소리가 그대로 살아나서 [부
어케]로 발음된다.

05 국어에는 한자어의 첫머리에 'ㄹ'이 오는 것을 꺼리는
경향이 있다. 그래서 단어 첫머리의 'ㄹ'을 'ㄴ'이나 'ㅇ'
으로 바꾸어 쓴다. '력사'는 한자어이므로 두음 법칙에
따라 '역사'로 표기되어야 한다.
오답 피하기 ① 라디오, ② 리본, ④ 라면, ⑤ 로션은
'ㄹ'이 첫소리에 오는 외래어들이다. 외래어인 경우에는
'ㄹ'이 첫소리에 오더라도 두음 법칙의 적용을 받지 않
는다.

06 '윤리'에서는 비음 'ㄴ'이 유음 'ㄹ'의 앞이나 뒤에서 'ㄹ'
로 바뀌는 유음화 현상이 나타나 [율리]로 발음된다.
오답 피하기 ① 섭리[섬니], ② 먹물[멍물], ③ 담력[담:
녁], ⑤ 남루[남:누]는 모두 비음화가 나타난다. 비음화
는 비음의 영향을 받아 원래 비음이 아닌 자음이 비음
'ㄴ, ㅁ, ㅇ'으로 바뀌는 현상이다.

07 한자어에서 받침 'ㅁ, ㅇ' 뒤에 'ㄹ'이 오면 'ㄹ'은 [ㄴ]으
로 발음한다. 또한 받침 'ㄱ, ㅂ' 뒤에서도 'ㄹ'은 [ㄴ]으
로 발음한다. 따라서 '석류'는 [석뉴]가 되었다가 비음이
아닌 'ㄱ'이 비음 'ㄴ'을 만나 같은 비음인 'ㅇ'으로 바뀌
어 [성뉴]로 발음된다.

오답 피하기 ① '속는다'는 비음이 아닌 'ㄱ'이 비음 'ㄴ'과 만나 같은 비음인 'ㅇ'으로 바뀌어 [송는다]로 발음된다.
② '국물'은 비음이 아닌 소리 'ㄱ'이 비음 'ㅁ'과 만나 같은 비음인 'ㅇ'으로 바뀌어 [궁물]로 발음된다.
③ '백로'는 'ㄹ'이 'ㄴ'을 바꾸어 [백노]가 되었다가 비음이 아닌 소리 'ㄱ'이 비음 'ㄴ'과 만나 같은 비음인 'ㅇ'으로 바뀌어 [뱅노]로 발음된다.
⑤ '받는다'는 비음이 아닌 소리 'ㄷ'이 비음 'ㄴ'을 만나 같은 비음인 'ㄴ'으로 바뀌어 [반는다]로 발음된다.

08 국어에서 'ㄴ'과 'ㄹ'은 발음으로 연이어 나올 수 없기 때문에 'ㄴ'이 'ㄹ'의 앞이나 뒤에서 유음 'ㄹ'로 바뀌는 현상이 일어난다. 이를 유음화라고 한다. '대관령[대:괄령]'과 '물난리[물랄리]'는 'ㄴ'이 'ㄹ' 앞에서 유음 'ㄹ'로 바뀌는 유음화 현상이 일어난다.

09 끝소리가 'ㄱ, ㄷ, ㅂ'인 음절 뒤에 첫소리가 비음인 음절이 연결될 때 'ㄱ, ㄷ, ㅂ'이 비음으로 바뀌거나 끝소리가 'ㄱ, ㅁ, ㅂ, ㅇ'인 음절 뒤에 'ㄹ'이 오는 경우 'ㄹ'이 'ㄴ'으로 발음되는 현상을 비음화라고 한다. '밥물', '앞마당', '맏며느리'는 모두 비음화가 일어나 각각 [밤물], [암마당], [만며느리]로 발음된다.
오답 피하기 ㄴ. '대낮[대:낟]'은 음절의 끝소리 규칙에 의한 변동이다.
ㄷ. '석사[석싸]'는 된소리되기에 의한 변동이다.
ㄹ. '해돋이[해도지]'는 구개음화에 의한 변동이다.

10 제시문에서 설명하는 음운 변동은 구개음화이다. 한 형태소 안에서는 구개음화가 일어나지 않는다. 따라서 '마디'는 [마디]로 발음된다.
오답 피하기 ① 맏이[마지], ② 볕이[벼치], ④ 샅샅이[삳싸치], ⑤ 땀받이[땀바지]는 혀끝소리 'ㄷ, ㅌ'이 모음 'ㅣ'를 만나 구개음 'ㅈ, ㅊ'으로 바뀌는 현상인 구개음화가 일어난다.

11 밑줄 친 단어들에서 공통적으로 일어나는 음운 변동은 구개음화로, 혀끝소리 'ㄷ, ㅌ'이 모음 'ㅣ' 앞에서 구개음인 'ㅈ, ㅊ'으로 바뀌어 소리 나는 현상이다. '가을걷이'는 혀끝소리 'ㄷ'이 모음 'ㅣ' 앞에서 구개음인 'ㅈ'으로 바뀌어 [가을거지]로 발음되고, '같이'와 '낱낱이'는 혀끝소리 'ㅌ'이 모음 'ㅣ' 앞에서 구개음인 'ㅊ'으로 바뀌어 각각 [가치], [난:나치]로 발음된다.

12 '굳혀'는 끝소리 'ㄷ'과 'ㅎ'가 결합하여 'ㅌ'를 이루고, 구개음화 현상에 의해 '치'로 발음한다. 또한 용언의 활용형에 나타나는 '져, 쪄, 쳐'는 이중 모음으로 발음되지 않으므로 '굳혀'의 올바른 발음은 [구쳐]이다.
오답 피하기 ① '숲에'는 '숲'의 받침 'ㅍ'이 연음되어 [수페]로 발음된다.
② 'ㄴ'이 뒤에 오는 유음 'ㄹ'의 영향을 받아 'ㄹ'로 바뀐 역행적 유음화이다.
③ 어간 받침 'ㄴ'과 어미의 첫소리 'ㄱ'이 만나면 'ㄱ'은 된소리로 발음된다.
⑤ 음절의 끝소리 'ㅂ'이 뒤 음절의 첫소리 'ㄴ'을 만나면 비음화가 일어나 'ㅁ'으로 발음된다.

13 사잇소리가 날 때 사이시옷을 넣어 표기하는 것은 고유어와 고유어, 고유어와 한자어로 결합된 합성어의 경우에만 일어나고, 한자어와 한자어가 결합한 경우에는 일어나지 않는다. 다만 '곳간(庫間), 셋방(貰房), 숫자(數字), 찻간(車間), 툇간(退間), 횟수(回數)'의 6개 단어는 사이시옷을 표기해야 한다. '댓가'는 잘못된 표기로 '대가'로 표기해야 한다.

14 제시문에서 설명하는 음운 변동은 사잇소리 현상이다. '콩밥[콩밥]'은 사잇소리 현상이 일어날 조건이지만, 사잇소리 현상이 일어나지 않는 합성어의 예이다.
오답 피하기 ① '밤길'은 '밤'과 '길'이 만난 합성어로 뒤의 'ㄱ'이 'ㄲ'으로 바뀌어 [밤낄]이 되는 사잇소리 현상이 일어난다.
② '봄비'는 '봄'과 '비'가 만난 합성어로 뒤의 'ㅂ'이 'ㅃ'으로 바뀌어 [봄삐]가 되는 사잇소리 현상이 일어난다.
③ '물가'는 '물'과 '가'가 만난 합성어로 뒤의 'ㄱ'이 'ㄲ'으로 바뀌어 [물까]가 되는 사잇소리 현상이 일어난다.
④ '등불'은 '등'과 '불'이 만난 합성어로 뒤의 'ㅂ'이 'ㅃ'으로 바뀌어 [등뿔]이 되는 사잇소리 현상이 일어난다.

15 음운의 축약은 자음 축약(거센소리되기)과 모음 축약으로 나누어진다. '쐈다'는 '쏘이었다'에서 'ㅣ'와 'ㅓ'가 'ㅕ'로 축약된 모음 축약이 일어난다.
오답 피하기 ① '노랗게[노:라케]'는 'ㅎ'과 'ㄱ'이 결합하여 'ㅋ'으로 축약된 거센소리되기가 일어난다.
② '먹히지[머키지]'는 'ㄱ'과 'ㅎ'이 결합하여 'ㅋ'으로 축약된 거센소리되기가 일어난다.
③ '입학[이팍]'은 'ㅂ'과 'ㅎ'이 결합하여 'ㅍ'으로 축약된

거센소리되기가 일어난다.

④ '젖히고[저치고]'는 'ㅈ'과 'ㅎ'이 결합하여 'ㅊ'으로 축약된 거센소리되기가 일어난다.

16 사잇소리 현상에서 합성어를 이룰 때 된소리가 생기는 대신 'ㄴ' 소리가 첨가되는 경우가 있다. 앞말이 모음으로 끝나는데 뒷말이 'ㅁ, ㄴ'으로 시작될 경우 앞말의 끝소리에 'ㄴ' 소리가 덧나고, 합성어 및 파생어에서 앞말이 자음으로 끝나는데 뒷말이 모음 'ㅣ'나 반모음 'ㅣ'로 시작될 경우에도 'ㄴ' 소리가 덧난다. '한여름[한녀름]'은 파생어에서 앞말이 자음으로 끝날 때 뒷말이 반모음 'ㅣ'로 시작되는 경우 'ㄴ' 소리가 첨가되는 현상이 나타난다.

오답 피하기 ① '설날[설ː랄]'에서는 유음화가 나타난다.

② '굳히다[구치다]'에서는 구개음화가 나타난다.

④ '옷맵시[온맵씨]'에서는 비음화가 나타난다.

⑤ '파랗다[파ː라타]'에서는 거센소리되기가 나타난다.

17 '국화'는 'ㄱ'과 'ㅎ'이 결합하여 'ㅋ'이 되어 [구콰]로 발음되고, '빨갛게'는 'ㅎ'과 'ㄱ'이 결합하여 'ㅋ'이 되어 [빨ː가케]로 발음된다. 또한 '좋다'는 'ㅎ'과 'ㄷ'이 결합하여 'ㅌ'이 되어 [조ː타]로 발음된다. 이렇듯 예사소리 'ㄱ, ㄷ, ㅂ, ㅈ'이 'ㅎ'과 결합할 때 자음이 축약되어 거센소리 'ㅋ, ㅌ, ㅍ, ㅊ'으로 바뀌는 현상이 일어나는데, 이를 거센소리되기라고 한다.

18 음운의 탈락은 두 음운이 만나면서 한 음운이 사라져 소리 나지 않는 현상이다. '묻혔다[무쳗따]'는 'ㄷ'과 'ㅎ'이 만나 'ㅌ'으로 축약되고, 모음 'ㅣ'를 만나 'ㅊ'으로 바뀌어 소리 나고 있으므로 음운의 탈락이 아니라 거센소리되기와 구개음화가 일어난다.

오답 피하기 ① '넣었다'는 '넣-+-어'에서 어미 '-어' 앞에서 'ㅎ'이 탈락되어 사라진 자음 'ㅎ' 탈락이 일어난다.

② '자라서'는 '자라-+-아서'에서 붙어 있는 같은 모음 중 앞 모음이 탈락하여 사라진 모음 'ㅏ' 탈락이 일어난다.

③ '껐다'는 '끄-+-어'에서 어미 '-어' 앞에서 'ㅡ'가 탈락하여 사라진 모음 'ㅡ' 탈락이 일어난다.

⑤ '건너서'는 '건너-+-어서'에서 붙어 있는 같은 모음 중 앞 모음이 탈락하여 사라진 모음 'ㅓ' 탈락이 일어난다.

19 주-+-어서 → 줘서'는 'ㅜ'와 'ㅓ'가 결합되어 축약되는 현상이 일어난다.

오답 피하기 ① 같은 모음이 붙어서 나타날 때 그중 앞 모음이 탈락하여 사라지는 모음 탈락이 일어난다.

③ 어미 '-어' 앞에서 'ㅡ'가 탈락하여 사라지는 모음 탈락이 일어난다.

④ 'ㄴ, ㄷ, ㅅ, ㅈ' 앞에서 'ㄹ'이 탈락되어 사라져 버리는 'ㄹ' 탈락이 일어난다.

⑤ 모음 앞에서 'ㅎ'이 탈락되어 사라져 버리는 'ㅎ' 탈락이 일어난다.

실력 키우기

본문 | 67~71쪽

01 ⑤　02 ②　03 ③　04 ②　05 (1) 박싸 (2) 낙씨 (3) 올깜 (4) 감꼬 (5) 날까림　06 ②　07 해설 참조　08 ⑤　09 ㉠ 음절의 끝소리 규칙 ㉡ 사잇소리 현상 ㉢ 비음화　10 ③　11 ②　12 ③　13 ①　14 ②　15 해설 참조　16 ②　17 ②　18 ①　19 (1) 냇물, 낸ː물 (2) 햇살, 해쌀/핻쌀 (3) 툇간, 퇴ː깐/퉫ː깐　20 ⑤　21 해설 참조　22 ①

01 'ㄱ, ㄷ, ㅂ'으로 소리 나는 받침 뒤에 오는 안울림 예사소리 'ㄱ, ㄷ, ㅂ, ㅅ, ㅈ'이 된소리로 발음되는 현상을 된소리되기라고 한다. '꽃다발'은 'ㄷ'으로 소리 나는 받침 뒤에 안울림 예사소리 'ㄷ'이 오므로 된소리 [ㄸ]으로 발음되어 [꼳따발]이 되어야 한다.

오답 피하기 ① '닭장[닥짱]'은 받침 'ㄱ' 뒤에 'ㅈ'이 오므로 'ㅉ'으로 바뀐다.

② '젖소[젇쏘]'는 받침 'ㅈ'이 끝소리 받침 [ㄷ]으로 발음되고 그 뒤에 'ㅅ'이 오므로 'ㅆ'으로 바뀐다.

③ '묻다[묻따]'는 받침 'ㄷ' 뒤에 'ㄷ'이 오므로 'ㄸ'으로 바뀐다.

④ '잡고[잡꼬]'는 받침 'ㅂ' 뒤에 'ㄱ'이 오므로 'ㄲ'으로 바뀐다.

02 'ㄴ'이 'ㄹ'의 뒤에서 [ㄹ]로 발음되는 현상을 유음화라고 한다. 유음화 현상에 따라 '줄넘기'는 [줄럼끼]로 발음해야 한다.

오답 피하기 ① '꽃 한 송이'는 음절의 끝소리 규칙에 의해 'ㅊ'이 [ㄷ]으로 발음되고, 'ㄷ'과 'ㅎ'이 결합되어 음운 축약에 의해 [꼬탄송이]로 발음된다.

③, ⑤ '폭설'과 '반짇고리'는 된소리되기에 의해 각각 [폭썰], [반짇꼬리]로 발음된다.

④ '역량'은 비음화에 의해 'ㄱ'과 'ㄹ'이 만나 'ㄹ'이 'ㄴ'이 되고, 비음 'ㄴ'의 영향으로 앞의 'ㄱ'이 비음 'ㅇ'으로 바뀌어 [영냥]으로 발음된다.

03 음운의 교체 현상에는 '음절의 끝소리 규칙', '두음 법칙', '유음화', '비음화', '구개음화', '된소리되기' 등이 있다. '가서'는 '가-'와 '-아서'가 결합한 것으로, 같은 모음이 붙어서 나타날 때 그중 앞 모음이 탈락하여 사라지는 모음 탈락 현상이 나타난다.

오답 피하기 ① '난로'는 'ㄴ'이 'ㄹ'을 만나 'ㄹ'로 바뀌는 유음화가 일어나 [날:로]로 발음된다.

② '겉멋'은 음절의 끝소리 규칙에 의해 'ㅌ'이 'ㄷ'으로 바뀌고, 이어서 뒤 음절의 첫소리 'ㅁ'을 만나 비음화가 일어나 [건먿]으로 발음된다.

④ '옷'은 음절의 끝소리 규칙에 의해 'ㅅ'이 'ㄷ'으로 바뀌어 [옫]으로 발음된다.

⑤ '멋진'은 음절의 끝소리 규칙에 의해 'ㅅ'이 'ㄷ'으로 바뀌고, 이어 된소리되기가 일어나 [먿찐]으로 발음된다.

04 '해돋이'는 'ㄷ'이 모음 'ㅣ'와 만나 'ㅈ'으로 바뀌는 구개음화가 일어난다. '먹이'는 앞 음절의 받침에 모음으로 시작되는 형태소가 이어지면 앞의 받침이 뒤 음절의 첫소리로 발음되는 현상이 일어나 [머기]로 발음된다. 구개음화는 일어나지 않는다.

오답 피하기 ① 같이[가치], ③ 미닫이[미:다지], ④ 피붙이[피부치], ⑤ 곧이곧대로[고지곧때로]는 혀끝소리 'ㄷ, ㅌ'이 모음 'ㅣ'나 반모음 'ㅣ'를 만나 구개음 'ㅈ, ㅊ'으로 바뀌는 현상인 구개음화가 일어난다.

05 'ㄱ, ㄷ, ㅂ' 뒤에서 안울림 예사소리 'ㄱ, ㄷ, ㅂ, ㅅ, ㅈ'은 된소리로 발음되고, 어간의 끝소리 'ㄴ, ㅁ' 뒤에서 어미의 첫소리 'ㄱ, ㄷ, ㅅ, ㅈ'은 된소리로 발음된다.

(1) '박사'는 'ㄱ' 뒤에서 안울림 예사소리 'ㅅ'이 된소리 'ㅆ'으로 바뀌어 [박싸]로 발음된다.

(2) '낚시'는 음절의 끝소리 규칙에 따라 [낙시]가 되었다가 'ㄱ' 뒤에서 'ㅅ'이 된소리로 바뀌어 [낙씨]로 발음된다.

(3) '웃감'은 음절의 끝소리 규칙에 따라 [옫감]이 되었다가 'ㄷ' 뒤에서 'ㄱ'이 된소리로 바뀌어 [옫깜]으로 발음된다.

(4) '감고'는 어간 받침 'ㅁ' 뒤에서 어미의 첫소리 'ㄱ'이 된소리로 바뀌어 [감:꼬]로 발음된다.

(5) '낮가림'은 음절의 끝소리 규칙에 따라 [낟가림]으로 되었다가 'ㄷ' 뒤에서 'ㄱ'이 된소리로 바뀌어 [낟까림]으로 발음된다.

06 '신라'는 'ㄴ'과 'ㄹ'이 만나 'ㄹ'과 'ㄹ'로 바뀌어 [실라]로 발음된다.

07 예시 답안 '빛'은 'ㅊ → ㄷ'으로 음절의 끝소리 규칙이 적용되어 [빋]으로 발음된다.

'국물'은 'ㄱ → ㅇ'으로 비음화가 적용되어 [궁물]로 발음된다.

'밭이'는 'ㅌ → ㅊ'으로 구개음화가 적용되어 [바치]로 발음된다.

08 유음화 현상은 'ㄴ'이 'ㄹ'의 앞이나 뒤에서 [ㄹ]로 발음되는 것이다. 그러나 한자어에서 'ㄴ'과 'ㄹ'이 결합하면서도 [ㄹ]과 [ㄹ]로 발음되지 않고 [ㄴ]과 [ㄴ]으로 발음되는 예외도 존재한다. '생산량'은 이러한 유음화 현상의 예외로, [생산냥]으로 발음되면 비음화가 일어나지 않는다.

오답 피하기 ① '국립[궁닙]'은 (3)의 환경에서 나타나는 비음화의 예이다.

②, ③ '앞날[암날]', '밭머리[반머리]'는 (1)의 환경에서 나타나는 비음화의 예이다.

④ '대통령[대:통녕]'은 (2)의 환경에서 나타나는 비음화의 예이다.

09 '밭'의 끝소리 'ㅌ'은 음절의 끝소리 규칙에 의해 'ㄷ'으로 발음된다([받이랑]). 그리고 사잇소리 현상에 의해 자음 'ㄷ'과 모음 'ㅣ' 사이에서 'ㄴ'이 덧나며([받니랑]), 이어서 'ㄷ'이 'ㄴ'의 영향으로 비음화가 일어나 [반니랑]으로 발음된다.

10 'ㄴ' 소리는 음운 동화(비음화)에 의해 'ㄷ'이 'ㄴ'과 비슷한 소리로 바뀐 것이고 음운 첨가 현상은 나타나지 않는다.

11 '깎다[깍따]'는 '깎[깍]'에서 음절의 끝소리 규칙, '다[따]'에서 된소리되기가 나타난다. 음절의 끝소리 규칙과 된소리되기는 모두 음운의 교체에 해당한다.

오답 피하기 ②, ③, ④ '막일[망닐]', '색연필[생년필]', '예삿일[예:산닐]'은 첨가(사잇소리 현상)와 교체(비음화)가 나타난다.

⑤ '백분율[백뿐뉼]'은 교체(된소리되기)와 첨가(사잇소리 현상)가 나타난다.

12 '콧날'은 '코'와 '날'이 결합된 순우리말로 된 합성어로서 앞말이 모음으로 끝나 사이시옷이 표기되었으며, 뒷말

이 'ㄴ'으로 시작되어 앞말의 끝소리에 'ㄴ'이 한 번 첨가
된 경우이다. 따라서 [콘날]이라고 발음한다.

오답 피하기 ① 한자어와 한자어가 결합한 경우에는
사이시옷을 넣어 표기하지 않지만, '횟수(回數)'는 예외
적인 경우로 사이시옷을 넣어 표기한다.
② '말소리'는 예사소리인 'ㅅ'이 된소리인 'ㅆ'으로 변하
여 [말ː쏘리]로 발음된다.
④ '눈요기'는 'ㄴ'과 반모음 'ㅣ'가 만나 'ㄴ'이 첨가되어
[눈뇨기]로 발음된다.
⑤ '냇가'는 '내'와 '가'가 결합된 순우리말로 된 합성어
로서 앞말이 모음으로 끝나 사이시옷이 표기되었으며,
뒷말의 첫소리가 된소리로 나서 [내ː까/낻ː까]로 발음
된다.

13 음운 축약은 두 음운이 합쳐져서 하나의 음운이 되는 현
상이다. 음운 축약의 대표적인 현상인 거센소리되기는
'ㄱ, ㄷ, ㅂ, ㅈ'이 'ㅎ'과 결합할 때, 자음이 축약되어 거
센소리로 바뀌는 현상이다. '같이'는 혀끝소리 'ㅌ'이 모
음 'ㅣ'를 만나 'ㅊ'으로 바뀌는 구개음화가 일어난다.

오답 피하기 ① '싫지[실치]'는 'ㅎ'과 'ㅈ'이 결합하여
'ㅊ'으로 바뀌는 거센소리되기가 일어난다.
② '하얗다[하ː야타]'는 'ㅎ'과 'ㄷ'이 결합하여 'ㅌ'으로
바뀌는 거센소리되기가 일어난다.
③ '낙하산[나카산]'은 'ㄱ'과 'ㅎ'이 결합하여 'ㅋ'으로 바
뀌는 거센소리되기가 일어난다.
⑤ '급히[그피]'는 'ㅂ'과 'ㅎ'이 결합하여 'ㅍ'으로 바뀌는
거센소리되기가 일어난다.

14 '넓게'는 'ㄼ'에서 'ㅂ'이 탈락하고, 이때 뒤에 오는 'ㄱ'이
된소리화되어 [널께]로 발음된다.

오답 피하기 ① ㉠과 ㉡의 규정을 참고할 때 '늙고'는
'ㄱ' 앞에서 [ㄹ]로 발음하고, 뒤 음절의 'ㄱ'은 된소리화
하여 [늘꼬]로 발음해야 한다.
③ '밟지'는 '밟-'에 자음이 온 형태이므로 [밥ː찌]로 발
음한다.
④ '닳은'에서는 모음 앞에서 'ㅎ'이 탈락되는 'ㅎ' 탈락
현상이 나타나고, '닳다'에서는 'ㅎ'이 뒤 음절의 'ㄷ'을
만나 거센소리가 되는 축약 현상이 나타난다.
⑤ '닳아'는 'ㅀ' 뒤에 모음으로 시작하는 어미 '아'가 결
합하여 'ㅎ'이 탈락하고 'ㄹ'이 남아 뒤 음절에 연음되어
[다라]로 발음된다. '좋던'은 'ㅎ'이 'ㄷ'과 결합하여 거센

소리가 되어 [조ː턴]으로 발음된다.

15 예시 답안 (1) '고프-+-아서 → 고파서'에서는 'ㅡ'가
어미 'ㅏ' 앞에서 탈락된 'ㅡ' 탈락(모음 탈락 현상)이 일
어난다.
(2) '막혀서[마켜서]'는 'ㄱ'과 'ㅎ'이 만나 'ㅋ'으로 축약되
는 자음 축약 현상(또는 거센소리되기 현상)이 일어난다.

16 ㉡은 비음화에 대한 설명으로 '국물[궁물]'로 발음되는
것 등이 있다. 그러나 '잇몸[인몸]'은 사잇소리 현상의
예이다.

오답 피하기 ① '대낮[대ː낟]'은 둘째 음절의 받침 'ㅈ'
이 대표음인 'ㄷ'으로 바뀌어 소리 났으므로 음절의 끝
소리 규칙을 설명한 ㉠에 해당하는 사례가 맞다.
③ '설날[설랄]'은 뒤 음절의 'ㄴ'이 앞에 나오는 유음
'ㄹ'의 영향으로 'ㄹ'로 바뀌어 발음된 것이므로 유음화
를 설명한 ㉢에 해당하는 사례가 맞다.
④ '굳이[구지]'는 받침 'ㄷ'이 뒤 음절에 나오는 모음
'ㅣ'와 만나 'ㅈ'으로 바뀐 것이므로 구개음화를 설명한
㉣에 해당하는 사례가 맞다.
⑤ '밥상[밥쌍]'은 'ㅅ'이 'ㅂ' 뒤에서 된소리로 발음되어
[밥쌍]이 된 것이므로 된소리되기를 설명한 ㉤에 해당
하는 사례가 맞다.

17 '베갯잇'에서 'ㅅ'은 음절의 끝소리 규칙에 의해 'ㄷ'으로
발음되고, 사잇소리 현상에 'ㄴ'이 첨가되어 [베갣닏]으
로 발음된다. 그리고 '갣'의 'ㄷ'은 'ㄴ'의 영향으로 비음
화가 일어나 [베갠닏]으로 발음된다. 따라서 음절의 규
칙과 비음화는 음운의 교체 현상이고, 사잇소리 현상은
음운의 첨가 현상이므로 ㉠, ㉢의 두 가지 음운 변동이
일어난다.

오답 피하기 ① '놓이다[노이다]'에서는 'ㅎ'이 탈락되
는 현상이 나타난다.
③ '넓히다[널피다]'에서는 'ㅂ'이 'ㅎ'과 결합하여 [ㅍ]으
로 발음되는 음운의 축약 현상이 나타난다.
④ '부엌일[부엉닐]'에서는 'ㅋ'이 'ㄱ'으로 교체되고 다
시 'ㅇ'으로 교체되는 현상과 'ㄴ'이 첨가되는 현상이 나
타난다.
⑤ '국화꽃[구콰꼳]'에서는 'ㄱ'이 'ㅎ'과 결합하여 [ㅋ]으
로 발음되는 음운의 축약 현상과 'ㅊ'이 'ㄷ'으로 교체되
는 현상이 나타난다.

18 '않고'는 [안코]로 발음되는데, 이는 'ㅎ'이 탈락되지 않고 뒤에 오는 첫소리 'ㄱ'과 결합하여 거센소리가 되는 축약 현상이 일어난 것이다.

오답 피하기 ② 어간 '서-'가 어미 '-어도'와 결합할 때 'ㅓ'가 탈락된 현상이다.

③ 어간 '울-'이 어미 '-는'과 결합할 때 'ㄹ'이 탈락된 현상이다.

④ 어간 '크-'가 어미 '-어서'와 결합할 때 'ㅡ'가 탈락된 현상이다.

⑤ '놓으니'는 'ㅎ'으로 끝나는 어간이 모음으로 시작하는 어미와 결합하면서 'ㅎ'이 탈락하여 [노으니]로 발음된 현상이다.

19 합성어의 앞 음절이 모음으로 끝났을 때는 받침으로 사이시옷을 적으므로 (1), (2)의 표기는 각각 '냇물', '햇살'이 된다. 하지만 (1)의 발음은 앞말이 모음으로 끝나 있고, 뒷말이 'ㅁ, ㄴ'으로 시작되면 'ㄴ' 소리가 첨가되는 경우에 해당되어 [낸:물]이 되고, (2)의 발음은 앞말이 울림소리이고 뒷말이 예사소리이면 뒷말이 된소리로 바뀌는 경우에 해당되어 [해쌀/핻쌀]이 된다.

(3)은 사이시옷을 표기해야 하는 6개의 한자어 중 하나에 해당하므로 표기는 '툇간'으로, 발음은 [퇴:깐/퉫:깐]이 된다.

20 ⓜ의 '칼날[칼랄]'에서는 유음화가 일어난다. '설날[설:랄]'은 유음화 현상에 해당하지만, '잡히다[자피다]'는 자음 축약(거센소리되기) 현상에 해당한다.

오답 피하기 ① ㉠의 '밥하고[바파고]'에서는 거센소리되기가 일어난다. '막히다'는 [마키다], '낙하산'은 [나카산]으로 발음되므로 두 단어 모두 자음 축약(거센소리되기) 현상에 해당한다.

② ㉡의 '솜이불[솜:니불]'에서는 사잇소리 현상이 일어난다. '콩엿'은 [콩녇], '맨입'은 [맨닙]으로 발음되므로 두 단어 모두 사잇소리 현상에 해당한다.

③ ㉢의 '잡고[잡꼬]'에서는 된소리되기가 일어난다. '굳세다'는 [굳쎄다], '맏사위'는 [맏싸위]로 발음되므로 두 단어 모두 된소리되기 현상에 해당한다.

④ ㉣의 '듣는다[든는다]'에서는 비음화가 일어난다. '겁내다'는 [검내다], '밥물'은 [밤물]로 발음되므로 두 단어 모두 비음화 현상에 해당한다.

21 예시 답안 '앉히고[안치고]'에서는 'ㅈ'과 'ㅎ'의 두 음운이 합쳐져서 하나의 음운인 [ㅊ]으로 소리 나는 음운 축약 현상(거센소리되기)이 나타난다. '자라서(자라-+-아서 → 자라서)'에서는 두 음운이 만나면서 한 음운이 아예 사라져 소리 나지 않는 음운 탈락 현상(모음 탈락)이 나타난다. 이 두 음운 현상 모두 발음을 더 쉽고 편하게 하기 위해 일어나는 현상이다.

22 어간 '놓-'의 끝소리 'ㅎ'은 음절의 끝소리 규칙에 따라 'ㄷ'으로 교체되고, 다시 이어지는 음절의 첫소리 'ㄴ'의 영향을 받아 비음화되어 'ㄴ'으로 교체된다.

놓는 → [녿는](음절의 끝소리 규칙) → [논는](비음화)

오답 피하기 ② '덮밥'은 'ㅍ'이 음절의 끝소리 규칙에 따라 'ㅂ'으로 교체되고, 이 영향으로 뒤 음절 첫소리인 'ㅂ'에 된소리되기가 나타나 [덥빱]으로 발음된다.

③ '눈약'은 자음으로 끝난 형태소 '눈'과 반모음 'ㅣ'로 시작되는 형태소가 결합할 때 'ㄴ' 소리가 덧나는 사잇소리 현상이 나타나 [눈냑]으로 발음된다.

④ '끝까지'는 'ㅌ'이 음절의 끝소리 규칙에 따라 'ㄷ'으로 교체되어 [끋까지]로 발음된다.

⑤ '부엌도'는 'ㅋ'이 음절의 끝소리 규칙에 따라 'ㄱ'으로 교체되고, 이 영향으로 뒤 음절의 첫소리인 'ㄷ'에 된소리되기가 나타나 [부억또]로 발음된다.

Ⅲ | 단어와 품사

1 ③	2 6개	3 3개	4 ②	5 (1) X (2) X

6 (1) 길-/-다 (2) 고무/신 7 ④ 　 8 ⑤ 　 9 (1) 어근 (2) 접
사 　 10 물걸레, 소나무 11 접사 12 ① 　 13 지우개, 달리
기, 공부하다, 낱낱이 14 (1) 합 (2) 합 (3) 파 15 품사,
단어 16 ④ 　 17 (1) 체언 (2) 부사 　 18 ④ 　 19 ⑤
20 ③ 　 21 우리 22 ② 　 23 는, 의, 이다 24 (1) 명사 (2) 대
명사 (3) 조사 (4) 수사 25 ③ 　 26 ① 　 27 ⑤ 　 28 ②
29 (1) 즐겁게 노래하자. (2) 즐겁게 노래하라. 30 ① 　 31 (1) 관
형사 (2) 수사 32 수식언, 체언, 용언 33 ② 　 34 ④
35 ③ 　 36 ② 　 37 ② 　 38 ④ 　 39 지역 방언 40 성별,
세대, 직업 41 소속감, 동질감 　　　 42 ③ 　 43 ④
44 ② 　 45 ① 　 46 (1) 얼굴 (2) 차다

01 (1) X (2) X (3) X (4) O (5) O (6) O (7) O (8) X 02 (1) 나,
오늘, 아주, 재미, 책 (2) 는, 있-, -는, 을, 읽-, -었-, -다 (3) 나,
오늘, 아주, 재미, 있-, 책, 읽- (4) 는, -는, 을, -었-, -다 03 (1) 어
머니, 잔디 (2) 꽃밭, 국물 (3) 맨발, 바느질 (4) 여닫이, 덮개
04 (1) 7 (2) 5 (3) 8 　　　 05 (1) 사과, 다리, 부엌, 나무, 도시락,
먹다 (2) 비빔밥, 색연필, 책꽂이, 꽃잎, 보름달, 먹이다 06 책가
방, 김밥, 눈사람, 돌다리, 검붉다, 산나물, 밥상, 솜이불
07 (1) ㉠ (2) ㉢ (3) ㉡ (4) ㉣ (5) ㉫ (6) ㉥ 08 ④
09 ③, ⑤ 　　　 10 ③ 　 11 ③ 　 12 ③ 　 13 (1) 날아, 날고,
나니, 날자, 나는구나 등 (2) 아름답고, 아름다워, 아름다운, 아름다
우니 등 (3) 푸른, 푸르고, 푸르러, 푸르니 등 (4) 돕고, 돕는, 도와,
도우니 등 　　 14 (1) 새, 관형사 (2) 아주, 빨리, 부사, 부사
15 (1) 아이고, 저런 (2) 네 (3) 응 　 16 ② 　 17 (1) 발 (2) 비지
떡 (3) 가랑비 (4) 시치미 (5) 바가지 (6) 버릇 (7) 떡잎
18 (1) 껍데기 (2) 진지 (3) 틈 (4) 고개 　 19 ③ 　 20 ②

01 (1) 단어는 하나의 형태소로 이루어질 수도 있고, 둘
이상의 형태소로도 이루어질 수 있다.

(2) 용언의 어간은 실질적인 의미를 가지는 실질 형태소
이지만 문장 내에서 홀로 쓰일 수 없는 의존 형태소이
다.

(3) 하나의 어근으로 된 단어는 단일어이다. 파생어는
어근과 접사가 결합하여 이루어진 단어이다.

(8) 의미가 거의 같거나 비슷한 단어들의 관계를 유의
관계라고 한다. 다의 관계란 하나의 단어가 기본 의미
와 연관이 있는 주변 의미를 가지는 경우를 말한다.

02 이 문장에 쓰인 형태소를 나누어 보면 '나/는/ 오늘/ 아
주/ 재미/있-/-는/ 책/을/ 읽-/-었-/-다'와 같다.
이 중에서 '나, 오늘, 아주, 재미, 책'은 홀로 쓰일 수 있
으므로 자립 형태소이다. 반면 '는, 있-, -는, 을, 읽-,
-었-, -다'는 홀로 쓰일 수 없으므로 의존 형태소이다.
한편, 실질적인 의미를 가지고 있는 '나, 오늘, 아주, 재
미, 있-, 책, 읽-'은 실질 형태소이며, 문법적이고 형식
적인 의미를 가진 '는, -는, 을, -었-, -다'는 형식 형태
소이다.

03 (1) 하나의 형태소로 이루어진 단어는 임의적으로 단어
를 나누면 뜻을 잃어버린다. '꽃밭'은 '꽃/밭'으로, '맨
발'은 '맨-/발'로, '여닫이'는 '여(ㄹ)-/닫-/-이'로, '국
물'은 '국/물'로, '덮개'는 '덮-/-개'로, '바느질'은 '바느
(ㄹ)/질'로 나눌 수 있지만, '어머니, 잔디'는 더 이상
나눌 수 없다.

(2), (3) 자립 형태소는 각각의 형태소가 문장에서 홀로
사용될 수 있는 형태소이고, 의존 형태소는 문장 내에
서 홀로 쓰일 수 없는 형태소이다. 여기서 자립 형태소
만으로 이루어진 단어는 '꽃밭'과 '국물'이고, 의존 형태
소가 포함된 단어는 '맨발', '바느질'이다. '맨-', '-질'은
접사로 문장에서 홀로 사용되지 않는다.

(4) '여닫이'는 동사 '열다'와 '닫다'의 합성어인 '여닫다'
에 접사 '-이'가 결합하여 만들어진 파생어이다. 이를
형태소로 분석해 보면 '여(ㄹ)-/닫-/-이'와 같고, 모두
의존 형태소로 이루어진 단어이다. 그리고 '덮개'는 어
근 '덮-'과 접사 '-개'가 결합하여 만들어진 파생어이
다. 이를 형태소로 분석해 보면 '덮-/-개'와 같고, 모두
의존 형태소로 이루어진 단어이다.

04 단어는 뜻을 지니고 홀로 쓰일 수 있는 말의 단위이다.
홀로 쓰일 수 있는 형태소는 단어가 될 수 있으며, 조사
도 단어로 인정된다.

(1) '나', '는', '우리', '선생님', '이', '제일', '좋다'의 7개 단
어로 이루어져 있다.

(2) '오빠', '는', '엄마', '를', '닮았다'의 5개 단어로 이루
어져 있다.

(3) '나', '는', '내일', '학교', '에', '갈', '것', '이다'의 8개 단
어로 이루어져 있다.

05 단일어는 하나의 어근으로 된 단어이고, 복합어는 둘
이상의 어근이나, 어근과 접사의 결합으로 이루어진 단

어이다.

(1) '사과, 다리, 부엌, 나무, 도시락, 먹다'는 하나의 어근으로 이루어진 단어이다.

(2) '비빔밥, 색연필, 책꽂이, 꽃잎, 보름달, 먹이다'는 '비빔+밥, 색+연필, 책+꽂-+-이, 꽃+잎, 보름+달, 먹-+-이-+-다'로 분석될 수 있으므로 복합어이다.

06 합성어는 둘 이상의 어근이 결합한 복합어이다. 여기서 어근이란 단어의 실질적인 의미를 나타내는 형태소를 말한다. '책가방, 김밥, 눈사람, 돌다리, 검붉다, 산나물, 밥상, 솜이불'은 각각 '책+가방, 김+밥, 눈+사람, 돌+다리, 검-+붉다, 산+나물, 밥+상, 솜+이불'로 두 개의 어근이 결합된 합성어이다.

오답 피하기 '지우개, 부채질, 헛소리, 덧버선'은 각각 지우-+-개, 부채+-질, 헛-+소리, 덧-+버선'으로 이루어진 단어이다. 여기서 '-개, -질, 헛-, 덧-'은 어근의 앞뒤에 붙어 뜻을 더하거나 제한하는 접사이다. 이렇게 어근과 접사가 결합하여 이루어진 단어를 파생어라고 한다.

07 (1) '개-'는 '야생 상태의' 또는 '질이 떨어지는'의 뜻을 더하는 접두사이다.

(2) '맨-'은 '다른 것이 없는'의 뜻을 더하는 접두사이다.

(3) '한-'은 '한창인'의 뜻을 더하는 접두사이다.

(4) '-답다'는 '성질이 있음'의 뜻을 더하고 형용사를 만드는 접미사이다.

(5) '-이'는 명사를 만드는 접미사이다.

(6) '-개'는 '그러한 행위를 하는 간단한 도구'의 뜻을 더하여 명사를 만드는 접미사이다.

08 가변어는 단어의 형태가 상황에 따라 다양하게 변화하는 것으로 동사와 형용사 즉 용언과 서술격 조사 '이다'가 이에 해당한다. ④의 '읽다'는 동사로 가변어이다.

오답 피하기 ①은 관형사, ②는 명사, ③은 부사, ⑤는 감탄사로 모두 형태가 변화하지 않는 불변어이다.

09 사람이나 사물, 개념이나 장소의 이름을 대신하여 가리키는 단어를 대명사라고 한다. '저기'는 말하는 이나 듣는 이로부터 멀리 있는 곳을 가리키는 지시 대명사이고, '누구'는 잘 모르는 사람이나 막연한 사람을 가리키는 인칭 대명사이다.

오답 피하기 ①, ④ 보통 명사이다.

② 수사이다.

10 의존 명사는 홀로 쓰이지 못하고 다른 말의 꾸밈을 반드시 필요로 하는 명사이다. ③에는 의존 명사가 사용되지 않았다. '너밖에'의 '밖에'는 조사이다.

오답 피하기 ① '그럴 수도'의 '수'가 의존 명사이다.

② '더할 나위 없이'의 '나위'가 의존 명사이다.

④ '기쁠 따름이다'의 '따름'이 의존 명사이다.

⑤ '세 권을'의 '권'이 의존 명사이다.

11 앞말에 특별한 뜻을 더해 주는 역할을 하는 조사를 보조사라고 한다. '는', '도', '만' 등이 이에 해당한다. ③에서 '민수도'라고 쓴 것은 민수 외에 다른 사람도 캠프장에 갔다는 뜻을 나타내기 위해서이다.

오답 피하기 ①, ②, ④, ⑤에 쓰인 '가', '께', '이다', '을'은 앞말과 다른 말과의 문법적인 관계를 표시하는 격조사이다.

12 동사와 형용사를 구분할 때는 명령형이나 청유형을 만들 수 있는지, 현재형 어미를 붙여서 표현할 수 있는지 확인한다. '마시다'는 '마신다, 마시는'과 같이 현재형 어미 '-ㄴ다', '-는'이 결합하여 활용할 수 있는 동사이다.

오답 피하기 ①, ②, ④, ⑤ 모두 형용사이다. 형용사는 어떤 대상의 성질이나 상태를 나타내며, 현재형 어미 '-ㄴ다', '-는'과 결합할 수 없다. 또한 명령형이나 청유형을 만들 수 없다.

13 동사와 형용사의 가장 큰 특징은 활용을 하는 것이다. 활용을 할 때는 용언의 어간 끝에 다양한 어미가 결합하여 활용을 한다.

14 수식언은 문장에서 다른 단어를 꾸며 주는 역할을 한다. 체언을 꾸미는 역할을 하는 품사는 관형사, 용언 또는 다른 부사나 문장 전체를 꾸미는 역할을 하는 품사는 부사이다.

(1) '새'는 체언인 '책'을 꾸며 주는 관형사이다.

(2) '빨리'는 용언인 '달리다'를, '아주'는 부사인 '빨리'를 꾸며 주는 부사이다.

15 감탄사는 감정을 넣어 말하는 사람의 놀람, 느낌, 부름이나 대답을 나타내는 단어이다. 감탄사는 문장 안에서 다른 말들과 관련이 적고, 독립적으로 사용된다.

(1) '아이고'는 아프거나 놀라거나 반갑거나 탄식할 때 내는 감탄사이고, '저런'은 놀라운 일이나 딱한 일을 보거나 들었을 때 하는 감탄사이다.

(2) '네'는 윗사람의 물음, 부탁, 명령 등에 대답할 때 쓰는 감탄사이다.

(3) '응'은 상대의 물음에 대답하거나 상대의 대답을 재촉할 때 쓰는 감탄사이다.

16 둘 이상의 단어가 합쳐져 하나의 관습적인 의미로 사용되는 말은 '전문어'가 아니라 '관용어'이다.

17 (1) '발이 넓다.'는 '사귀어 아는 사람이 많아 활동하는 범위가 넓다.'라는 뜻의 관용 표현이다.

(2) '싼 게 비지떡.'은 '값이 싼 물건은 품질도 그만큼 나쁘게 마련이다.'라는 속담이다.

(3) '가랑비에 옷 젖는 줄 모른다.'는 '아무리 사소한 것이라도 그것이 거듭되면 무시하지 못할 정도로 크게 됨.'을 비유적으로 이르는 속담이다.

(4) '시치미를 떼다.'는 '자기가 하고도 하지 아니한 체하거나 알고 있으면서도 모르는 체하다'라는 뜻의 관용 표현이다.

(5) '바가지를 쓰다.'는 '요금이나 물건값을 실제 가격보다 비싸게 지불하여 억울한 손해를 보다.'라는 뜻의 관용 표현이다.

(6) '세 살 버릇 여든까지 간다.'는 '어릴 때 몸에 밴 버릇은 늙어 죽을 때까지 고치기 힘들다.'라는 뜻으로, 어릴 때부터 나쁜 버릇이 들지 않도록 잘 가르쳐야 함을 비유적으로 이르는 속담이다.

(7) '잘 자랄 나무는 떡잎부터 안다.'는 '잘될 사람은 어려서부터 남달리 장래성이 엿보인다.'라는 뜻의 속담이다.

18 (1) '껍데기'는 달걀이나 조개 따위의 겉을 싸고 있는 단단한 물질을 가리키고, '껍질'은 귤이나 양파 따위의 겉을 싸고 있는 단단하지 않은 물질을 가리킨다. 따라서 굴 껍데기라고 해야 한다.

(2) 할아버지께 하는 말이므로 '밥'의 높임말인 '진지'를 사용해야 한다.

(3) '틈'과 '간격'은 '공간적으로 벌어진 사이'라는 의미는 유사하지만 사용되는 문맥이 다르다. '모여 있는 사람의 속'을 의미할 때는 '틈'이 사용된다.

(4) '벼 이삭은 익을수록 고개를 숙인다.'는 '교양이 있고 수양을 쌓은 사람일수록 겸손하고 남 앞에서 자기를 내세우려 하지 않는다.'라는 것을 비유적으로 이르는 속담이다.

19 '서다'와 반의 관계에 있는 말은 '앉다' 혹은 '가다, 움직이다' 등이다.

오답 피하기 ① '맑다'와 '흐리다'는 반의 관계이다.

②, ⑤ '좋다'는 '싫다' 혹은 '나쁘다'와 반의 관계를 이룬다.

④ '빌리다'는 '빌려주다' 혹은 '갚다'와 반의 관계를 이룬다.

20 '벌[蜂]'과 '벌(罰)'은 의미적으로 전혀 관계가 없는 동음이의 관계의 어휘이다.

오답 피하기 ① '사람의 팔목 끝에 달린 부분.'이라는 기본 의미와 기본 의미에서 연상할 수 있는 '일손.'의 의미를 나타내므로 다의 관계이다.

③ '높다'는 '아래에서 위까지의 길이가 길다.'라는 기본 의미와 '수치로 나타낼 수 있는 온도, 습도, 압력 따위가 기준치보다 위에 있다.', '기세 따위가 힘차고 대단한 상태에 있다.' 등의 주변 의미를 가지고 있는 다의어이다.

④ '사람이나 동물의 목 위의 부분.'이라는 기본 의미와 기본 의미에서 연상할 수 있는 '머리털.'의 의미를 나타내므로 다의 관계이다.

⑤ '날이 새면서 오전 반나절쯤까지의 동안.'이라는 기본 의미와 기본 의미에서 연상할 수 있는 '아침에 끼니로 먹는 음식.'의 의미를 나타내므로 다의 관계이다.

🎈 실력 키우기

본문 | 127~131쪽

01 ③	02 ①	03 ④	04 ⑤	05 ①	06 ①	07 ⑤
08 ③	09 ⑤	10 ③	11 ③	12 ③	13 ③	14 ④
15 ②	16 ②	17 걸다	18 ③	19 ③	20 ⑤	21 ④

22 ㉠: 자기와 듣는 사람을 포함한 여러 사람을 가리킴. ㉡: 어떤 대상이 자신과 친밀한 관계임을 나타냄. **23** ①

01 '만들었다'는 '만들-', '-었-', '-다'의 세 형태소가 결합하여 이루어진 단어로 이들은 모두 의존 형태소이다.

오답 피하기 ① '나는'은 자립 형태소 '나'와 의존 형태소 '는'으로 구성되어 있다.

②, ⑤ '눈사람을'은 자립 형태소 '눈', '사람'과 의존 형태소 '을'의 세 개 형태소로 구성되어 있다.

④ '는', '과', '을' 등의 조사는 의존 형태소이다.

02 '낚시'를 '낚'과 '시'로 나누면 본래의 의미를 잃어버리므로 더 이상 나눌 수 없다. 이 자체가 하나의 형태소이다.

03 ⓒ의 '은', '가'는 조사로 문법적 의미를 나타내는 의존 형태소, 형식 형태소이다.

오답 피하기 ① 동사의 어간은 자립성이 없는 의존 형태소이지만, 실질적인 의미가 있는 실질 형태소이다.
② '학교'는 실질적인 의미가 있는 실질 형태소이다.
③ '맑-'과 '-은'이라는 의존 형태소가 결합하였다.
⑤ '-겠-'은 미래, 추측의 의미를 나타내는 선어말 어미로 형식 형태소이다.

04 '이', '가'는 조사이고, 단어의 자격을 가진다. 그러나 '-았/었-'은 어미이고, 단어의 자격을 가지지 못한다.

오답 피하기 ① 조사와 어미는 더 이상 분석될 수 없는, 뜻을 가진 가장 작은 단위인 형태소이다.
② 조사와 어미는 모두 문법적 의미를 나타낸다.
③ '이/가'는 자음으로 끝난 단어 뒤에서는 '이'로, 모음으로 끝난 단어 뒤에서는 '가'로 형태가 바뀐다. '-았/었-'은 용언 어간의 모음이 'ㅏ, ㅗ'일 때는 '-았-'으로, 그 외의 모음일 때는 '-었-'으로 형태가 바뀐다.
④ 조사와 어미는 의존 형태소로, 반드시 다른 말과 결합하여 나타난다.

05 '잘못'은 부사 '잘'과 부사 '못'이 결합하여 합성 명사를 형성한 것이다.

오답 피하기 ② '것', ③ '사이', ④ '오늘', '날', ⑤ '길'은 모두 명사이다.

06 '지우개'는 동사 어근 '지우-'와 접미사 '-개'가 결합하여 명사가 된 것이다.

오답 피하기 ② 명사 '앞'과 동사 '서다'가 결합한 합성 동사이다.
③ 접두사 '군-'이 명사 '소리'와 결합한 파생 명사이다.
④ 접두사 '휘-'가 동사 '두르다'와 결합한 파생 동사이다.
⑤ 명사 '사이'가 두 번 결합한 합성 명사이다.

07 '바늘방석'은 명사 '바늘'과 명사 '방석'이 합쳐진 합성어로, 파생어인 '참뜻, 햇곡식, 마음씨, 장난꾸러기'와는 단어 형성 과정이 다르다.

오답 피하기 ① '참뜻'은 접두사 '참-'과 명사 '뜻'이 합쳐진 파생어이다.
② '햇곡식'은 접두사 '햇-'과 명사 '곡식'이 합쳐진 파생어이다.
③ '마음씨'는 명사 '마음'과 접미사 '-씨'가 합쳐진 파생

어이다.
④ '장난꾸러기'는 명사 '장난'과 접미사 '꾸러기'가 합쳐진 파생어이다.

08 '오가는'은 동사 '오가다'의 활용형으로 동사 '오다'와 동사 '가다'의 어간과 어간이 어미 없이 바로 결합하여 형성된 비통사적 합성어이다.

오답 피하기 ①, ②, ④ '들끓었다', '치뜨다', '한겨울'은 합성어가 아니라 파생어이다.
⑤ '굳은살'은 동사 '굳다'의 어간 '굳-'과 관형사형 어미 '-은'과 명사 '살'이 결합한 통사적 합성어이다.

09 사람이나 사물의 상태나 성질을 나타내는 품사는 형용사이다. '가만히'는 부사이다.

오답 피하기 ① '산모퉁이'는 사물의 이름을 나타내는 명사이다.
② '외딴'은 체언 앞에 놓여서 그 내용을 꾸며 주는 관형사이다.
③ '홀로'는 용언이나 다른 말 앞에서 그 내용을 꾸며 주는 부사이다.
④ '찾아가다'는 사람이나 사물의 움직임을 나타내는 동사이다.

10 '사과 세 개'의 '세'는 수 관형사이다.

오답 피하기 ①, ②, ④, ⑤ 모두 수사이다.

11 '저기'는 말하는 사람과 듣는 사람에게 모두 먼 쪽을 가리키는 지시 대명사이다.

오답 피하기 ① '그것'은 듣는 사람에게 가까이 있는 대상을 가리킬 때 사용한다.
② '이것'은 말하는 사람에게 가까이 있는 대상을 가리킬 때 사용한다.
④ 이 문장에서 '우리'는 '누나'가 '철수' 자신과 친밀한 관계임을 나타낸 말이다.
⑤ '그것'은 대화 상황에서 앞서 언급한 대상을 가리킬 때 사용한다.

12 '는'은 앞말이 화제라는 특별한 의미를 더해 주는 보조사이다.

오답 피하기 ① '에게'는 앞말이 문장에서 부사어의 역할을 하도록 하는 부사격 조사이다.
② '에'는 앞말이 문장에서 부사어의 역할을 하도록 하는 부사격 조사이다.

④ '가'는 앞말이 문장에서 주어의 역할을 하도록 하는 주격 조사이다.

⑤ '의'는 앞말이 문장에서 관형어의 역할을 하도록 하는 관형격 조사이다.

13 부사 '과연'은 '그 사람은 그 일을 할 것인가?'라는 문장 전체를 꾸며 주는 역할을 한다.

오답 피하기 ①, ②, ④, ⑤ '잘'은 동사 '쓴다'를, '아주'는 부사 '빨리'를, '내일'은 동사 '만난다'를, '못'은 동사 '말린다'를 꾸며 주는 역할을 한다.

14 명사와 호격 조사의 결합은 문장에서 '독립어'로 기능하지만, 그것이 곧 단어의 품사를 바꾸는 것은 아니다.

15 전문적이고 정확한 의미를 전달하기 위해서는 한자어를 사용하는 것이 효과적이다. 한자어는 여러 가지 의미를 지니는 고유어보다 좀 더 분명하고 자세하게 뜻을 전달한다.

오답 피하기 ③ 한자어 중에는 우리나라에서 만들어 낸 한자어도 있다. '감기(感氣)', '고생(苦生)', '복덕방(福德房)', '사돈(査頓)' 등이 그 예이다.

④ 유의 관계란 의미가 거의 같거나 비슷한 단어들 사이의 관계이다. '살갗'과 '피부(皮膚)', '말하다'와 '대화(對話)하다'와 같이 비슷한 의미의 고유어와 한자어는 유의 관계를 이룬다.

⑤ 새로운 문물과 함께 새로운 단어가 들어오는 현상은 매우 흔하다.

16 '맛있는'이 '미역국'을 꾸미고 있다. 따라서 이 문장에서의 '미역국을 먹었다'는 단어의 의미 그대로를 뜻한다.

오답 피하기 ① '앞뒤가 다르다.'는 '말이나 행동이 서로 맞지 않다.'라는 의미의 관용어이다.

③ '잔뼈가 굵다.'는 '오랜 기간 일정한 곳이나 직장에서 일을 하여 그 일에 익숙하다.'라는 의미의 관용어이다.

④ '덜미를 잡히다.'는 '못된 일 따위를 꾸미다가 발각되다.'라는 의미의 관용어이다.

⑤ '얼굴이 두껍다.'는 '부끄러움을 모르고 염치가 없다.'라는 의미의 관용어이다.

17 '걸다'의 기본 의미는 '벽이나 못 따위에 어떤 물체를 떨어지지 않도록 매달아 올려놓다.'이다. 또한 '걸다'는 '돈을 계약이나 내기의 담보로 삼다(예 현상금을 걸다.).', '의논이나 토의의 대상으로 삼다(예 소송을 걸다.).', '목

숨, 명예 따위를 담보로 삼거나 희생할 각오를 하다(예 양심을 걸다.).', '다른 사람을 향해 먼저 어떤 행동을 하다(예 시비를 걸다.).' 등의 의미도 가지는 다의어이다.

18 〈보기〉의 '타다'의 의미는 '탈것이나 짐승의 등 따위에 몸을 얹다.'이다. 이와 가장 의미적으로 유사한 것은 ③의 '타다'로, '바람이나 물결, 전파 따위에 실려 퍼지다.'의 의미로 사용되었다. 따라서 두 단어는 다의 관계이다.

오답 피하기 ①은 '몫으로 주는 돈이나 물건을 받다.'의 의미, ②는 '햇볕을 오래 쬐어 피부가 검게 변하다.'의 의미, ④ '복이나 재주, 운명 등을 선천적으로 지니다.'의 의미, ⑤ '사람이나 물건이 많은 사람의 손길이 미쳐 약해지거나 나빠지다.'의 의미로 〈보기〉의 '타다'와 소리는 같지만, 의미의 유사성은 없으므로 동음이의 관계이다.

19 제시 글의 '뽑아내다'는 '속에 들어 있는 것을 밖으로 빼내다.'라는 의미이므로 '추출하다' 등과 바꾸어 쓸 수 있다. '선별하다'는 '가려서 따로 나누다.'라는 의미이므로 이 문맥에서 ⓒ과 바꾸어 쓸 수 없다.

오답 피하기 ① '센서'는 '감지기'로 순화해서 쓸 수 있다.

② '만만치 않다'는 '손쉽게 다룰 수 없다, 양이 적지 아니하다.'라는 의미이다. 따라서 '어지간히 많다, 또는 적지 아니하다.'라는 의미의 '상당하다'와 바꾸어 쓸 수 있다.

④ '침전되다'는 '액체 속에 있는 물질이 밑바닥에 가라앉게 되다.'라는 의미이므로 '쌓이게 되다'와 바꾸어 쓸 수 있다.

⑤ '영구적으로'는 '오래도록 변하지 아니하게.'라는 의미이므로 '무한히'와 바꾸어 쓸 수 있다.

20 ⓐ에는 한 가지 일로 두 가지의 이익을 얻을 수 있다는 의미의 속담이 들어가야 한다. 그러한 의미의 속담은 '도랑 치고 가재 잡는다.'이다.

오답 피하기 ① 자신의 이익을 위해 지조 없이 이편에 붙었다 저편에 붙었다 함을 비유적으로 이르는 속담이다.

② 아무리 힘을 들여도 보람 없이 헛된 일이 되는 상태를 비유적으로 이르는 속담이다.

③ 우연히 공을 세운 경우를 비유적으로 이르는 속담이

다.

④ 사람의 긴밀한 관계를 비유적으로 이르는 속담이다.

21 다의 관계는 의미적으로 유사성이 있는 관계를 말한다. 소리는 같지만 의미의 유사성이 없는 관계는 동음이의 관계이다. 여기서 벽지를 '바르다'와 행동이 '바르다'는 소리는 같지만 의미의 유사성이 없으므로 동음이의 관계이다.

오답 피하기 ① 의미가 거의 같거나 비슷한 단어들의 관계를 유의 관계라고 한다.

② 반의 관계의 두 단어는 다른 의미 요소들은 공통적이고 하나의 의미 요소만 다르다.

③ 사람의 '다리'와 책상의 '다리'는 의미적으로 유사성을 가지므로 다의 관계이다.

⑤ '식물'과 '꽃', '꽃'과 '무궁화'는 각각 상하 관계를 이룬다.

22 '우리'는 1인칭 복수 대명사로서, 말하는 사람이 자기와 듣는 사람, 또는 자기와 듣는 사람을 포함한 여러 사람을 가리키는 대명사이다. 이 대화에서 세은이가 "우리 셋이 지금 사러 갈까?"의 '우리'와 나경이가 "다음엔 꼭 우리 다 같이 가자."의 '우리'는 '수빈, 나경, 세은'을 모두 포함하는 것이다(㉠). 한편, '우리'는 어떤 대상이 자신과 친밀한 관계임을 나타낼 때에도 쓰인다. "우리 엄마", "우리 집" 등의 '우리'가 그러한 예이다(㉡).

23 '낮다'는 ㉠에서 '아래에서 위까지의 높이가 기준이 되는 대상이나 보통 정도에 미치지 못하는 상태에 있다.'라는 의미로 쓰여 공간과 관련된 중심적 의미를 나타내지만, ㉡에서는 '품위, 능력, 품질 등이 바라는 기준보다 못하거나 보통 정도에 미치지 못하는 상태에 있다.'라는 의미로 쓰여 중심적 의미가 추상화된 주변적 의미를 나타낸다.

오답 피하기 ② '크다'의 중심적 의미는 '사람이나 사물의 외형적 길이, 넓이, 높이, 부피 등이 보통 정도를 넘다.'이다. ㉠에서는 '가능성 따위가 많다.'라는 주변적 의미로 쓰였고, ㉡에서는 '일의 규모, 범위, 정도, 힘 등이 대단하거나 강하다.'라는 또 다른 주변적 의미로 쓰였다.

③ '넓다'의 중심적 의미는 '면이나 바다 등의 면적이 크다, 너비가 크다.'이며 ㉠, ㉡ 모두 중심적 의미로 쓰였다.

④ '좁다'의 중심적 의미는 '면이나 바닥 등의 면적이 작

다.'이다. ㉠, ㉡은 모두 '마음 쓰는 것이 너그럽지 못하다.'라는 주변적 의미로 쓰였다.

⑤ '작다'는 ㉠에서 '일의 규모, 범위, 정도, 중요성 등이 비교 대상이나 보통 수준에 미치지 못하다.'라는 주변적 의미로 쓰였고, ㉡에서는 '길이, 넓이, 부피 등이 비교 대상이나 보통보다 덜하다.'라는 중심적 의미로 쓰였다.

Ⅳ | 문장과 담화

잠깐 퀴즈 본문 **134~175**쪽

1 ① **2** 6개 **3** (1) 17 (2) 7 (3) 5 (4) 3 **4** (1) 형이 (2) 아빠가 (3) 친구들이 **5** (1) 3 (2) 2 (3) 1 **6** ③
7 (1) 새 (2) 도시의 **8** ① **9** (1) 아름다운 (2) 흐드러지게 **10** ④ **11** 전기 사용량을 줄여야 한다. **12** 너는 내키지 않는 일은 절대로 하지 않는구나. **13** ③ **14** 그는 운동선수라서 몸이 약하지 않다. 그는 운동선수치고 몸이 약하다.
15 홑문장, 겹문장 **16** ‑기, ‑(으)ㅁ **17** ④
18 선우는 선생님께 병원에 다녀오겠다고 말했다. **19** ②
20 ④ **21** 평서문, 의문문, 청유문 **22** (1) X (2) O **23** 명령문, 청유문 **24** 주체 높임법, 객체 높임법 **25** ②
26 해요체 **27** 현재 시제 **28** ㉠ **29** 의지 **30** 완료상 **31** 능동, 피동 **32** 사냥꾼이 사슴을 쫓았다. **33** 영수가 책을 읽었다. **34** 내가 동생에게 신발을 신겼다. **35** (1) 어제 친구들과 도서관에 안 갔다. (2) 어제 친구들과 도서관에 가지 않았다. (3) 어제 친구들과 도서관에 못 갔다. (4) 어제 친구들과 도서관에 가지 못했다. **36** 학생들이 한 명도 가지 않았다. 학생들 중 일부는 가고 일부는 가지 않았다. **37** ④ **38** (1) O (2) X **39** (1) O (2) X **40** 맥락, 맥락 **41** X **42** 의사소통

기본 익히기 본문 **180~182**쪽

01 (1) O (2) X (3) O (4) X (5) X (6) X **02** (1) 목적어 (2) 독립어 (3) 보어 (4) 주어 (5) 부사어 (6) 관형어 (7) 서술어
03 ③ **04** (1) 새 (2) 이 (3) 도시의 (4) 우리나라 (5) 익는
05 ③ **06** ④ **07** (1) 홑 (2) 홑 (3) 겹 (4) 겹 **08** ②
09 ③ **10** 나는 부모님의 말씀이 옳았음을(옳았다는 것을) 깨달았다. **11** (1) 종 (2) 대 (3) 종 (4) 종 **12** ③ **13** (1) 주 (2) 객 (3) 상 **14** ⑤ **15** (1) 녹였다 (2) 소개해 (3) 잡았습니다 **16** (1) 들었다 (2) 씻기고, 입히고, 먹여 (3) 먹게 했다
17 (1) 못 (2) 안 (3) 안 (4) 못

01 (2) 국어의 문장 성분에는 주성분, 부속 성분, 독립 성분이 있다.

(4) 사건시와 발화시가 일치하는 것은 현재 시제이다. 과거 시제는 사건시가 발화시보다 앞서 있는 것이다.

(5) 상대에게 어떠한 행동을 하도록 요구하는 것은 명령문이다. 청유문은 화자가 청자에게 어떠한 행동을 함께 할 것을 요구하는 문장이다.

(6) '안' 부정문은 의지 부정, '못' 부정문은 능력 부정을 나타낸다.

02 (1) '책을'은 '읽다'라는 동작의 대상이 되는 성분이므로 목적어이다.

(2) '엄마야'는 다른 문장 성분과 관계를 맺지 않으므로 독립어이다.

(3) '학생이'는 서술어 '아니다' 앞에 나타나는 성분이므로 보어이다.

(4) '봄은'은 '오다'라는 움직임의 주체에 해당하므로 주어이다.

(5) '가장'은 서술어 '좋아한다'를 꾸며 주므로 부사어이다.

(6) '남의'는 뒤에 오는 '것'을 꾸며 주므로 관형어이다.

(7) '나팔꽃이다'는 '마음'을 풀이해 주는 말이므로 서술어이다.

03 '잡다'는 주어와 목적어를 요구하는 두 자리 서술어이다.

오답 피하기 ①, ②, ④, ⑤ '보내다', '두다', '넣다', '삼다'는 모두 주어, 목적어, 부사어를 요구하는 세 자리 서술어이다.

04 (1) '새'는 뒤에 오는 '책'을 꾸미는 관형어이다.

(2) '이'는 뒤에 오는 '침대'를 꾸미는 관형어이다.

(3) '도시의'는 관형격 조사 '의'가 결합한 성분으로, 뒤에 오는 '풍경'을 꾸미는 관형어이다.

(4) '우리나라'는 뒤에 오는 체언 '봄'을 꾸미는 관형어이다.

(5) '익는'은 '익-'에 관형사형 어미 '-는'이 결합한 성분으로, 뒤에 오는 '계절'을 꾸미는 관형어이다.

05 '메모광이'는 '되다'를 보충해 주는 역할을 하므로 보어이다.

오답 피하기 '실로', '차차', '가득'은 뒤에 오는 서술어나 문장 전체를 꾸며 주는 부사어이다. '메모에' 또한 명사

와 부사격 조사가 결합한 부사어이다.

06 '만약'은 가정하는 문장 형태와 호응하므로 ④는 적절한 표현이다.

오답 피하기 ① 주어와 서술어의 호응이 적절하지 않다. '어제는 비가 내리고 바람이 불었다.'로 고쳐야 한다.

② 조사와 서술어의 호응이 적절하지 않다. '치고'는 앞말과 대립되는 서술어와 호응하므로 '몸이 튼튼하지 않다.'로 고쳐야 한다.

③ 부사어와 서술어의 호응이 적절하지 않다. '결코'는 부정문과 호응하기 때문에 '결코 좌절하지 않을 것이다.'로 고쳐야 한다.

⑤ '왜냐하면'은 '~ 때문이다'와 호응한다. 따라서 '왜냐하면 내일은 소풍을 가는 날이기 때문이다.'로 고쳐야 한다.

07 (1), (2) 주어와 서술어가 한 번 사용된 홑문장이다.

(3) '내가 꾼 꿈'이라는 명사절을 가진 안은문장으로 겹문장이다.

(4) '성호는 노래도 잘한다.'와 '성호는 춤도 잘 춘다.'가 대등하게 연결된 이어진문장으로 겹문장이다.

08 홑문장은 주어와 서술어가 한 번 사용된 문장이다. ②는 '아기가 울어 대는'이라는 관형절이 안겨 있는 형태로, 관형절을 가진 안은문장인 겹문장이다.

오답 피하기 ①, ③, ④, ⑤ 주어와 서술어가 한 번만 사용된 홑문장이다.

09 ③은 '그가 돌아온 것'이라는 명사절이 안겨 있다. 따라서 명사절을 가진 안은문장이다.

오답 피하기 ①, ②, ④, ⑤ 종속적으로 연결된 이어진문장이다.

10 명사형 어미 '-(으)ㅁ', '-는 것' 등을 이용하여 명사절을 만들 수 있다.

11 (1) '-어도'는 양보를 나타내는 연결 어미로, 이 문장은 종속적으로 연결된 이어진문장이다.

(2) 앞 문장과 뒤 문장이 '-고'로 이어져 있는데, 이들은 앞 문장과 뒤 문장의 순서를 바꾸어도 의미 변화가 일어나지 않는다. 따라서 대등하게 연결된 이어진문장이다.

(3) '-(으)면'은 조건을 나타내는 연결 어미로, 이 문장은 종속적으로 연결된 이어진문장이다.

(4) '-어서'는 원인을 나타내는 연결 어미로, 이 문장은 종속적으로 연결된 이어진문장이다.

12 ③은 할아버지께 신문을 갖다 드리라는 일종의 명령을 부드럽고 완곡하게 표현한 의문문이다.

오답 피하기 ①, ②, ④, ⑤ 상대방에게 대답을 요구하는 의문문이다.

13 (1) 조사 '께서'와 선어말 어미 '-시-'는 문장의 주어인 '어머니'를 높이고 있다. 따라서 주체 높임법에 해당한다.
(2) '모시다'는 문장의 목적어인 '선생님'을 높이고 있다. 따라서 객체 높임법에 해당한다.
(3) '가니'와 '가십니까'는 대화의 상대가 누군지에 따라 상대를 낮추거나 높여 표현하고 있다. 따라서 상대 높임법에 해당한다.

14 '-겠-'은 추측, 의지, 가능성 등을 표현하는 데에 쓰이는데, ⑤의 '-겠-'은 추측을 나타내고 있다.

오답 피하기 ①, ②, ③, ④ '-겠-'을 사용하여 의지를 나타내고 있다.

15 (1) 주어인 소녀가 손을 녹게 하는 사동 표현이 쓰여야 하므로, '녹았다'를 사동 표현인 '녹였다'로 고쳐 써야 한다.
(2) '소개시키다'는 '-하게 하다'의 형태로 바꾸어 쓸 수 없다. '-시키다'를 '-하게 하다'로 바꿔 썼을 때 어색해지면 사동 표현을 쓸 수 없는 동사이므로, '소개해'로 고쳐 써야 한다.
(3) 주어인 순경이 직접 잡는 행동을 하므로 능동 표현을 써야 한다. 따라서 '잡았습니다'로 고쳐 써야 한다.

16 (1) 피동문이 아닌 능동문이므로 '들었다'를 사용해야 한다.
(2) 사동문이므로 '씻기다', '입히다', '먹이다'를 사용해야 한다.
(3) 내가 동생에게 직접 행동을 하는 것이 아니라 행동을 하도록 시키는 간접 사동문이므로, '-게 하다' 형태의 사동문을 쓴다.

17 (1), (4) 외부의 상황으로 인해 어떠한 행위가 일어나지 못한 것이므로 '못' 부정문을 쓰는 것이 적절하다.
(2), (3) 주어가 의지를 가지고 어떠한 행위를 하지 않는 것이므로 '안' 부정문을 쓰는 것이 적절하다.

실력 키우기

본문 | 183~187쪽

01 ② 02 ③ 03 (1) 진짜, 너무, 매우, 많이 (2) 아주 (3) 너무, 많이, 불룩하게 (4) 과연 (5) 꿀보다 (6) 봄에는, 그리고, 가을에는 04 ⑤ 05 ① 06 (1) 보어 (2) '되다', '아니다'를 보충해 주는 역할을 한다. 07 ④ 08 ② 09 ③ 10 (1) 뵈었다 – 객체 높임법 (2) 크시다 – 주체 높임법 (3) 아버지께 – 객체 높임법, 났어요 – 상대 높임법 (4) 어머니께, 여쭤보았다 – 객체 높임법 11 (3), (2), (1), (4) 12 (1) 계시다고 → 있으시다고 (2) 나오십니다 → 나옵니다 (3) 없으십니다 → 없습니다 13 (1) ㉠ (2) ㉡, ㉢, ㉣ (3) ㉤, ㉥, ㉦, ㉧ 14 ③ 15 ① 16 ④ 17 해설 참조 18 해설 참조 19 해설 참조 20 ⑤ 21 (1) 못했다 (2) 않았다 (3) 않아서 (4) 않다 22 해설 참조 23 (1) 말자 (2) 말아라 24 해설 참조 25 해설 참조 26 ② 27 학생들이 창문을 닫을 것이다. 28 ②

01 주어는 서술어가 나타내는 행위의 주체이다. ②에서 책을 받은 주체는 '나'이므로 이 문장의 주어는 '나는'이다. '친구에게'는 부사어이다.

오답 피하기 ① 이사를 간 행위의 주체가 '우리'이므로 이 문장의 주어는 '우리'이다.
③ 옹호하고 있는 행위의 주체가 '너'이므로 이 문장의 주어는 '너만'이다.
④ 조사를 하는 행위의 주체가 '검찰'이므로 이 문장의 주어는 '검찰에서'이다. 보통 주어를 나타내는 조사로 '이/가'를 사용하지만, 단체를 나타내는 명사 뒤에서는 '에서'를 사용할 수 있다.
⑤ 선물을 준 행위의 주체가 '선생님'이므로 이 문장의 주어는 '선생님께서'이다.

02 서술어는 성격에 따라 반드시 필요한 문장 성분이 정해져 있다. 문장에서 해당 성분을 제거하였을 때 문장이 비문이 아니라면, 그 성분은 서술어가 반드시 필요로 하는 성분이 아니라고 할 수 있다. ③에서 동사 '가다'는 '(어디)에서'라는 출발점을 나타내는 문장 성분이 없어도 적절한 문장을 이룰 수 있다.

오답 피하기 ① '삼다'는 주어와 목적어, 부사어가 필요한 서술어이다.
②, ⑤ '비슷하다'와 '닮다'는 주어와 부사어가 필요한 서술어이다. 부사어를 사용하지 않을 때에는 여럿임을 나타내는 말이 주어로 오므로 이 문장에서는 부사어를 사용해야 한다.
④ '되다'는 주어와 보어가 필요한 서술어이다.

03 (2)의 '새'와 (5)의 '이'는 관형어이다.

04 '매우', '빨리', '놀라게'는 모두 부사어이다.

오답 피하기 ① '새'는 '컴퓨터'를 꾸며 주는 관형어이다.

② '이'는 '코트'를 꾸며 주는 관형어이다.

③ '넓은'은 '바다'를 꾸며 주는 관형어이다.

④ '살던'은 '곳'을, '큰'은 '공원'을 꾸며 주는 관형어이다.

05 목적어는 동작의 대상이 되는 문장 성분이다. ①의 '피지를'은 목적격 조사인 '를'이 결합하였지만, '피다'는 서술어의 동작 대상이 되는 문장 성분이 아니므로 목적어가 아니다. 이때 '를'은 강조의 뜻을 나타내는 보조사이다.

오답 피하기 ②의 '굴'은 '파다'의 대상이, ③의 '커피'는 '마시다'의 대상이, ④의 '밥'은 '안 먹다'의 대상이, ⑤의 '수학'은 '좋아하다'의 대상이 된다. 따라서 ②, ③, ④, ⑤의 밑줄 친 문장 성분은 모두 목적어이다.

06 (가)에는 '사람이', '경찰이' 등이, (나)에는 '언니가', '동생이', '형이' 등이, (다)에는 '물이' 들어갈 수 있다. 제시된 빈칸은 모두 '되다', '아니다'를 보충해 주는 역할을 하고 있으므로 보어에 해당한다.

07 명사형 어미 '-음'에 의해 만들어진 명사절을 가진 안은문장이다.

오답 피하기 ①의 '어제 본', ②의 '영국에서 수입해 온', ③의 '아버지가 가져오신', ⑤의 '어릴 때부터 꿈꿔 오던' 등은 모두 관형절이다. 따라서 ①, ②, ③, ⑤는 모두 관형절을 가진 안은문장이다.

08 부사절은 문장 속에서 부사어의 기능을 하는 절로, 부사형 어미 '-게', '-듯이', '-도록' 등에 의해 만들어진다. ②의 '입이 찢어지게'는 부사절이다.

오답 피하기 ①, ③, ④, ⑤ 종속적으로 연결된 이어진문장이다.

09 ①, ④, ⑤는 명령문으로 화자가 청자에게 어떤 행동을 할 것을 요구하는 명령의 기능을 나타내고, ②는 의문문의 형태이지만 상대에게 조용히 하는 행동을 요구하는 명령의 기능을 하고 있다. 이와 달리 ③은 상대의 대답을 요구하는 기능을 하고 있다.

10 (1) '뵈었다'가 목적어인 '할머니'를 높이므로 객체 높임법이 사용되었다.

(2) '크시다'에 선어말 어미 '-시-'가 사용되었다. 이를 통해 주체인 할아버지의 신체 부위를 높이는 주체 높임법이 사용되었다.

(3) 부사어인 '아버지에게'에 조사 '께'를 써서 높이고 있다. 서술어의 대상인 부사어를 높이는 표현이므로 여기서 사용된 높임 표현은 객체 높임법이다. '낳어요'는 문장의 주체나 객체를 높이는 표현이 아닌 상대를 높이는 표현으로 상대 높임법이 사용되었다.

(4) '어머니께'의 '께'와 '여쭤보다'라는 동사의 사용은 객체인 어머니를 높이는 표현이므로 객체 높임법이 사용되었다.

11 하십시오체, 하오체, 하게체, 해라체의 순으로 나열한다.

12 (1) 주체인 선생님이 아닌 선생님의 말씀을 간접적으로 높이는 표현이므로 '있으시다'를 쓰는 것이 적절하다. 따라서 '계시다고'를 '있으시다고'로 고쳐야 한다.

(2) '음식'은 높여야 하는 대상이 아니므로 '나오십니다'를 '나옵니다'로 고쳐야 한다.

(3) 옷은 높여야 하는 대상이 아니므로 '없으십니다'를 '없습니다'로 고쳐야 한다.

13 ㉠은 과거, ㉡, ㉢, ㉣은 현재, ㉤, ㉥, ㉦, ㉧은 미래에 해당한다.

14 관형사형 어미 '-(으)ㄹ'을 사용하여 미래 시제를 나타내고 있다.

오답 피하기 ①, ②, ④, ⑤ 모두 현재 시제를 나타낸다. 형용사는 기본형이 현재를 나타내며, 동사는 동사 어간에 '-ㄴ다', '-는다' 등이 결합하여 현재를 나타낸다.

15 ④는 현재 시제이고, ②, ③, ⑤는 과거부터 현재까지 진행되는 진행상으로 모두 현재 시간을 나타내고 있다. 반면 ①은 완료상으로 이미 일어난 사태를 '-어 버리다'를 통해 표현하고 있으므로 과거를 나타낸다.

16 미래 시제는 '-겠-' 혹은 관형사형 어미 '-(으)ㄹ' 등으로 표현할 수 있다. ④의 '-겠-'은 과거의 사실을 추측하는 표현으로, 형태는 미래이지만 실제 나타내는 시간은 과거임을 알 수 있다.

17 (예시 답안) (1) 쥐가 고양이에게 잡혔다.

(2) (아버지가) 아이에게 밥을 먹였다.

(3) 토끼가 호랑이에게 잡아먹혔다.

18 (예시 답안) (가)와 (나)는 모두 사동문이다. (가)는 사동 접사 사동문이며 (나)는 '-게 하다' 사동문이다. (가)는 직접·간접 사동의 의미를 모두 나타낼 수 있지만 (나)는 간접 사동의 의미만 나타낼 수 있다.

19 (예시 답안) (3)은 피동문으로 만들 수 없다. '울다'는 피동문을 이루는 동사가 아니기 때문이다.

20 '풀리다'는 '풀다'의 피동형으로, ⑤는 '검찰이 사건을 풀었다.'에 대응하는 피동문이다.

(오답 피하기) ①, ②, ③, ④ '입히다', '넓히다', '녹이다', '숨기다'는 모두 사동문을 이루는 동사이다.

21 능력 부정과 관계된 것은 '못' 부정문을, 단순 부정 및 의지 부정과 관계된 것은 '안' 부정문을 쓸 수 있다.

22 (예시 답안) (가)는 '안' 부정문이며 (나)는 '못' 부정문이다. '안' 부정문은 단순 부정이나 의지 부정을 나타내므로, (가)는 잠을 잘 수 있었음에도 자신의 의지로 잠을 자지 않았음을 뜻한다. (나)는 내부 혹은 외부의 상황으로 인하여 자는 행위를 할 수 없었음을 뜻한다.

23 명령문과 청유문의 부정문에서는 '말다'를 사용한다.

24 (예시 답안) (1) 지난 일요일에 수영을 한 것은 내가 아니라 다른 사람이다.

(2) 나는 지난 일요일에 수영을 하지 않고 보기만 했다.

25 (예시 답안) (1) 나는 그에게 밥은 드셨냐고 물어보았다.

(2) 아버지께서 형에게 "내일은 미술관에 가라."라고 하셨다.

(3) 나는 할머니께 "오늘 같이 식사를 해요."라고 하였다.

(4) 직원은 손님에게 "이곳에서는 담배를 피지 마십시오(마세요)."라고 하였다.

(5) 그는 나에게 내일 뵙겠다고 말하며 퇴근했다.

26 상대 높임법은 간접 인용에서 중요하지 않다. '가십니까', '먹어요' 등 상대 높임법을 나타내는 표현은 간접 인용문에서 모두 '가시냐고', '먹느냐고' 등으로 바뀐다.

(오답 피하기) ④ 의문문을 간접 인용문으로 나타낼 때에는 '-느냐고'와 '-냐고'가 모두 쓰일 수 있다. 즉 '나는 친구에게 밥을 언제 먹느냐고 물었다.', '나는 친구에게 밥을 언제 먹냐고 물었다.'가 모두 가능하다.

27 상황 맥락을 고려하면 제시된 문장은 단순히 창문이 열려 있다는 상태를 기술한 평서문이 아니라, 추운데 창문이 열려 있으니 창문을 좀 닫아 달라는 간곡한 명령을 나타내는 명령문이라 할 수 있다. 따라서 이에 대한 학생들의 적절한 반응은 창문을 닫는 것이다.

28 '(이 글의) 특징은'이 주어인데 서술어가 '강하다'이므로 주어와 서술어가 호응하지 않는다. 따라서 '강하다'를 '강하다는 것이다'로 고쳐야 한다.

(오답 피하기) ① '구매'와 '구입'의 의미가 중복되어 잘못된 표현이다. 따라서 '상품을 싸게 구매할 수 있다'나 '상품을 싸게 구입할 수 있다'로 고쳐야 한다.

③ '여간하다'는 부정 표현과 호응하는 서술어이다. 따라서 '여간한 기쁨이었다'는 '여간한 기쁨이 아니었다'로 고쳐야 한다.

④ 목적어인 '유해 물질'과 어울리는 서술어가 존재하지 않는다. '유해 물질을 줄이고'처럼 '유해 물질'과 호응하는 서술어를 추가하여 고쳐야 한다.

⑤ '형언하다'는 부정 표현과 호응하는 서술어이다. 따라서 '형언할 방법을 찾지 못했다'로 고쳐야 한다.

V │ 어문 규정

1 소리, 어법   **2** 단어   **3** ④   **4** ①   **5** ②   **6** (1) 오
(2) 오 (3) 요   **7** ①   **8** ③   **9** ⑤   **10** ②   **11** ③
12 ④   **13** ④   **14** ②   **15** ③   **16** ①   **17** (1) ○ (2) X
18 ⑤   **19** ③   **20** ②   **21** ③   **22** ①   **23** (1) X (2) X
24 말약, 오얏   **25** ④   **26** ③   **27** 같은 말도 사람마다 다
르게 발음하기 때문에   **28** ③   **29** (1) ○ (2) X
30 (1) [의시미마는마텽] (2) [무니가가튼오탄벌]   **31** ④
32 ⑤   **33** (1) 파일 (2) 버스   **34** (1) Seoraksan (2)
Daegwallyeong

01 (1) X (2) ○ (3) X (4) ○ (5) X (6) ○   **02** ㉠: 소리 나는
대로 적은 표기 방식 ㉡: 어법에 맞게 형태소를 밝혀 적은 표기 방
식   **03** ②   **04** (1) 읽고 (2) 오시오 (3) 아니요 (4) 솔직히
(5) 사과할걸 (6) 덥던데 (7) 돼요 (8) 선율   **05** ②   **06** ⑤
07 해설 참조   **08** (1) 강낭콩 (2) 수꿩 (3) 숫쥐 (4) 멋쟁이
(5) 웃어른   **09** ④   **10** 의사소통, 혼란, 언어생활   **11** (1)
○, ○ (2) ○, ○ (3) ○, X (4) X, ○ (5) ○, X (6) X, ○ (7) ○, X
12 ④   **13** (1) 우리의히망 / 우리에히망 (2) 그거시조씀니다 (3)
거도슬버서노안따   **14** ①   **15** ②

01 (1) 한글 맞춤법은 표준어를 소리대로 적되, 어법에 맞
도록 함을 원칙으로 한다.
(3) 표준어는 교양 있는 사람들이 두루 쓰는 현대 서울
말로 정한다. 이때 '현대' 서울말로 한 것은 역사의 흐름
에서의 구획을 인식해서이다.
(5) 외래어는 우리말의 소리와 형태에 적응하고 변화한 한
국어의 일부이다. 따라서 외래어 표기법에 맞게 적는다.

02 ㉠은 소리 나는 대로 적은 표기이고, ㉡은 어법에 맞게
형태소를 밝혀 적은 표기이다. 한글 맞춤법은 표준어를
소리 나는 대로 적는 것을 원칙으로 하지만, '꽃'과 같이
뒤에 붙는 글자에 따라 발음 형태가 달라지는 경우는
소리 나는 대로 적게 되면 그 뜻이 바로 파악되지 않는
다. 따라서 이런 경우에는 어법에 맞게 형태소의 본모
양을 밝혀 적는 것을 원칙으로 한다.

03 두 음절로 된 한자어 중 '곳간, 셋방, 숫자, 찻간, 툇간,
횟수'의 6개 단어에는 사이시옷을 사용한다.
오답 피하기 ① 두음 법칙은 단어의 첫음절에만 적용

되므로 '남녀'로 써야 한다.
③ 순우리말로 된 합성어로서 앞말이 모음으로 끝나고,
뒷말의 첫소리 모음 앞에서 'ㄴㄴ' 소리가 덧나므로 사
이시옷을 써서 '나뭇잎[나문닙]'으로 써야 한다.
④ '뻐꾹'은 '-하다'나 '-거리다'가 붙을 수 없는 어근이
므로, 그것에 '-이'가 결합한 명사는 원형을 밝혀 적지
않고 '뻐꾸기'라고 써야 한다.
⑤ 형용사 어간 '따뜻'에 부사 파생 접미사 '-이'가 결합
한 것이므로, 원형을 밝혀 '따뜻이'라고 써야 한다.

04 (1) 동사 어간 '읽-'을 밝혀 적는다.
(2) 종결형에서 사용되는 어미 '-오'는 '요'로 소리 나더
라도 원형을 밝혀서 '오'로 적는다.
(3) 연결형에서 사용되는 '이요'는 '이요'로 적는다.
(4) 부사의 끝음절이 분명히 '이'로만 나는 것은 '-이'로
적고, '히'로만 나거나 '이'나 '히'로 나는 것은 '-히'로 적
는다. '솔직히'는 끝음절이 '이, 히'로 소리 나는 말이므
로 '솔직히'라고 적는다.
(5) 의문을 나타내는 어미 '-(으)ㄹ까, -(으)ㄹ꼬, -(으)
ㄹ쏘냐' 등을 제외한 'ㄹ' 뒤에서 된소리로 발음되는 어
미는 된소리로 적지 않는다.
(6) 지난 일을 나타낼 때의 어미는 '-더라, -던'으로 적
는다.
(7) '되어요'의 준말이므로 '돼요'로 써야 한다.
(8) 모음이나 'ㄴ' 받침 뒤에 이어지는 '렬, 률'은 '열, 율'
로 적는다.

05 '-하다'나 '-거리다'가 붙는 어근에 '-이'가 붙어서 명
사가 된 것은 그 원형을 밝혀 적으므로 '삐죽이'라고 써
야 한다.
오답 피하기 ①, ④ '꿀꿀', '배불뚝'은 '-하다'나 '-거리
다'가 붙는 어근이므로 '-이'가 붙어서 명사가 될 때 그
원형을 밝혀 적는다.
③, ⑤ '-하다'나 '-거리다'가 붙을 수 없는 어근에 '-이'
나 또는 다른 모음으로 시작되는 접미사가 붙어서 명사
가 될 때는 원형을 밝혀 적지 않는다.

06 사이시옷은 합성어를 발음할 때 뒷말의 첫소리가 된소
리로 나거나 뒷말의 첫소리 'ㄴ, ㅁ' 또는 모음 앞에서
'ㄴ' 소리가 덧나면 표기한다. 뒷말의 첫소리가 본래 거
센소리나 된소리인 경우는 사이시옷을 표기하지 않으
므로, '나루터'가 맞는 표현이다.

오답 피하기 ① '내+가 → [내ː까/낻ː까]'로 순우리말의 합성어에서 뒷말의 첫소리가 된소리로 나는 경우이므로 사이시옷을 사용하여 '냇가'로 적는다.

② '아래+니 → [아랜니]'로 순우리말의 합성어에서 뒷말의 첫소리 'ㄴ, ㅁ' 앞에서 'ㄴ' 소리가 덧나는 경우이므로 사이시옷을 사용하여 '아랫니'로 적는다.

③ '전세+집 → [전세찝/전섿찝]'으로 한자어와 순우리말의 합성어에서 뒷말의 첫소리가 된소리로 나는 경우이므로 사이시옷을 사용하여 '전셋집'으로 적는다.

④ '제사+날 → [제ː산날]로 한자어와 순우리말의 합성어에서 뒷말의 첫소리 'ㄴ, ㅁ' 앞에서 'ㄴ' 소리가 덧나는 경우이므로 사이시옷을 사용하여 '제삿날'로 적는다.

07 예시 답안 ⑴ '느낀바를 → 느낀 바를'. '바'는 앞에서 언급한 내용을 가리키는 의존 명사이므로 띄어 쓴다.

⑵ '떠났는지 → 떠났는지'. '-는지'는 막연한 의문을 나타내는 어미이므로 붙여 쓴다.

08 ⑴ '강낭콩'은 '중국 강남 지방에서 들여온 콩'이라는 어원이 있는 말이지만, 어원에서 멀어진 형태로 굳어져 쓰고 있으므로 '강낭콩'을 표준어로 삼는다.

⑵, ⑶ 수컷을 뜻하는 접두사는 '숫양, 숫쥐, 숫염소'의 경우에만 '숫-'으로 적는다. 그 외에는 모두 '수-'로 적는다.

⑷ 기술자에는 '-장이', 그 외에는 '-쟁이'를 붙인다.

⑸ 아래, 위의 대립이 있는 경우에는 접두사 '윗-'을, 아래, 위의 대립이 없는 경우에는 '웃-'을 사용한다.

09 준말이 널리 쓰이고 본말이 잘 쓰이지 않는 경우에는 준말만을 표준어로 삼으므로, 널리 쓰이는 '생쥐'가 표준어이다.

오답 피하기 ① 준말과 본말이 다 같이 널리 쓰이면서 준말의 효용이 뚜렷이 인정되는 것은 두 가지를 다 표준어로 삼는다. 따라서 '노을'과 '놀' 모두 표준어이다.

② 준말인 '솔개'가 널리 쓰이고 본말인 '소리개'가 잘 쓰이지 않는 경우이므로 준말인 '솔개'를 표준어로 삼는다.

③, ⑤ 준말이 쓰이고 있더라도, 본말이 널리 쓰이고 있으면 본말을 표준어로 삼는다. 따라서 준말인 '돗, 살판'이 아닌 본말인 '돗자리, 살얼음판'을 표준어로 삼는다.

10 한글 맞춤법, 표준어 규정, 외래어 표기법 등의 우리말 규범은 의사소통을 하는 과정에서 불필요한 오해와 혼

란을 줄이고 효과적이고 효율적인 언어생활을 하기 위하여 필요하다.

11 ⑴ 모음 'ㅖ'는 이중 모음으로 발음하는 것이 원칙이지만 '예, 례' 이외의 'ㅖ'는 [ㅔ]로도 발음할 수 있다. 따라서 [지혜/지헤] 모두 표준 발음법에 맞다.

⑵ 모음 'ㅢ'는 이중 모음으로 발음하는 것이 원칙이지만 단어의 첫음절 이외의 '의'는 [ㅣ]로 발음하는 것도 허용한다. 따라서 [주의/주이] 모두 표준 발음법에 맞다.

⑶, ⑷ 겹받침이 모음으로 시작된 조사와 결합되는 경우에는, 뒤엣것만을 뒤 음절 첫소리로 옮겨 발음하므로 [넉쓸], [달기]라고 발음해야 한다.

⑸ 받침으로 끝나는 단어의 뒤에 모음으로 시작하는 조사나 어미가 오면 받침이 뒤 음절로 옮겨져 발음되지만, 구체적인 의미를 가진 실질 형태소가 오면 받침이 대표음으로 바뀌어 소리가 난다. 따라서 [오뒤에]라고 발음해야 한다.

⑹ 받침 'ㅎ'은 뒤에 'ㄱ'이 올 경우 합쳐서 [ㅋ]으로 발음하므로 [노코]라고 발음해야 한다.

⑺ 첫소리 'ㄴ'이 'ㄶ', 'ㄾ' 뒤에 연결되는 경우에는 [ㄹ]로 발음한다. 따라서 [달른]으로 발음해야 한다.

12 'ㅢ'는 이중 모음으로 발음하지만, 자음을 첫소리로 가지고 있는 음절의 'ㅢ'는 [ㅣ]로 발음한다. 따라서 [유히]가 맞다.

오답 피하기 ① 'ㄶ' 뒤에 'ㄴ'으로 시작된 어미가 결합될 경우 'ㅎ'은 발음되지 않고 'ㄴ'은 [ㄹ]로 발음된다.

② 'ㅎ(ㄶ, ㅀ)' 뒤에 'ㄷ'이 결합되는 경우에는 뒤 음절 첫소리와 합쳐서 [ㅌ]으로 발음한다.

③ 받침 'ㄷ'이 뒤 음절 첫소리 'ㅎ'과 결합되는 경우에는 두 음을 합쳐서 [ㅌ]으로 발음한다.

⑤ 단어의 첫음절 이외의 'ㅢ'는 [ㅣ]로 발음하는 것이 허용되므로 [혀비]로 발음할 수 있다.

14 외래어의 한 음운은 하나의 글자로 적는다. 이에 따라 'f'는 항상 'ㅍ'으로 표기하므로, '휠름'이 아닌 '필름'이라고 써야 한다.

15 국어를 로마자로 표기할 때는 표준 발음법에 맞추어 표기해야 한다. 또한 음운 변동이 있을 경우 이를 반영해야 한다. 따라서 종로는 [종노]로 발음되므로 'Jongno'라고 써야 한다.

🎈실력 키우기

01 ④ **02** ④ **03** ① **04** ② **05** ① **06** ④ **07** ③
08 (1) 사뭇 (2) 사흘날 (3) 반짇고리 **09** ②

01 '-이' 이외의 모음으로 시작된 접미사가 붙어서 된 말은 그 명사의 원형을 밝혀 적지 않으므로 '이파리'라고 적어야 한다.

오답 피하기 ① 단어의 끝모음이 줄어지고 자음만 남은 것은 그 앞의 음절에 받침으로 적으므로, '어제저녁'의 준말은 '제'의 'ㅈ'이 앞 음절의 받침으로 이동하여 '엊저녁'으로 써야 한다.

② '넓직하다'는 '널찍하다'의 잘못된 표현이다. 따라서 '널찍한'으로 써야 한다.

③ '~하다'가 줄어들 때는 '하'의 'ㅏ'만 줄고 'ㅎ'이 남아 다음 음절의 첫소리와 결합하지만, 어간의 끝음절 '하'가 아주 줄 적에는 준 대로 적는다. 따라서 '생각건대'로 써야 한다.

⑤ '설레이다'는 '설레다'의 잘못된 표현이다. 따라서 '설렌다'로 써야 한다.

02 받침 'ㅎ' 뒤에 모음으로 시작되는 어미가 결합되면 '좋아[조아]'와 같이 'ㅎ'을 발음하지 않는다.

03 홑받침이 모음으로 시작된 조사와 결합되는 경우에는, 제 음가대로 뒤 음절 첫소리로 옮겨 발음한다. 따라서 '빛이'는 [비치]로 발음해야 한다.

오답 피하기 ③ 쌍받침이 모음으로 시작된 조사나 어미, 접미사와 결합되는 경우에는, 제 음가대로 뒤 음절 첫소리로 옮겨 발음한다. 따라서 '섞여'는 [서껴]로 발음해야 한다.

④ '맛있는'은 '맛'의 'ㅅ'이 단어 경계 앞에서 대표음 [ㄷ]으로 바뀐 다음, 뒤에 오는 '있는'과 연결되어 [마딘는]으로 발음한다. 최근 많은 사람들이 '맛'과 '있다' 사이에 단어 경계를 두지 않고 [마신는]과 같이 발음하면서 둘 다 표준 발음으로 인정하고 있다.

⑤ 겹받침이 모음으로 시작된 조사나 어미, 접미사와 결합되는 경우에는, 뒤엣것만을 뒤 음절 첫소리로 옮겨 발음한다. 따라서 '닭을'은 [달글]로 발음해야 한다.

04 뒤 단어의 첫소리가 본래 거센소리나 된소리인 경우에는 사이시옷을 표기하지 않는다. 따라서 '허리띠'가 맞는 표현이다.

오답 피하기 ① '이+몸'이 [인몸]으로 발음되므로 사이시옷을 표기한다.

③ '뒤+마당'이 [뒨ː마당]으로 발음되므로 사이시옷을 표기한다.

④ '배+놀이'가 [밴노리]로 발음되므로 사이시옷을 표기한다.

⑤ '허드레+일'이 [허드렌닐]로 발음되므로 사이시옷을 표기한다.

05 '넓다', '넓고', '넓지'는 각각 [널따], [널꼬], [널찌]로 발음한다.

오답 피하기 ② 'ㅎ' 뒤에 'ㄴ'이 결합되는 경우에는 [ㄴ]으로 발음하므로 '쌓는'은 [싼는]으로 발음한다.

③ '맑다', '맑고', '맑지'는 각각 [막따], [말꼬], [막찌]와 같이 발음한다.

④ 'ㅄ' 받침을 가진 '값' 뒤에 '10원 어치, 100불($) 어치' 등에 쓰이는 '어치'가 결합하여 만들어진 합성어로, '값'의 겹받침 중 하나만을 옮겨 [가버치]로 발음한다.

⑤ '닭 요리'는 '닭'의 'ㄹㄱ'이 단어 경계 앞에서 대표음 [ㄱ]으로 바뀐 다음, 뒤에 오는 '요리'와 연결되어 [다교리]로 발음될 수 있고, '닭'과 '요리'라는 두 단어를 한 단어처럼 이어서 발음하는 경우에는 뒤 단어의 '요' 앞에 'ㄴ'을 첨가하여 [당뇨리]로 발음될 수 있다.

06 'ㅚ' 뒤에 '-어라'가 연결되어 줄어질 때에는 'ㅙ라'로 적어야 한다. 따라서 '쬐+어라'는 '쫴라'가 된다.

오답 피하기 ③ '놓+아라'는 예외적으로 어간 받침 'ㅎ'이 줄면서 '놔라'로 줄어진다.

07 받침에는 'ㄱ, ㄴ, ㄹ, ㅁ, ㅂ, ㅅ, ㅇ'만을 쓴다고 했으므로, 'rocket'은 '로켙'이나 '로켇'이 아닌 '로켓'으로 적는다.

오답 피하기 ① 국어의 현용 24자는 현재 사용하고 있는 한글의 자모 24자를 말한다. 따라서 다른 자모를 추가하는 것은 적절하지 않다.

② 외래어의 1 음운은 1 기호로 적는다고 했으므로 'fashion'과 'fried'의 첫 음운은 같은 기호로 표기한다. 따라서 '패션', '프라이드'로 적는다.

④ 파열음 표기에는 된소리를 쓰지 않는다고 하였으므로 'bus'는 '버스', 'sign'은 '사인'으로 적는다.

⑤ 이미 굳어진 외래어는 관용을 존중하므로 'camera', 'radio' 등은 각각 '카메라', '라디오' 등으로 표기한다.

08 제7항에서 'ㄷ'으로 적을 근거가 없는 것이란, 그 형태소가 'ㄷ' 받침을 가지고 있지 않는 것이다. 제29항에서 'ㄹ'이 [ㄷ]으로 바뀌어 발음되는 것은 'ㄷ'으로 적는다는 것은, 실질 형태소의 본모양을 밝히어 적는다는 원칙에 벗어나는 규정이지만, 역사적 현상으로서 'ㄷ'으로 바뀌어 굳어져 있는 단어는 어원적인 형태를 밝히어 적지 않는 것을 말한다.

(1) (나)와 같이 원래 형태소가 'ㄷ' 받침을 가지고 있는 경우에는 'ㄷ'을 살려 적지만 (가)와 같이 원래 형태소가 'ㄷ'을 가지고 있지 않은 경우에는 'ㅅ'으로 쓴다. '사뭇'은 (가)에 해당되는 것으로 'ㅅ' 받침을 쓰는 것이 맞다.

(2) '사흗날'은 (다)와 같이 '사흘+날'에서 'ㄹ'이 'ㄷ'으로 바뀌어 발음되는 경우이므로 '사흗날'로 표기한다.

(3) '반짇고리'는 바느질 도구를 담는 그릇을 가리키는 말로 '바느질'이 '고리'와 합쳐지면서 '반짇'으로 줄어진 것이다. 즉 본래 '질'의 'ㄹ'이 'ㄷ'으로 바뀐 경우이다. 따라서 역사적 현상으로서 'ㄷ'으로 바뀌어 굳어져 있는 단어는 어원적인 형태를 밝히어 적지 않으며 'ㄷ'으로 적을 근거가 있는 것이므로 '반짇고리'와 같이 'ㄷ'으로 표기한다.

09 '무덤'은 '묻-+-엄', '지붕'은 '집+-웅', '마중'은 '맞-+-웅'이 결합하여 만들어진 파생어로 어근의 원형을 밝혀 적지 않는다. '뒤뜰, 쌀알'은 각각 '뒤+뜰', '쌀+알'의 합성어로 어근의 원형을 밝혀 적는다.

오답 피하기 '길이'는 형용사 어간 '길-'에 접미사 '-이'가 결합한 파생어로 어근의 원형을 밝혀 적는 경우이다.

VI 한글

🗼 **기본 익히기** 본문 | **246~247**쪽

01 (1) O (2) X (3) O (4) X (5) O **02** 1443, 훈민정음(한글), 17, 11 **03** 상형 **04** (1) 혀뿌리가 목구멍을 막는 모양 (2) 이의 모양 (3) 하늘 (4) (평평한) 땅 **05** 가획 **06** ① **07** ④ **08** ② **09** (1) 《용비어천가》 (2) 《노걸대언해》 **10** 향찰 **11** ⑤

01 (2) 한자의 음과 뜻을 모두 취하여 우리말을 표기하였다.

(4) 자음의 기본자는 발음 기관의 모양을 본떴지만, 모음의 기본자 'ㆍ, ㅡ, ㅣ'는 하늘, 땅, 사람의 모습을 본떠 만들었다.

02 세종의 《훈민정음》 서문을 보면, 어리석은 백성이 말하고자 하는 바가 있어도 제 뜻을 표현하지 못하는 사람이 많아서 새로 28자를 만든다는 내용이 있다.

03 자음의 기본자는 발음 기관의 모양을, 모음의 기본자는 하늘, 땅, 사람의 모습을 본떠서 만든 것이다. 즉 이들은 모두 어떠한 대상의 모습을 본떠 만든 것이므로 '상형'의 원리라 할 수 있다.

04 훈민정음은 발음 기관의 모양을 본떠서 만들었다. 그 중에서 'ㄱ'은 혀뿌리가 목구멍을 막는 모양, 'ㅅ'은 이의 모양을 본뜬 것이다. 모음은 하늘, 땅, 사람의 모습을 본뜬 것인데 'ㆍ'는 하늘의 둥근 모양, 'ㅡ'는 땅의 평평한 모습을 본떴다.

05 'ㅋ, ㄷ, ㅌ, ㅂ, ㅍ, ㅈ, ㅊ, ㆆ, ㅎ'은 각각 기본자에 획을 하나 혹은 둘을 더해서 만든 글자로, 가획의 원리가 적용되어 있다. 'ㅋ'은 'ㄱ'의, 'ㄷ, ㅌ'은 'ㄴ'의, 'ㅂ, ㅍ'은 'ㅁ'의, 'ㅈ, ㅊ'은 'ㅅ'의, 'ㆆ, ㅎ'은 'ㅇ'의 가획자이다.

06 'ㄱ'의 가획자는 'ㅋ'이다. 'ㄲ'은 'ㄱ'을 나란히 두 번 쓴 '병서자'이다.

07 자음 중에서는 상형 및 가획의 원리로 설명되지 않는 글자도 있다. 'ㄹ, ㅿ, ㆁ'이 그것으로, 이들은 모양을 본뜨거나 획을 더해서 만든 글자가 아니라 모양을 달리하여 만든 '이체자(異體字)'이다.

오답 피하기 ③ 당시 최만리는 한글 창제를 반대하는 상소를 세종에게 올리기도 하였다.

⑤ 한글 창제 시에는 존재하였으나 지금은 쓰지 않는 글자에는 'ㅿ', 'ㆁ', 'ㆆ' 등이 있다.

08 조선 시대의 문인들은 한글로 된 시조와 가사를 남기기도 하였다. 윤선도의 〈어부사시사〉, 정철의 〈관동별곡〉 등이 그 예이다.

오답 피하기 ① 정조가 한글로 쓴 편지 등이 남아 있다.

③ 16세기의 《유합》, 《훈몽자회》 등은 한문에 한글로 음과 뜻을 달아 주어 학습할 수 있도록 하였다. 또한 17세기의 《노걸대언해》는 중국어 학습서로 중국어 발음을 한글로 달아 놓았다.

09 (1) 15세기에는 건국을 찬양하거나 교훈을 주는 책에 한글이 사용되었다. 《용비어천가》는 조선 왕조의 건국을 찬양하는 노래를 담은 책이다.

(2) 17~18세기에는 각종 편지를 비롯한 외국어 학습서에도 한글이 사용되었다. 《노걸대언해》가 그 예이다.

10 우리 조상들은 한글이 없던 시기에 '한자'를 사용하기도 했고, 한자의 음과 뜻을 빌려 우리말을 표기하기도 했다. 한자의 음과 뜻을 빌려 우리말을 적는 것을 '차자 표기'라고 하는데, 대표적인 차자 표기로 신라 시대에 사용했던 '향찰'을 들 수 있다.

11 전문어와 은어는 특정 계층이나 부류의 사람들이 사용하는 말로, 모든 사람이 전문어와 은어를 알아야 할 필요는 없다.

🎈 **실력 키우기** 본문 | 248쪽

01 ② 02 ④ 03 음/음/음/음/뜻/음, 선화 공주님은 04 ③

01 ㉠ 'ㆁ(옛이응)'은 혀뿌리가 목구멍을 막는 모양을 본뜬 소리의 이체자이다.

㉡ 'ㄹ'은 혀가 윗잇몸에 닿는 소리의 이체자이다.

㉢ 입 모양을 본떠 만든 글자는 'ㅁ'이다.

㉣ 'ㅿ(반치음)'은 잇소리의 이체자이다.

㉤ 'ㅇ'에 획을 더한 가획자는 'ㆆ(여린히읗)'이다.

02 모음의 기본자는 'ㆍ, ㅡ, ㅣ'이고 초출자는 'ㅗ, ㅜ, ㅏ, ㅓ'이며, 재출자는 'ㅛ, ㅠ, ㅑ, ㅕ'이다. 여기서 초출자와 재출자가 모두 사용된 단어는 '음료수'로, 초출자 'ㅜ'와 재출자 'ㅛ'가 사용되었다.

오답 피하기 ① '음식'은 기본자 'ㅡ, ㅣ'가 사용되었다.

② '일출'은 모음의 기본자 'ㅣ'와 초출자 'ㅜ'가 사용되었다.

③ '야영'은 모음의 재출자 'ㅑ, ㅕ'가 사용되었다.

⑤ '함지박'은 모음의 기본자 'ㅣ'와 초출자 'ㅏ'가 사용되었다.

03 향찰은 신라 시대에 사용된 차자 표기의 수단 중 하나로, 한문이나 한자 어구에 의존하지 않고 순수한 한국어 문장을 표기하는 데에 사용되었다. 주로 어휘적 의미는 훈독하며 문법적 의미는 음독한다. '善化公主主隱'은 《삼국유사》에 기록된 〈서동요〉의 일부로 이 중에서 '善化公主'는 음독하여 '선화 공주'로, '主'는 훈독하여 '님'으로, '隱'은 다시 음독하여 '은'으로 읽는다.

04 학생 3의 의견 중에서 예사소리와 거센소리의 관계를 통해 (나)의 '기본자에 가획하여 새로운 초성자를 만들었다.'라는 가획의 원리가 드러난다. 또한 예사소리와 된소리의 관계를 통해 (다)의 '초성자를 나란히 써서 또 다른 초성자로 사용하였다.'라는 병서의 원리가 드러난다.

오답 피하기 ① 학생 1의 의견에는 '초성의 상형 원리'인 (가)의 원리가 드러난다. (다)의 원리는 드러나지 않는다.

② 학생 2의 의견에는 '기본자 외의 8개 중성자는 기본자를 합하여 만들었다.'라는 (라)의 원리가 드러난다. (다)의 원리는 드러나지 않는다.

④ 학생 4의 의견에는 '기본자에 가획하여 새로운 초성자를 만들었다.'라는 (나)의 원리가 드러난다. (라)의 원리는 드러나지 않는다.

⑤ 학생 5의 의견에는 〈보기 2〉의 제자 원리가 드러나지 않는다. 학생 5가 말한 의견에는 '종성은 초성의 글자를 다시 쓴다.'라는 '종성부용초성(終聲復用初聲)'의 원리가 드러나 있다.